Themen neu

Ausgabe in zwei Bänden

Lehrwerk für Deutsch als Fremdsprache

Arbeitsbuch 1

von
Hartmut Aufderstraße
Heiko Bock
Karl-Heinz Eisfeld
Hanni Holthaus
Jutta Müller
Uthild Schütze-Nöhmke

Max Hueber Verlag

Verlagsredaktion: Werner Bönzli
Layout und Herstellung: Erwin Schmid
Illustrationen: Joachim Schuster, Baldham (Situationszeichnungen)
            Ruth Kreuzer, Mainz (Sachzeichnungen)
Umschlagfoto: Deutsche Luftbild, Hamburg
Fotos: Seite 12: alle Fotos Süddeutscher Verlag, Bilderdienst, München
        Seite 15 links und Seite 16: Franz Specht, Melusinen-Velag, München
        Seite 15 rechts: Werner Bönzli
        Seite 126: Michael Jackson: Süddeutscher Verlag, Bilderdienst, München
        © Ursula Röhnert
        Mick Jagger: dpa/Pressens Bild
        Bud Spencer/Klaus Kinski: Kinoarchiv Engelmeier, Hamburg
        Seite 148: Taurus Film, Unterföhring
        Seite 170: Christian Regenfus, München
Cartoon Seite 106: © The Walt Disney Company, Eschborn

Dieses Werk folgt der seit dem 1. August 1998 gültigen Rechtschreib-
reform. Ausnahmen bilden Texte, bei denen künstlerische, philologische
oder lizenzrechtliche Gründe einer Änderung entgegenstehen.

€ 4. 3. 2. | Die letzten Ziffern bezeichnen
2006 05 04 03 02 | Zahl und Jahr des Druckes.
Alle Drucke dieser Auflage können, da unverändert,
nebeneinander benutzt werden.
3. Auflage 2000
© 1994 Max Hueber Verlag, D-85737 Ismaning
Gesamtherstellung: Ludwig Auer GmbH, Donauwörth
Printed in Germany
ISBN 3-19-011566-4

Inhalt

Vorwort

In diesem Arbeitsbuch 1 zu „Themen neu – Ausgabe in zwei Bänden" werden die wichtigen Redemittel jeder Lektion einzeln herausgehoben und ihre Bildung und ihr Gebrauch geübt. Alle Übungen sind einzelnen Lernschritten im Kursbuch eindeutig zugeordnet.

Jeder Lektion ist eine Übersicht über die Redemittel vorangestellt, die in der betreffenden Lektion gelernt werden. Diese Übersicht ist sowohl eine Orientierungshilfe für die Kursleiterin oder den Kursleiter als auch eine Möglichkeit der Selbstkontrolle für die Lernenden: nach Durchnahme der Lektion sollte ihnen kein Eintrag in dieser Liste mehr unbekannt sein. Die Autoren empfehlen nicht, diese Listen als solche auswendig zu lernen – das Durcharbeiten der Übungen setzt einen effizienteren Lernprozess in Gang.

Zu den meisten Übungen gibt es im Schlüssel eine Lösung. Dies ermöglicht es den Lernenden selbständig zu arbeiten und sich selbst zu korrigieren. Zusammen mit dem Kursbuch und evtl. einem Glossar kann dieses Arbeitsbuch dazu dienen, versäumte Stunden selbständig nachzuholen.

Die Übungen des Arbeitsbuchs können im Kurs vor allem nach Erklärungsphasen in Stillarbeit eingesetzt werden. Je nach den Lernbedingungen der Kursteilnehmer können die Übungen aber auch weitgehend in häuslicher Einzelarbeit gemacht werden. Eine Ausnahme bildet Übung 6 in Lektion 9; für diese Übung werden die „Hörtexte 1" (3 Kassetten, Nr. 2.1566, oder 3 CDs, Nr. 3.1566) benötigt. (Über die Möglichkeit, die Lösungen aus dem Schlüssel abzuschreiben, sollte man sich nicht allzu viele Gedanken machen. Oft ist der Lernerfolg dabei fast ebenso groß. Manche Lernende lassen sich von dem Argument überzeugen, dass das Abschreiben meistens wesentlich mühsamer ist als ein selbständiges Lösen der Aufgabe.)

Nicht alle Übungen lassen sich im Arbeitsbuch selbst lösen; für manche Übungen wird also eigenes Schreibpapier benötigt.

Verfasser und Verlag

Wortschatz

Verben

arbeiten 13,14
buchstabieren 10
fragen 10, 16
haben 14
heißen 7
hören 11

kommen 13
leben 13
lernen 14
lesen 12, 14, 16
machen 12, 17
meinen 13

möchten 14
reisen 15
schreiben 10, 16
sein 7, 18
spielen 12, 15, 16, 17
sprechen 16, 17

studieren 14, 16
warten 18
werden 14
wohnen 10

Nomen

Alter 14
Ausländerin / Auslän-
  der 13
Beruf 14
Deutschland 13
Eltern 13
Familienname 10
Familienstand 14
Fotograf 16
Frau 7, 21
Geburtstag 18
Hausfrau 14

Herr 7
Hobby, Hobbys 14, 15
Jahre 14
Kauffrau / Kaufmann
  14, 17
Kind, Kinder 13, 14
Kurs 10
Land 16
Leute 14
Lösung 13
Mechaniker 15, 17
Monat, Monate 17

Name 7, 8
Ort 11, 20
Österreich 14
Postkarte, Postkarten
  11, 21
Postleitzahl, Postleit-
  zahlen 11
Reiseleiterin / Reiselei-
  ter 8
Schülerin / Schüler 14
Schweiz 14
Seite 13

Sekretärin 17
Straße 10
Studentin / Student 16
Tag, Tage 7, 17
Telefon 10, 21
Telefonnummer 10
Vorname 10
Wohnort 10, 14
Zahl, Zahlen 11

Adjektive

alt 14
berufstätig 15
frei 17

geschieden 16
gut 7, 8, 9, 15, 17
klein 14

ledig 15
neu 17
verheiratet 14

Adverbien

bitte 10
da 12, 13
erst 17

etwa 13
hier 12, 17
jetzt 14, 16

leider 18
nicht 12
noch 17

noch einmal 10, 12
schon 17
übrigens 17

Funktionswörter

aber 14, 17
aus 13
das 7
dein 10
denn 13, 18

in 10
ja 8
man 10
mein 7
mit 16, 20

und 7, 9, 10, 13, 14
von 11
was? 13, 19
wer? 7
wie? 7

wie viel? 12
wo? 18
woher? 13
wohin? 18

Lektion 1

Ausdrücke

Ach so! 17, 19	Danke, gut.	Guten Abend! 9	Macht nichts. 12
Auf Wiedersehen! 8	Danke schön! 10	Guten Morgen! 9	Wie bitte? 7
Bitte schön! 10	Entschuldigung! 12	Guten Tag! 7	Wie geht es Ihnen?
Danke! 9	Es geht. 9	Hallo! 9	zur Zeit 14

Grammatik

Personalpronomen und Verb (§ 32, 34)

Ich wohne …
Wohnst du …? / Wohnen Sie …?
Er wohnt … / Sie wohnt …
Wir wohnen …
Wohnt ihr …? / Wohnen Sie …?
Sie wohnen …

heißen	sein	haben
ich heiße	ich bin	ich habe
du heißt	du bist	du hast
er heißt	er ist	er hat
	wir sind	wir haben
	ihr seid	ihr habt
	sie sind	sie haben

Woher? (§ 12)

aus Deutschland
aus Österreich
aus der Schweiz
aus …

Wohin? (§ 12)

nach Deutschland
nach Österreich
in die Schweiz
nach … / in d…

Satzstrukturen (§ 44, 45 und 46)

Wortfrage:	*Satzfrage:*	*Aussagesatz:*
Wie heißen Sie?	Sind Sie Frau Beier?	Ich heiße Beier.
Wie geht es Ihnen?	Geht es Ihnen gut?	Es geht.
Wie schreibt man das?	Schreibt man das mit „ie"?	Das schreibt man mit „h".
Wer ist das?	Ist das die Reiseleiterin?	Ja, das ist die Reiseleiterin.
Wer ist da?	Ist da nicht Gräfinger?	Nein, hier ist Lehmann.
Wo wohnen Sie?	Wohnen Sie in Düsseldorf?	Nein, ich wohne in Essen.
Woher kommt Julia?	Kommt Julia aus Leipzig?	Julia kommt aus Dortmund.
Wohin möchtet ihr?	Möchtet ihr nach Wien?	Ich möchte nach Zürich.
Was machen Sie?	Sind Sie Arzt?	Nein, ich bin Ingenieur.
Was sind Sie von Beruf?	Wartet ihr schon lange?	Es geht.

1. Ergänzen Sie.

Nach Übung

2

im Kursbuch

bin/heiße   Sind   ~~heißen~~   bin   heißt   sind   ist   bin   bist   ~~heiße~~   ist

a) ○ Wie ___*heißen*___ Sie?
   □ Ich ___*heiße*___ Paul Röder.
b) ○ Wie _____ du?
   □ Mein Name _____ Sabine.
c) ○ Wer _____ Herr Lüders?
   □ Das _____ ich.

d) ○ _____ Sie Frau Sauer?
   □ Ja, das _____ ich.
e) ○ Wer _____ du?
   □ Ich _____ Christian.
f) ○ Wer _____ Sie?
   □ Ich heiße Paul Lüders.

2. Was passt?

Nach Übung

2

im Kursbuch

Das bin ich.   Mein Name ist Mahler.   ~~Nein, mein Name ist Beier.~~   Nein, ich heiße Beier.

~~Guten Tag! Ich heiße Sauer.~~   Ich heiße Paul.

~~Guten Tag! Mein Name ist Sauer.~~   Mein Name ist Paul.   Ich heiße Mahler.

a) ○ Guten Tag! Ich heiße Beier.
   □ *Guten Tag! Mein Name ist Sauer.*
   □ *Guten Tag! Ich heiße Sauer.*

b) ○ Wer ist Herr Lüders?
   □ _____

c) ○ Wie heißen Sie?
   □ _____
     _____

d) ○ Sind Sie Frau Röder?
   □ _____
     _____

e) ○ Wie heißt du?
   □ _____
     _____

Lektion 1

Nach Übung

2

im Kursbuch

3. Ergänzen Sie.

| ist | sind | bin | bist | -e | -en | -t |

a) ○ Wer _ist_ Frau Beier?
  □ Das _____ ich.
  Und wer _____ Sie?
  ○ Mein Name _____ Sauer.

b) ○ Wie heiß_____ du?
  □ Ich heiß_____ Sabine. Und du?
  ○ Mein Name _____ Lea.

c) ○ Wie heiß_____ Sie?
  □ Ich heiß_____ Röder. Und Sie?
  ○ Mein Name _____ Werfel.

d) ○ Ich heiß_____ Christian.
  Und wer _____ du?
  □ Mein Name _____ Lea.

Nach Übung

2

im Kursbuch

4. Ihre Grammatik: Ergänzen Sie.

	ich	du	Sie	mein Name/wer?
sein	bin			
heißen				

Nach Übung

3

im Kursbuch

5. Was passt zusammen?

a) ○ Guten Abend, Herr Farahani.
  □ Guten Abend, Herr Kaufmann.

b) ○ Auf Wiedersehen!
  □ Auf Wiedersehen!

c) ○ Guten Morgen.
  □ Guten Morgen, Frau Beier.
  Wie geht es Ihnen?
  ○ Danke, es geht.

d) ○ Hallo Christian!
  □ Hallo Lea! Wie geht es dir?
  ○ Danke, gut. Und dir?
  □ Auch gut, danke.

e) ○ Guten Tag, Frau Sauer.
  □ Guten Tag, Frau Lüders.
  Wie geht es Ihnen?
  ○ Danke, gut. Und Ihnen?
  □ Danke, auch gut!

	Dialog
A	
B	
C	
D	
E	

8   acht

6. Schreiben Sie Dialoge.

Nach Übung
3
im Kursbuch

a) heißen – wie – Sie: ○ _Wie heißen Sie?_
   ist – Name – Müller – mein: □ _____

b) ist – wer – Frau Beier: ○ _____
   ich – das – bin: □ _____

c) Herr Lüders – Sie – sind: ○ _____
   ich – nein – heiße – Röder: □ _____

d) du – heißt – wie: ○ _____
   heiße – Lea – ich: □ _____

e) Ihnen – es – wie – geht: ○ _____
   geht – es: □ _____

f) geht – wie – dir – es: ○ _____
   gut – danke: □ _____
   dir – und: ○ _____
   auch – danke – gut: □ _____

7. Ergänzen Sie.

Nach Übung
5
im Kursbuch

a) Name : heißen / Wohnort : _wohnen_

b) Sie : Ihr Name / du : _____

c) du : Wie geht es dir? / Sie : _____

d) heißen : wie? / wohnen : _____

e) Sabine Sauer : Frau Sauer / Abdollah Farahani : _____

f) Abdollah : Vorname / Farahani : _____

g) du : deine Telefonnummer / Sie : _____

h) bitte : Bitte schön! / danke : _____

8. „Du" oder „Sie"? Wie heißen die Fragen?

Nach Übung
5
im Kursbuch

a) ○ _Wie_ _____ □ Sauer.
   ○ _____ □ Sabine.
   ○ _____ □ In Gera
   ○ _____ □ Ulmenweg 3,
                        07548 Gera
   ○ _____ □ 56 82 39

b) ○ _Wie_ _____ □ Christian.
   ○ _____ □ Krüger.
   ○ _____ □ In Hof.
   ○ _____ □ Kirchweg 3,
                        95028 Hof
   ○ _____ □ 42 75

Lektion 1

Nach Übung

5

im Kursbuch

9. Wie heißt das?

```
Kurs  Deutsch G1

1. Otani ①
   Kunio ②
   Ahornstraße 2 ③
                    } ⑤
   99084 Erfurt  ④
   3 89 85 ⑥

2. Hernandez
   Alfredo
```

① *Familienname*
②
③
④
⑤
⑥

Nach Übung

5

im Kursbuch

10. „wer", „wie", „wo"? Ergänzen Sie.

a) ○ _____ heißt du?
   □ Christian

b) ○ _____ wohnen Sie, bitte?
   □ In Erfurt.

c) ○ _____ ist Ihre Adresse?
   □ Ahornstraße 2, 99084 Erfurt

d) ○ _____ geht es dir?
   □ Danke gut.

e) ○ _____ ist dein Name?
   □ Lea.

f) ○ _____ ist Frau Röder?
   □ Das bin ich.

g) ○ _____ ist Ihre Nummer?
   □ 62 15 35.

h) ○ _____ wohnt in Erfurt?
   □ Herr Farahani.

Nach Übung

6

im Kursbuch

11. Schreiben Sie.

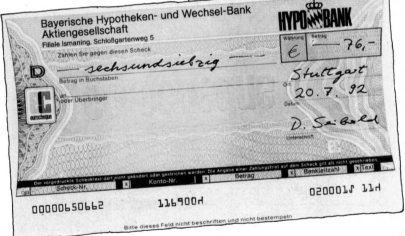

a) _____ € 47,–
b) _____ € 88,–
c) _____ € 31,–
d) _____ € 19,–
e) _____ € 33,–
f) _____ € 52,–
g) _____ € 13,–

h) _____ € 21,–
i) _____ € 55,–
j) _____ € 93,–
k) _____ € 24,–
l) _____ € 66,–
m) _____ € 17,–
n) _____ € 95,–

12. Lesen Sie die Nummernschilder.

Nach Übung

6

im Kursbuch

Ha De el ef dreiundsechzig

HD-LF 63

a) WES - KN 52	e) SHG - IC 71	i) AUR - VY 69
b) CLP - JY 34	f) TBB - KM 83	j) LÖ - KG 12
c) ZW - AS 27	g) BOR - QU 95	k) FFB - OT 8
d) FÜ - XT 48	h) MTK - KR 17	l) ROW - SY 19

13. Wer hat die Telefonnummer...?

Nach Übung

9

im Kursbuch

Kersch Walter   6 36 66
  Leuchtenburger - 68
Kersen Detlef van   5 84 06
  Ulrich-von-Hutten- -2
Kerski Klaus u. Hetty 6 75 25
  Johann-Justus-Weg 141 a

Kerstan Margarete   8 63 01
  Heinrich-Sandstede- - 7
Kersten Andreas u.   4 15 38
  Jürgen Meerweg 57
Kerstiens Christa   7 44 09
  Lasius- 8

Kersting Egon Hirsch- 3   50 82 71
Kertelge H.-Robert Dr.   4 55 22
  Bakenhusweg 20
Kerting Ingolf Eichen- 9 b 59 17 31
Kertscher Klaus u. Elke   20 39 94
  Dießel- 7

Wer hat die Telefonnummer...

a) Vier fünfzehn achtunddreißig?

b) sechs sechsunddreißig sechsundsechzig?

c) fünfzig zweiundachtzig einundsiebzig?

d) neunundfünfzig siebzehn einunddreißig?

e) fünf vierundachtzig null sechs?

f) vier fünfundfünfzig zweiundzwanzig?

g) sechs fünfundsiebzig fünfundzwanzig?

14. Bilden Sie Sätze.

Nach Übung

9

im Kursbuch

a) Sätze bilden

b) langsam buchstabieren

c) Dialoge spielen

d) lesen

e) noch einmal hören

f) ergänzen

g) Dialoge schreiben

Bitte bilden Sie Sätze!
Bitte

15. Schreiben Sie ein Telefongespräch.

Nach Übung

9

im Kursbuch

Oh, Entschuldigung.
Hallo? Wer ist da, bitte?
Lehmann? Ist da nicht 77 65 43?
Lehmann. Nein, meine Nummer ist 77 35 43.
Bitte, bitte. Macht nichts.

○ *Lehmann.*
□
○
□
○
□
○

Lektion 1

Nach Übung

12

im Kursbuch

16. Wer ist das? Schreiben Sie.

a)
Klaus-Maria Brandauer, Wien

b)
Christa Wolf, Berlin

c)
Hannelore und Helmut Kohl, Oggersheim

d)
Kurt Masur, Leipzig

e)
Katharina Witt, Chemnitz

f)
Friedensreich Hundertwasser, Wien

a) *Das ist Klaus-Maria Brandauer. Er wohnt in*

b) _____

c) _____

d) _____

e) _____

f) _____

Nach Übung

13

im Kursbuch

17. Schreiben Sie Dialoge.

○ Varga   □ Tendera

○ Woher sein?   □ Italien
                   Und Sie?

○ Ungarn

○ *Guten Tag! Mein Name ist Varga.*
□ *Und ich heiße Tendera.*
○ *Woher*
□ *Ich bin   Und Sie?*
○ *Ich bin*

Ebenso:

b) ○ Farahani   □ Biro

   ○ Woher   □ Frankreich
     kommen?   Und Sie?
   ○ Iran

c) ○ Sabine   □ João

   ○ Woher sein?   □ Brasilien
                       Und du?
   ○ Österreich

12   zwölf

18. Ergänzen Sie.

Nach Übung
16
im Kursbuch

leben   kommen   arbeiten   heißen   sein   sprechen

studieren   wohnen   spielen   sein   sein   lernen

studieren   lernen

a) aus Brasilien   _____
   aus Italien   _____
   aus Ungarn

b) Lehrer   _____
   Ärztin
   Knur Evers

c) in Berlin   _____
   in Prag   _____
   in Leipzig   _____
                        _____
                        _____

d) Medizin   _____
   Elektrotechnik
   Englisch

e) Klavier   _____
   Tennis
   Dialoge

f) Deutsch   _____
   Englisch   _____
   Spanisch

g) Bankkauffrau   _____
   Grammatik
   Englisch

h) Wiechert   _____
   Matter
   Heinemann

19. Ergänzen Sie.

Nach Übung
17
im Kursbuch

a) ○ Wer _____ das?
   □ Sie heiß_____ Sauer.
   ○ Und wie _____ ihr Vorname?
   □ Sabine.
   ○ Wo wohn_____ sie?
   □ In Köln.
   ○ Studier_____ sie?
   □ Nein, sie _____ Reiseleiterin.
   ○ Was _____ ihr Hobby?
   □ Sie spiel_____ gern Tennis.

b) ○ Wer _____ das?
   □ Das _____ João und Luiza.
   ○ Komm_____ sie aus Spanien?
   □ Nein, sie _____ aus Portugal.
   ○ Wo wohn_____ sie?
   □ In Bochum.

c) ○ Wer _____ das?
   □ Das _____ Imre.
   ○ _____ das sein Familienname?
   □ Nein, er heiß_____ Imre Varga.
   ○ Arbeit_____ er?
   □ Nein, er lern_____ hier Deutsch.
   ○ Was _____ sein Hobby?
   □ Er reis_____ gern.

d) ○ Wer _____ Sie?
   □ Ich heiß_____ Marc Biro.
   ○ Komm_____ Sie aus Frankreich?
   □ Ja, aber ich arbei_____ in Freiburg.
   ○ Was _____ Ihr Beruf?
   □ Ich _____ Lehrer.

Lektion 1

Nach Übung
17
im Kursbuch

20. Ihre Grammatik. Ergänzen Sie.

	sie (Sabine)	er (Imre)	sie (João und Luiza)	Sie
sein	*ist*		*sind*	
heißen				
kommen				
wohnen				

Nach Übung
17
im Kursbuch

21. Ergänzen Sie.

a) wohnen : wo? / kommen : _____*woher*_____
b) Hoppe : Name / Automechaniker : _____
c) er : Junge / sie : _____
d) Schüler : lernen / Student : _____
e) Hamburg : Wohnort / Österreich : _____
f) sie : Frau Röder / er : _____
g) Klavier : spielen / Postkarte : _____
h) wohnen : in / kommen : _____
i) Ingenieur : Beruf / Tennis : _____
j) 30 Jahre : Mann, Frau / 5 Jahre : _____
k) Gespräch : hören / Postkarte : _____

Nach Übung
17
im Kursbuch

22. Welche Antwort passt?

a) Heißt er Matter?
  Ⓐ Nein, Matter.
  Ⓑ Nein, er heißt Baumer.
  Ⓒ Ja, er heißt Baumer.

b) Wo wohnen Sie?
  Ⓐ Sie wohnt in Leipzig.
  Ⓑ Ich wohne in Leipzig.
  Ⓒ Sie wohnen in Leipzig.

c) Wie heißen sie?
  Ⓐ Sie heißt Katja Heinemann.
  Ⓑ Ja, sie heißen Katja und Klaus.
  Ⓒ Sie heißen Katja und Klaus.

d) Wie heißen Sie?
  Ⓐ Ich heiße Röder.
  Ⓑ Sie heißen Röder.
  Ⓒ Sie heißt Röder.

e) Wo wohnt sie?
  Ⓐ Sie ist Hausfrau.
  Ⓑ Ich wohne in Stuttgart.
  Ⓒ Sie wohnt in Dortmund.

f) Wer sind Sie?
  Ⓐ Mein Name ist Matter.
  Ⓑ Ich bin aus der Schweiz.
  Ⓒ Ich bin Landwirt.

g) Ist das Frau Sauer?
  Ⓐ Ja, das ist er.
  Ⓑ Ja, das sind sie.
  Ⓒ Ja, das ist sie.

h) Wie ist Ihr Name?
  Ⓐ Ich heiße Farahani.
  Ⓑ Ich bin das.
  Ⓒ Ich bin Student.

23. Lesen Sie im Kursbuch Seite 14/15.

Nach Übung

17

im Kursbuch

a) Ergänzen Sie.

	Frau Wiechert	Herr Matter	Herr Baumer	Und Sie?
Vorname/Alter	*Angelika*			
Wohnort				
Beruf				
Familienstand				
Kinder				
Hobby				

b) Schreiben Sie.   *Das ist Angelika Wiechert. Sie ist ...*
Frau Wiechert ist ... Sie ist ... und hat ...
Ihre Hobbys sind ...
Das ist Gottfried ...

24. Lesen Sie die Texte auf S. 15/16 im Kursbuch. Schreiben Sie dann.

Nach Übung

17

im Kursbuch

a)

Ich heiße Klaus-Otto Baumer und ...

b)

Ich heiße Ewald Hoppe und ...

25. „Erst" oder „schon"?

Nach Übung

18

im Kursbuch

a) Anton Becker ist _____ 58 Jahre alt, Margot Schulz _____ 28.

b) Jochen Pelz arbeitet _____ drei Monate bei Müller & Co, Anton Becker _____ fünf Jahre.

c) Monika Sager wohnt _____ sechs Monate in Berlin, Manfred Bode _____ fünf Jahre.

d) ○ Wartest du hier _____ lange?   □ Ja, _____ eine Stunde.

e) Ewald ist _____ 36 Jahre verheiratet, Angelika _____ fünf Jahre.

f) Dagmar lernt _____ fünf Monate Englisch, Heiner _____ zwei Jahre.

g) ○ Sind Sie _____ lange hier?   □ Nein, _____ zwei Monate.

Lektion 1

Nach Übung

18

im Kursbuch

26. Fragen Sie.

a) ○ Das ist Frau Tendera.
b) ○ Ihr Vorname ist Luisa.
c) ○ Sie kommt aus Italien.
d) ○ Sie wohnt in München.
e) ○ Sie studiert Medizin.
f) ○ Ihr Hobby ist Reisen.

☐ *Wie bitte? Wer ist das?*
☐ *Wie bitte? Wie ist*
☐ *Wie bitte? Woher*
☐ *Wie bitte?*
☐ *Wie*
☐

Nach Übung

18

im Kursbuch

27. Fragen Sie.

a) ○ _____
b) ○ _____
c) ○ _____
d) ○ _____
e) ○ _____
f) ○ _____
g) ○ _____
h) ○ _____
i) ○ _____
j) ○ _____
k) ○ _____
l) ○ _____
m) ○ _____
n) ○ _____
o) ○ _____
p) ○ _____
q) ○ _____
r) ○ _____

☐ Nein, er ist Programmierer.
☐ Ja, ihr Name ist Heinemann.
☐ Nein, er kommt aus Neuseeland.
☐ Ja, er arbeitet erst drei Tage hier.
☐ Ja, ich bin Frau Röder.
☐ Ja bitte, hier ist noch frei.
☐ Ja, er reist gern.
☐ Nein, sie studiert Medizin.
☐ Ja, er ist verheiratet.
☐ Er kommt aus Neuseeland.
☐ Sie studiert Medizin.
☐ Ja, ich surfe gern.
☐ Nein, sie ist Telefonistin.
☐ Ja, hier ist frei.
☐ Mein Vorname ist Abdollah.
☐ Abdollah wohnt in Erfurt.
☐ Nein, er heißt João.
☐ Das ist Frau Sauer.

Nach Übung

18

im Kursbuch

28. Schreiben Sie einen Dialog.

Ja, bitte schön. – Sind Sie neu hier?
Und was machen Sie hier?
Nein, aus Neuseeland.
Ich bin Programmierer.
Guten Morgen, ist hier noch frei?
Ich heiße John Roberts.   Sind Sie aus England?
Ja, ich arbeite erst drei Tage hier.

○ *Guten Morgen, ist hier noch frei?*
☐ *Ja, ...*
○
☐ ...

16   sechzehn

29. „Noch" oder „schon"?

Nach Übung

18

im Kursbuch

a) Ihre Kinder sind _____ klein, sie sind erst drei und fünf Jahre alt.

b) ○ Ist hier _____ frei?   □ Ja, bitte.

c) ○ Arbeiten Sie hier _____ lange?   □ Nein, erst fünf Tage.

d) Monika Sager studiert _____, Manfred Bode ist _____ Lehrer.

e) Zwei Kinder sind _____ Schüler, ein Junge studiert _____.

f) Angelika Wiechert ist _____ verheiratet, Klaus Henkel ist _____ ledig.

g) ○ Wo ist Frau Beier? Kommt sie _____?   □ Sie ist _____ da.

h) ○ Wohnen Sie _____ in Hamburg?   □ Nein, ich lebe jetzt in Dortmund.

30. Ergänzen Sie.

Nach Übung

19

im Kursbuch

a) ○ Hallo, ha____ du Feuer?
   □ Ja, hier.
   ○ Wohin möcht____ du?
   □ Nach Hamburg.
   ○ Wart____ du schon lange?
   □ Es geht.
   ○ Woher _____ du?
   □ Ich komm____ aus Polen.
      Und woher komm____ du?
   ○ Ich _____ aus Österreich.
   □ Was mach____ du in Deutschland?
      Arbeit____ du hier?
   ○ Nein, ich studier____ in Bonn.

b) ○ Hallo, hab____ ihr Feuer?
   □ Nein.
   ○ Wohin möcht____ ihr?
   □ Nach München.
   ○ Wart____ ihr schon lange?
   □ Es geht.
   ○ Woher _____ ihr?
   □ Wir komm____ aus Wien.
   ○ _____ ihr Österreicher?
   □ Nein, wir _____ Deutsche.
   ○ Und was mach____ ihr in Wien?
      Arbeit____ ihr da?
   □ Nein, wir studier____ da.

31. Ihre Grammatik. Ergänzen Sie.

Nach Übung

19

im Kursbuch

	ich	du	wir	ihr
studieren	*studiere*			
arbeiten				
sein				
heißen				

32. „Danke" oder „bitte"?

Nach Übung

20

im Kursbuch

a) ○ Wie geht es Ihnen?
   □ _____, gut.

b) ○ Oh, Entschuldigung!
   □ _____ schön.

c) ○ Ist hier noch frei?
   □ Ja, _____.
   ○ _____!

Lektion 1

d) ○ Wie ist Ihr Name?
  □ Farahani.
  ○ _____ buchstabieren Sie!
  □ F a r a h a n i .
  □ _____ schön!
  ○ _____ !

e) ○ Ich heiße Sauer.
  □ Wie _____ ?
  Wie heißen Sie?
f) ○ Hast du Feuer?
  □ Ja hier, _____ .
  ○ _____ !

Nach Übung

20

im Kursbuch

33. Welche Antwort passt?

a) Sind Sie neu hier?
  Ⓐ Nein, ich bin neu hier.
  Ⓑ Ja, ich bin schon zwei Monate hier.
  Ⓒ Nein, ich bin schon vier Jahre hier.

b) Was sind Sie von Beruf?
  Ⓐ Sie ist Telefonistin.
  Ⓑ Ich bin erst drei Tage hier.
  Ⓒ Ich bin Programmierer.

c) Was macht Frau Kurz?
  Ⓐ Sie ist Sekretärin.
  Ⓑ Er ist Ingenieur.
  Ⓒ Sie arbeitet hier schon fünf Jahre.

d) Arbeitet Herr Pelz hier?
  Ⓐ Nein, er ist Schlosser.
  Ⓑ Ja, schon drei Jahre.
  Ⓒ Nein, erst vier Monate.

e) Ist hier noch frei?
  Ⓐ Ja, danke.
  Ⓑ Nein, leider nicht.
  Ⓒ Nein, danke.

f) Sind Sie Ingenieur?
  Ⓐ Nein, Mechaniker.
  Ⓑ Nein, danke.
  Ⓒ Ja, bitte.

g) Habt ihr Feuer?
  Ⓐ Ja, sehr gut.
  Ⓑ Nein, es geht.
  Ⓒ Ja, hier bitte.

h) Wartet ihr schon lange?
  Ⓐ Ja, erst zwei Tage.
  Ⓑ Ja, schon zwei Tage.
  Ⓒ Ja, wir warten.

i) Wo liegt Potsdam?
  Ⓐ Bei Berlin.
  Ⓑ Aus Berlin.
  Ⓒ Nach Berlin.

j) Wohin möchtet ihr?
  Ⓐ Aus Rostock.
  Ⓑ In Rostock.
  Ⓒ Nach Rostock.

k) Woher kommt ihr?
  Ⓐ In Wien.
  Ⓑ Aus Wien.
  Ⓒ Nach Wien.

Nach Übung

20

im Kursbuch

34. Schreiben Sie einen Dialog.

Wir sind aus Berlin. Und woher kommst du?

Bei Hamburg. Wohin möchtet ihr?

Hallo! Habt ihr Feuer?

Wo ist das denn?

Danke! Wartet ihr schon lange?

Woher seid ihr?

Ich? Aus Stade.   Ja hier, bitte!

Ja.

Nach Frankfurt. Und du?   Nach Wien.

○ *Hallo! Habt ihr Feuer?*
□ *Ja*
○ ...

Lektion 2

Wortschatz

Verben

antworten 31
bekommen 31
bieten 27
entscheiden 22

entschuldigen 29
fahren 29
funktionieren 28
gehen 30

können 26
korrigieren 30
kosten 25
sagen 29

spülen 30
stimmen 31
waschen 26, 29, 30
wechseln 31

Nomen

e Antwort, -en 31
s Auto, -s 21, 29
e Batterie, -n 21, 22, 23
s Benzin 30
s Bett, -en 29
s Bild, -er 26
r Fehler, - 30
r Fernsehapparat, -e 26, 28
s Foto, -s 21, 22
r Fotoapparat, -e 21
s Geld 27

s Geschäft, -e 28
e Gruppe, -n 31
s Haus, ¨er 28
r Haushalt, -e 28
r Herd, -e 22, 25, 26
e Idee, -n 28
r Junge, -n 21
e Kamera, -s 23
e Karte, -n 31
e Kassette, -n 30
e Küche, -n 23, 24, 25
r Kugelschreiber, - 21, 22

r Kühlschrank, ¨e 26
e Lampe, -n 21, 22, 24, 25, 26
s Mädchen, - 21
e Minute, -n 22
e Person, -en 26, 31
s Problem, -e 29
s Programm, -e 25
s Radio, -s 26, 28
s Regal, -e 24, 25
r Schrank, ¨e 24, 25, 26
e Steckdose, -n 21, 23

r Stecker, - 21, 22
r Stuhl, ¨e 21, 23, 24, 25
r Tisch, -e 21, 22, 26
r Topf, ¨e 22, 23
e Uhr, -en 26, 27, 28
s Waschbecken, - 21, 22
e Waschmaschine, -n 26, 29
r Wert, -e 28
s Wort, ¨er 23, 31
e Zeit 22

Adjektive

ähnlich 29
bequem 25, 29
ehrlich 28

kaputt 30
leer 30
lustig 28

modern 25, 29, 32
originell 28
praktisch 25, 29

Adverbien

auch 29, 32

sehr 25

heute 32

viel 31

Funktionswörter

es 25

oder 24, 31

sondern 28

zu 28, 30

Ausdrücke

alle sein 30

aus sein 25

raus sein 30

Lektion 2

Grammatik

Definiter Artikel im Nominativ (§ 1)

Singular:		*Plural:*		
	der Stuhl		die	Stühle
	die Lampe			Lampen
	das Klavier			Klaviere

Indefiniter Artikel im Nominativ (§ 1)

Singular:		*Plural:*		
	ein Stuhl			Stühle
	eine Lampe			Lampen
	ein Regal			Regale

Negativ	kein Stuhl	*Plural:* keine	Stühle
Singular:	keine Lampe		Lampen
	kein Regal		Regale

Possessivartikel im Nominativ (§ 10 a)

ich	*Maskulinum*	*Singular:*	mein Stuhl	*Plural:*	meine	Stühle
	Femininum		meine Lampe			Lampen
	Neutrum		mein Regal			Regale
du	*Maskulinum*	*Singular:*	dein Stuhl	*Plural:*	deine	Stühle
	Femininum		deine Lampe			Lampen
	Neutrum		dein Regal			Regale
Sie	*Maskulinum*	*Singular:*	Ihr Stuhl	*Plural:*	Ihre	Stühle
	Femininum		Ihre Lampe			Lampen
	Neutrum		Ihr Regal			Regale
er	*Maskulinum*	*Singular:*	sein Stuhl	*Plural:*	seine	Stühle
	Femininum		seine Lampe			Lampen
	Neutrum		sein Regal			Regale
sie	*Maskulinum*	*Singular:*	ihr Stuhl	*Plural:*	ihre	Stühle
	Femininum		ihre Lampe			Lampen
	Neutrum		ihr Regal			Regale

1. Suchen Sie Wörter.

Nach Übung
2
im Kursbuch

a) tielektroherdwestuhlertopfelemineuaskameratewasserhahnefglühbirneh

Elektroherd, _____

b) zahkugelschreiberledlampesbwaschbeckenörststeckerlobatteriepsüzahlend

_____

c) tassteckdoseautaschenlampeehtischisfotokistaschenrechnerlas

_____

2. „Der", „die" oder „das"?

Nach Übung
2
im Kursbuch

a) _____ Taschenrechner
b) _____ Lampe
c) _____ Topf
d) _____ Steckdose
e) _____ Wasserhahn
f) _____ Kugelschreiber
g) _____ Elektroherd
h) _____ Foto

i) _____ Mine
j) _____ Glühbirne
k) _____ Kamera
l) _____ Taschenlampe
m) _____ Tisch
n) _____ Stuhl
o) _____ Waschbecken
p) _____ Stecker

3. Bildwörterbuch. Ergänzen Sie.

Nach Übung
3
im Kursbuch

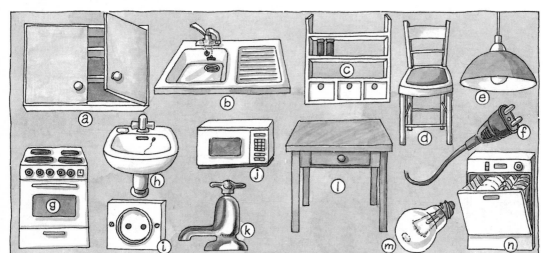

a) *der* _____
b) _____
c) _____
d) _____
e) _____
f) _____
g) _____

h) _____
i) _____
j) _____
k) _____
l) _____
m) _____
n) _____

Lektion 2

Nach Übung

3

im Kursbuch

4. „Er", „sie", „es" oder „sie" (Plural)? Ergänzen Sie.

a) Das ist eine *Leica*. Sie ist schon zwanzig Jahre alt, aber _____ fotografiert noch sehr gut.
b) Das ist Karins Kugelschreiber. _____ schreibt sehr gut.
c) Das ist der Reiseleiter. _____ wohnt in Ulm.
d) Frau Benz ist nicht berufstätig. _____ ist Hausfrau.
e) Das sind Inge und Karin. _____ sind noch Schülerinnen.
f) Das ist Bernds Auto. _____ ist zehn Jahre alt.
g) Das sind Batterien. _____ sind für Kameras oder Taschenrechner.
h) Das ist eine GORA-Spülmaschine. Die Maschine hat fünf Programme. _____ ist sehr gut.
i) Das ist ein BADENIA-Küchenstuhl. Der Stuhl ist sehr bequem. _____ kostet 185 Euro.

Nach Übung

3

im Kursbuch

5. „Der" oder „ein", „die" oder „eine", „das" oder „ein", „die" (Plural) oder „-"?

a) Nr. 6 ist _____ Büroregal und kostet 136 Euro.
b) _____ Küchenregal kostet 180 Euro.
c) Nr. 8 ist _____ Spüle mit zwei Becken.
d) _____ Spüle mit zwei Becken kostet 810 Euro.
e) _____ Herd Nr. 3 ist _____ Elektroherd, Nr. 2 ist _____ Gasherd.
f) _____ Elektroherd kostet 1280 Euro, _____ Gasherd 935.
g) _____ Lampen Nr. 10 und 11 sind _____ Küchenlampen. _____ Lampe Nr. 9 ist _____ Bürolampe.
h) _____ Küchenlampen kosten 89 und 126 Euro, _____ Bürolampe 160.

6. Beschreiben Sie.

Nach Übung
3
im Kursbuch

a) *Das ist ein Küchenschrank. Der Schrank hat acht Schubladen. Er kostet € 698,-*

b) *Das ist*

c) _____

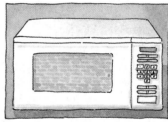

d) _____

e) _____

f) _____

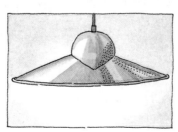

g) _____

h) _____

i) _____

Lektion 2

Nach Übung

4

im Kursbuch

7. Ein Wort passt nicht.

a) Geschirrspüler – Waschmaschine – Spüle – Mikrowelle
b) Bild – Stuhl – Tisch – Schrank
c) Spüle – Abfalleimer – Waschbecken – Wasserhahn
d) Elektroherd – Kühlschrank – Regal – Geschirrspüler
e) Radio – Telefon – Fernsehapparat – Uhr

Nach Übung

4

im Kursbuch

8. Was ist das?

Was ist Nummer 1 ?

Ein Elektroherd.

☐ Was ist Nr. 2?   ○ *Eine* _____
☐ Was ist Nr. ...?   ○ ....

Nach Übung

4

im Kursbuch

9. „Wer" oder „was"? Fragen Sie.

a) *Wer ist das?* _____ – Herr Roberts.
b) _____ – Ein Stuhl.
c) _____ – Das ist eine Lampe.
d) _____ – Das ist Margot Schulz.
e) _____ ist Klaus Henkel? – Programmierer.
f) _____ ist Studentin? – Monika Sager.
g) _____ wohnt in Hamburg? – Angelika Wiechert.
h) _____ macht Rita Kurz? – Sie ist Sekretärin.

10. Was ist da nicht?

Nach Übung
5
im Kursbuch

a) *Da ist kein*

b) _____

c) _____

d) _____

e) _____

f) _____

11. Ordnen Sie.

Nach Übung
5
im Kursbuch

Elektroherd   Taschenlampe   Mine   Lampe   Glühbirne   Foto   Uhr   Radio

Fernsehapparat   Abfalleimer   Bild   Kühlschrank   Schrank

Kugelschreiber   Regal   Spüle   Geschirrspüler

Stecker   Stuhl   Steckdose   Taschenrechner   Tisch   Mikrowelle

der/ein/kein	die/eine/keine	das/ein/kein

a) _____

b) _____

c) _____

Lektion 2

Nach Übung

6

im Kursbuch

12. Wie heißt der Singular? Wie heißt der Plural? Ergänzen Sie.

~~Telefon~~   ~~Stuhl~~   Abfalleimer   Frau   Glühbirne   Batterie   Hobby   Mikrowelle
~~Lampe~~   ~~Mutter~~   Kamera   Beruf   Spülmaschine   Regal   Kind   Mine
~~Foto~~   ~~Uhr~~   Stecker   Wasserhahn   Spülmaschine   Arzt
~~Mann~~   ~~Bild~~   Wasserhahn   Name   Waschbecken   Mädchen   Taschenrechner   Spüle
Elektroherd   Kochfeld   Zahl   Ausländer   Radio   Fernsehapparat
Kugelschreiber   Tisch   Topf   Land   Radio   Auto

-e *das Telefon* – *die Telefone*   – *der Stecker* – *die Stecker*

————————— – —————————   ————————— – —————————

————————— – —————————   ————————— – —————————

————————— – —————————   ————————— – —————————

̈e *der Stuhl* – *die Stühle*

————————— – —————————   ̈ *die Mutter* – *die Mütter*

————————— – —————————   -er *das Bild* – *die Bilder*

-n *die Lampe* – *die Lampen*   ————————— – —————————

————————— – —————————   ̈er *der Mann* – *die Männer*

————————— – —————————   -s *das Foto* – *die Fotos*

————————— – —————————   ————————— – —————————

-en *die Uhr* – *die Uhren*

————————— – —————————

————————— – —————————

Nach Übung

7

im Kursbuch

13. Schreiben Sie die Zahlen.

a) zweihundertvierundsechzig _264_   j) fünfhundertsiebenundvierzig _____

b) hundertzweiundneunzig _____   k) achthundertsechsundachtzig _____

c) fünfhunderteinundachtzig _____   l) sechshundertfünfundsiebzig _____

d) siebenhundertzwölf _____   m) zweihundertachtunddreißig _____

e) sechshundertfünfundfünfzig _____   n) vierhundertdreiundneunzig _____

f) neunhundertdreiundsechzig _____   o) neunhundertzweiundzwanzig _____

g) hundertachtundzwanzig _____   p) hundertneun _____

h) dreihundertdreizehn _____   q) achthundertsechzehn _____

i) siebenhunderteinunddreißig _____   r) zweihunderteins _____

14. Schreiben Sie die Zahlen und lesen Sie laut.

Nach Übung

7

im Kursbuch

a) 802: _____

b) 109: _____

c) 234: _____

d) 356: _____

e) 788: _____

f) 373: _____

g) 912: _____

h) 401: _____

i) 692: _____

j) 543: _____

k) 428: _____

l) 779: _____

m) 284: _____

n) 997: _____

o) 238: _____

p) 513: _____

q) 954: _____

r) 786: _____

15. „Ihr"/„Ihre" oder „dein"/„deine"? Ergänzen Sie.

Nach Übung

8

im Kursbuch

a) ○ Entschuldigen Sie! Ist das _____ Uhr? □ Ja.

b) ○ Du Sonja, ist das _____ Auto? □ Nein.

c) ○ Frau Kunst, wie ist _____ Telefonnummer? □ 24 56 89.

d) ○ Wie ist _____ Adresse, Herr Wenzel? □ Konradstraße 35, 55124 Mainz.

e) ○ Wie heißt du? □ Bettina.
   ○ Und was ist _____ Adresse? □ Mozartstraße 23.

f) ○ Hast du jetzt Telefon? □ Ja.
   ○ Und wie ist _____ Nummer? □ 5 78 54.

16. Ergänzen Sie.

Nach Übung

8

im Kursbuch

a) Taschenlampe : Batterie / Auto : _____

b) Fernsehapparat : Bild / Kamera : _____

c) Batterie : leer / Stuhl : _____

d) Spülmaschine : spülen / Waschmaschine : _____

e) Postkarte : lesen und schreiben / Telefon : _____ und

_____

f) Auto : waschen / Topf : _____

g) Mikrowelle : praktisch / Stuhl : _____

17. „Er", „sie", „es" oder „sie" (Plural)? Ergänzen Sie.

Nach Übung

10

im Kursbuch

a) ○ Ist das deine Kamera? □ Ja, aber _____ funktioniert nicht.

b) ○ Ist das Ihr Auto? □ Ja, aber _____ fährt nicht.

c) ○ Ist das deine Taschenlampe? □ Ja, aber _____ funktioniert nicht.

d) ○ Ist das dein Taschenrechner? □ Ja, aber _____ geht nicht.

e) ○ Sind das Ihre Batterien? □ Ja, aber _____ sind leer.

f) ○ Ist das Ihre Uhr? □ Ja, aber _____ geht nicht.

g) ○ Sind das Ihre Kugelschreiber? □ Ja, aber _____ schreiben nicht.

h) ○ Ist das dein Telefon? □ Ja, aber _____ geht nicht.

Lektion 2

Nach Übung

10

im Kursbuch

18. Was passt nicht?

a) *Die Waschmaschine:* ist praktisch, ist gut, ist neu, fährt gut, wäscht gut.
b) *Das Haus:* ist klein, ist modern, ist ehrlich, kostet € 230 000.
c) *Der Kühlschrank:* ist leer, geht nicht, spült nicht, ist praktisch, ist neu.
d) *Das Telefon:* ist lustig, antwortet nicht, ist kaputt, ist modern.
e) *Die Frau:* ist kaputt, ist ehrlich, ist ledig, ist klein, ist lustig.
f) *Die Spülmaschine:* wäscht nicht, ist leer, geht nicht, spült nicht gut.
g) *Der Stuhl:* ist bequem, ist neu, ist leer, ist frei, ist modern.
h) *Das Foto:* ist lustig, ist praktisch, ist neu, ist klein, ist gut.
i) *Das Auto:* fährt nicht, ist neu, wäscht gut, ist kaputt, ist gut.
j) *Das Geschäft:* ist gut, ist neu, ist klein, ist leer, ist ledig.
k) *Die Idee:* ist neu, ist lustig, ist klein, ist gut.
l) *Die Küche:* ist modern, ist ehrlich, ist praktisch, ist neu, ist klein.

Nach dem

**Lernspiel
Seite 31**

im Kursbuch

19. Antworten Sie.

a) ○ Ist das deine Uhr?
   □ *Nein, das ist ihre Uhr.*

b) ○ Sind das deine Fotos?
   □ *Nein, das*

c) ○ Ist das dein Kugelschreiber?
   □

d) ○ Ist das dein Radio?
   □

e) ○ Ist das deine Lampe?
   □

f) ○ Ist das dein Fernsehapparat?
   □

g) ○ Sind das deine Batterien?
   □

h) ○ Ist das deine Kamera?
   □

i) ○ Ist das dein Auto?
   □

j) ○ Ist das deine Taschenlampe?
   □

k) ○ Ist das dein Taschenrechner?
   □

Wortschatz

Verben

backen 41
bestellen 38
bezahlen 39
brauchen 41

erkennen 42
erzählen 35, 37, 41
essen 34
glauben 36

kennen 42
kochen 40, 58, 70
mögen 36, 60
nehmen 37, 40

schmecken 40, 42
trinken 34, 45, 47
üben 36, 54, 78

Nomen

s Abendessen 40, 79, 86
r Alkohol 42, 61
e Anzeige, -n 41, 113
r Apfel, ̈ 37, 41
s Bier 33, 35, 37, 41, 42
e Bohne, -n 37
s Brot, -e 33, 35
s Brötchen, - 35
e Butter 33, 35, 37
e Dose, -n 35
s Ei, -er 33, 35, 41
s Eis 35, 37
e Erdbeere, -n 41
r Export 42
r Fisch, -e 33, 35
e Flasche, -n 35, 41
s Fleisch 33, 37
e Frage, -n 40

e Frucht, ̈e 37, 41
s Frühstück 41
e Gabel, -n 33
r Gasthof, ̈e 37
s Gemüse 33, 35
s Gericht, -e 37, 40
s Gespräch, -e 37
s Getränk, -e 37
s Gewürz, -e 41
s Glas, ̈er 33, 35
s Gramm 41
s Hähnchen 35, 37
r Kaffee 35
e Kartoffel, -n 35, 37, 41
r Käse 36, 41
s Kilo, -s 41
s Kotelett, -s 35, 36
r Kuchen, - 33, 35
e Limonade, -n 37, 42

r Liter, - 41
r Löffel, - 33
e Mark 39
e Marmelade, -n 35, 41
s Mehl 41
s Messer, - 33
e Milch 33, 35, 41
s Mineralwasser 35, 41
r Nachtisch, -e 37
s Öl, -e 41
r Pfeffer 41
s Pfund 41
r Preis, -e 39
r Reis 33
r Rotwein, -e 37
r Saft, ̈e 35, 37
e Sahne 37
r Salat, -e 35, 37

r Schinken, - 37, 41
r Schnaps, ̈e 35
e Schokolade, -n 41
e Soße, -n 40
e Speisekarte, -n 37
s Steak, -s 36, 37
e Suppe, -n 35, 37
e Tasse, -n 35
r Tee, -s 35, 36
r Teller, - 33, 37
e Tomate, -n 41
e Vorspeise, -n 40
e Wäsche 41
e Wurst, ̈e 35, 37
r Zettel, - 41
r Zucker 41
e Zwiebel, -n 37

Adjektive

billig 41
bitter 40
dunkel 42
eng 42
fett 40
frisch 40
groß 42

grün 42
hart 40
hell 42
hoch 42
kalt 37, 40
lieber 38, 74
mild 42

nah 41
normal 42
fantastisch 40
rot 42
salzig 40
sauer 40
scharf 40

schlank 42
stark 42
süß 40, 42
trocken 40
typisch 42
warm 40
wichtig 42

Lektion 3

Adverbien

abends 35	gern 36, 38, 42	nur 42	verschieden 42
besonders 42	lieber 38	oben 42	vor allem 42
danach 37	manchmal 36	oft 36	vorwiegend 42
dann 37, 41, 42	mittags 35	so 39	zuerst 37
fast 42	morgens 35	sofort 42	zusammen 39
ganz 41	nachmittags 35	überall 42	
genug 40	natürlich 42	unten 42	

Funktionswörter

alle 42	etwas 40, 42	pro 42	zu 40
als 37, 40	jeder 42	viel 42	
doch 40	mit 37	welcher? 43	

Ausdrücke

es gibt 42
vor allem 42

Abkürzungen

g s Gramm 41
kg s Kilogramm 41

Grammatik

Definiter Artikel im Akkusativ (§ 2)

Maskulinum	*Singular:*	den Stuhl	*Plural:* die	Stühle
Femininum		die Lampe		Lampen
Neutrum		das Klavier		Klaviere

Indefiniter Artikel, Possessivartikel, Negation im Akkusativ (§ 2 und 10 a)

	Indefiniter Artikel		*Possessivartikel*		*Negation*	
Singular:	einen	Stuhl	meinen / seinen deinen / Ihren	Stuhl	keinen	Stuhl
	eine	Lampe			keine	Lampe
	ein	Regal	meine / seine deine / Ihre	Lampe	kein	Regal
			mein / sein dein / Ihr	Regal		
Plural:		Stühle	meine	Stühle	keine	Stühle
		Lampen	deine / Ihre	Lampen		Lampen
		Regale		Regale		Regale

Imperativ (§ 36 und 47)

Nimm doch noch etwas Fleisch, Christian!
Nehmen Sie doch noch etwas Fleisch, Frau Herzog!

1. Ein Wortspiel mit Nomen. Schreiben Sie wie im Beispiel.

Nach Übung

1

im Kursbuch

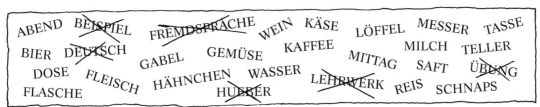

ABEND ~~BEISPIEL~~ ~~FREMDSPRACHE~~ WEIN KÄSE LÖFFEL MESSER TASSE
BIER ~~DEUTSCH~~ GABEL GEMÜSE KAFFEE MILCH TELLER
DOSE FLEISCH HÄHNCHEN WASSER MITTAG SAFT ~~ÜBUNG~~
FLASCHE HUEBER ~~LEHRWERK~~ REIS SCHNAPS

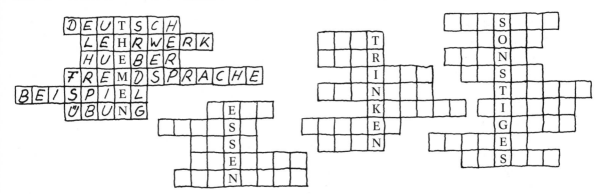

2. Schreiben Sie.

Nach Übung

2

im Kursbuch

Was essen die Leute?

a)   b)   c)   d)

a) die Mutter und der Sohn

 Die Mutter isst ein Hähnchen mit Kartoffelsalat und trinkt ein Bier.
 Der Sohn

b) der Vater und die Tochter

 Der Vater isst

c) das Paar, er und sie   d) die Frau

Lektion 3

Nach Übung

3

im Kursbuch

3. Schreiben Sie.

Was essen und trinken Franz, Clara und Thomas gern? Was mögen sie nicht?

	isst gern		mag keinen kein keine
	trinkt		
Franz	Hamburger Pizza Eis Pommes frites Cola		Salat Käse Bier Wein Schnaps
Clara	Obst Fisch Marmeladebrot Wein		Eis Wurst Kuchen Pommes frites Bier
Thomas	Bier Wein Wurst Kartoffeln Fleisch		Wasser Fisch Reis

a) Franz: *Er isst gern*
und er trinkt gern
Aber er mag keinen Salat,

b) Clara: c) Thomas: …

Nach Übung

4

im Kursbuch

4. Drei Antworten sind richtig. Welche?

a) Was ist zum Beispiel leer?
   - A eine Flasche
   - B eine Batterie
   - C ein Foto
   - D ein Bett

b) Was ist zum Beispiel alle?
   - A die Leute
   - B das Geld
   - C die Kartoffeln
   - D das Bier

c) Was ist zum Beispiel neu?
   - A Möbel
   - B eine Telefonnummer
   - C eine Idee
   - D Kinder

d) Was ist zum Beispiel gut?
   - A der Familienstand
   - B der Nachtisch
   - C die Antwort
   - D die Gläser

e) Was ist zum Beispiel kaputt?
   - A eine Adresse
   - B eine Kassette
   - C ein Fernsehgerät
   - D ein Teller

f) Was ist zum Beispiel frei?
   - A der Tisch
   - B der Haushalt
   - C das Regal
   - D der Stuhl

5. Ordnen Sie die Adverbien.

Nach Übung

5

im Kursbuch

| meistens | ~~nie~~ | ~~selten~~ | manchmal | immer | oft |

a) _____ b) _____ c) _____ d) _____ e) _selten_ f) _nie_

100%   50%   0%

6. Wer möchte was? Schreiben Sie.

Nach Übung

6

im Kursbuch

Familie Meinen isst im Schnellimbiss.

a) Herr Meinen möchte
eine Gemüsesuppe _____

b) Frau Meinen möchte
_____

c) Michael möchte
_____

d) Sonja möchte
_____

7. Was passt nicht?

Nach Übung

6

im Kursbuch

a) Kaffee – Tee – Milch – Suppe – Mineralwasser
b) Braten – Hähnchen – Gemüse – Kotelett – Steak
c) Glas – Flasche – Teller – Tasse – Kaffee
d) Gabel – Löffel – Messer – Tasse
e) Tasse – Gabel – Glas – Teller
f) Bier – Brot – Salat – Steak – Eis
g) Hamburger – Hauptgericht – Käsebrot – Bratwurst – Pizza
h) Weißwein – Apfelsaft – Mineralwasser – Eis – Limonade
i) morgens – abends – nachmittags – mittags – immer
j) immer – oft – mittags – manchmal – meistens

Lektion 3

Nach Übung

6

im Kursbuch

8. Ordnen Sie und tragen Sie unten ein.

Bratwurst Gemüsesuppe Eis Schweinebraten Rindersteak Hähnchen Schwarzbrot
Apfelkuchen Wurst Salatteller Kalter Braten Rindfleischsuppe Zwiebelsuppe
Obst Fischplatte Früchtebecher Weißbrot

	Fleisch	kein Fleisch
kalt		
warm		

Nach Übung

7

im Kursbuch

9. Was passt? Schreiben Sie.

a) Kaffee : Tasse / Bier : _____
b) Tee : trinken / Suppe : _____
c) Rindersteak : Rind / Kotelett : _____
d) Pizza : essen / Milch : _____
e) Kuchen : Sahne / Pommes frites : _____
f) Apfel : Obst / Kotelett : _____
g) ich : mein / du : _____
h) 8 Uhr : morgens / 20 Uhr : _____
i) kaufen : Geschäft / essen : _____
j) Eis : Nachtisch / Rindersteak : _____

Nach Übung

7

im Kursbuch

10. Was stimmt hier nicht? Schreiben Sie die richtigen Wörter.

a) der *Schweine*saft   *der Orangensaft*
b) das *Nach*gericht   _____
c) das *Orangen*brot   _____
d) die *Apfel*wurst   _____
e) der *Schwarz*kuchen   _____
f) der *Kartoffel*braten   _____
g) das *Brat*steak   _____
h) der *Haupt*tisch   _____
i) der *Zwiebel*wein   _____
j) der *Rinder*salat   _____
k) die *Rot*suppe   _____

11. Wer sagt das? Der Kellner, der Gast oder der Text?

Nach Übung
8
im Kursbuch

	Kellner	Gast	Text
a)		✓	
b)			
c)			
d)			✓
e)			
f)			
g)			
h)			
i)			
j)			
k)			
l)			
m)			

a) Ein Glas Wein, bitte.

b) Einen Apfelsaft, bitte.

c) Herr Ober, wir möchten bestellen.

d) Die Gäste bestellen die Getränke.

e) Und Sie, was bekommen Sie?

f) Einen Schweinebraten mit Pommes frites. Geht das?

g) Bitte, was bekommen Sie?

h) Er nimmt eine Zwiebelsuppe und einen Rinderbraten.

i) Der Kellner bringt die Getränke.

j) Ja natürlich. Und was möchten Sie trinken?

k) Der zweite Gast nimmt den Schweinebraten und den Apfelsaft.

l) Ich nehme eine Zwiebelsuppe und einen Rinderbraten.

m) Und was möchten Sie trinken?

12. Machen Sie Dialoge.

Nach Übung
10
im Kursbuch

Zusammen?   Ja, die ist sehr gut.   Ja, richtig.

Nein, getrennt.   Eine Flasche Mineralwasser.

Gibt es eine Gemüsesuppe?

~~Was bekommen Sie?~~

Das macht 17 Euro 60. – Und Sie bezahlen den Wein und die Gemüsesuppe?

Und was möchten Sie trinken?

~~Bezahlen~~ bitte!

Das Rindersteak und das Mineralwasser.

Und was bekommen Sie?   Mit Kartoffeln.

Was bezahlen Sie?

Dann bitte eine Gemüsesuppe und ein Glas Wein.

Ein Rindersteak, bitte.   Sechs Euro 90, bitte.

Mit Reis oder Kartoffeln?

a) ○ *Was bekommen Sie?*
   □ _____
   ○ ...
   □ ...

b) ○ *Bezahlen bitte!*
   □ _____
   ○ ...
   □ ...

Lektion 3

Nach Übung

11

im Kursbuch

13. Schreiben Sie.

a) ○ *Bekommen Sie das Hähnchen?*
   □ *Nein, ich bekomme den Fisch.*

b) Obstsalat – Eis mit Sahne
c) Wein – Bier
d) Eis – Kuchen
e) Suppe – Käsebrot
f) Fisch – Kotelett
g) Kaffee – Tee
h) Kartoffeln – Reis
i) Hamburger – Fischplatte

Nach Übung

14

im Kursbuch

14. „nicht", „kein" oder „ein"? Ergänzen Sie.

a) ○ Wie ist die Suppe?   □ Die schmeckt _nicht_ gut.
b) ○ Möchtest du _____ Bier?   □ Weißt du das _____? Ich trinke doch _____ Alkohol.
c) ○ Gibt es noch Wein?   □ Nein, wir haben _____ Wein mehr, nur noch Bier.
d) ○ Nehmen Sie doch noch etwas.   □ Nein danke, ich möchte _____ Fleisch mehr.
e) ○ Möchten Sie _____ Kotelett?   □ Nein danke, Schweinefleisch esse ich _____.
f) ○ Und jetzt noch _____ Teller Suppe!   □ Nein danke, bitte _____ Suppe mehr.
g) ○ Und zum Nachtisch dann _____ Schnaps?   □ Nein danke, _____ Schnaps, lieber _____ Eis.
h) ○ Ich heiße Lopez Martinez Camegeo.   □ Wie bitte, ich verstehe Sie _____.

Nach Übung

14

im Kursbuch

15. Was können Sie auch sagen?

a) Ich nehme einen Wein.
   Ⓐ Ich bezahle einen Wein.
   Ⓑ Ich trinke einen Wein.
   Ⓒ Einen Wein, bitte.

b) Was möchten Sie?
   Ⓐ Bitte schön?
   Ⓑ Was bekommen Sie?
   Ⓒ Was bezahlen Sie?

c) Bitte bezahlen!
   Ⓐ Getrennt bitte.
   Ⓑ Wir möchten bitte bezahlen.
   Ⓒ Und was bezahlen Sie?

d) Wie schmeckt die Suppe?
   Ⓐ Schmeckt die Suppe nicht?
   Ⓑ Schmeckt die Suppe?
   Ⓒ Wie ist die Suppe?

e) Das kostet 8,50 €.
   Ⓐ Ich habe 8,50 €.
   Ⓑ Ich bezahle 8,50 €.
   Ⓒ Das macht 8,50 €.

f) Essen Sie doch noch etwas Fleisch!
   Ⓐ Gibt es noch Fleisch?
   Ⓑ Nehmen Sie doch noch etwas Fleisch!
   Ⓒ Es gibt noch Fleisch. Nehmen Sie doch noch etwas!

g) Vielen Dank.
   Ⓐ Danke.
   Ⓑ Bitte schön.
   Ⓒ Danke schön.

h) Danke, ich habe genug.
   Ⓐ Danke, ich bin satt.
   Ⓑ Danke, ich möchte nicht mehr.
   Ⓒ Danke, der Fisch schmeckt sehr gut.

16. Ihre Grammatik. Ergänzen Sie.

Nach Übung
14
im Kursbuch

	antworten			
ich		fahre		
du			isst	
Sie				nehmen
er/es/sie					mag
wir				nehmen
ihr			esst	
Sie		fahren		
sie	antworten			

17. Ergänzen Sie.

Nach Übung
14
im Kursbuch

trinken,   sein,   schmecken,   nehmen,   essen,   mögen

a) ○   Was _nimmst_ du denn?
b) □   Ich _____ einen Fisch.
c) ○   Fisch? Der _____ aber nicht billig.
d) □ Na ja, aber er _____ gut.
e)   Was _____ du denn?
f) ○   Ich _____ ein Hähnchen.
g) □ Hähnchen? Das _____ du doch nicht.
h)   _____ doch lieber ein Kotelett!
i) ○   Das _____ Schweinefleisch, und
j)   Schweinefleisch _____ ich nie.
k) □   Und was _____ du?
l) ○   Ich _____ ein Bier.
m)□   Und ich _____ einen Orangensaft.

Lektion 3

Nach Übung

14

im Kursbuch

18. Was passt zusammen?

A	Wer möchte noch ein Bier?	1	Vielen Dank.
B	Möchtest du noch Kartoffeln?	2	Nicht so gern, lieber Kartoffeln.
C	Haben Sie Gemüsesuppe?	3	Ich, bitte.
D	Das schmeckt sehr gut.	4	Danke, sehr gut.
E	Wie schmeckt es?	5	13,70 €.
F	Isst du gern Reis?	6	Ich glaube, Zwiebelsuppe.
G	Wie viel macht das?	7	Doch, das Fleisch ist fantastisch.
H	Schmeckt es nicht?	8	Nein, die ist zu scharf.
I	Ist das Rindfleisch?	9	Nein danke, ich bin satt.
J	Was gibt es zum Abendbrot?	10	Nein, Schweinefleisch.
K	Schmeckt die Suppe nicht?	11	Nein, aber Zwiebelsuppe.

A	B	C	D	E	F	G	H	I	J	K
3										

Nach Übung

15

im Kursbuch

19. Schreiben Sie zwei Dialoge.

Pichelsteiner Eintopf. Das ist Schweinefleisch mit Kartoffeln und Gemüse.

Ja, noch etwas Fleisch und Gemüse, bitte!

Der Eintopf schmeckt wirklich gut. Möchten Sie noch mehr?

Wie schmeckt's? ~~Danke, Ihnen auch.~~

Nehmen Sie doch noch einen.

~~Guten Appetit!~~ Danke, sehr gut. Wie heißt das?

Danke. Ein Strammer Max ist genug. ~~Guten Appetit!~~

~~Schmeckt's?~~ Strammer Max. Brot mit Schinken und Ei.

Ja, fantastisch. Wie heißt das?

~~Danke.~~ Das schmeckt wirklich gut.

a) ○ *Guten Appetit!*
   □ *Danke.*
   ○ *Wie*
   □ ...

b) ○ *Guten Appetit!*
   □ *Danke, Ihnen auch.*
   ○ *Schmeckt's?*
   □ *Ja,*
   ○ ...

20. Ergänzen Sie.

Nach Übung

16

im Kursbuch

a) Ich esse den Kuchen. _Er_ macht dick, aber _er_ schmeckt gut.

b) Den Wein trinke ich nicht. _____ ist zu trocken.

c) Die Limonade trinke ich nicht. _____ ist zu warm.

d) Ich esse das Steak. _____ ist teuer, aber _____ schmeckt gut.

e) Die Marmelade esse ich nicht. _____ ist zu süß, und _____ macht dick.

f) Ich trinke gern Bier. _____ schmeckt gut, und _____ ist nicht so teuer.

g) Die Kartoffeln esse ich nicht. _____ sind kalt.

h) Der Salat schmeckt nicht. _____ ist zu salzig.

21. Welche Antwort passt?

Nach Übung

16

im Kursbuch

a) Essen Sie gern Fisch?
- Ⓐ Nein, ich habe noch genug.
- Ⓑ Ja, aber Kartoffeln.
- Ⓒ Ja, sehr gern.

b) Was möchten Sie trinken?
- Ⓐ Eine Suppe bitte.
- Ⓑ Einen Tee.
- Ⓒ Lieber einen Kaffee.

c) Möchten Sie den Fisch mit Reis?
- Ⓐ Lieber das Steak.
- Ⓑ Ich nehme lieber Fisch.
- Ⓒ Lieber mit Kartoffeln.

d) Bekommen Sie das Käsebrot?
- Ⓐ Nein, ich bekomme ein Hähnchen.
- Ⓑ Ja, das trinke ich.
- Ⓒ Ja, das habe ich.

e) Nehmen Sie doch noch etwas!
- Ⓐ Ja, ich bin satt.
- Ⓑ Nein danke, ich habe genug.
- Ⓒ Es schmeckt fantastisch.

f) Die Suppe ist fantastisch.
- Ⓐ Vielen Dank.
- Ⓑ Ist die Suppe gut?
- Ⓒ Die Suppe schmeckt wirklich gut.

22. Was passt?

Nach Übung

17

im Kursbuch

		a) Milch	b) Joghurt	c) Aufschnitt	d) Pizza	e) Obst	f) Bier	g) Spülmittel	h) Öl	i) Zucker	j) Fleisch	k) Zwiebeln	l) Kuchen	m) Marmelade	n) Kaffee	o) Tomaten	p) Kartoffeln
A	Flasche																
B	Glas																
C	Dose																
D	Kiste																
E	500 Gramm																
F	ein Pfund/Kilo																
G	ein Liter																
H	ein Stück																

Lektion 3

Nach Übung

17

im Kursbuch

23. Schreiben Sie.

a)	_achtundneunzig_	98
b)	sechsunddreißig	**36**
c)		23
d)		149
e)		777
f)		951
g)	dreihundertzweiundachtzig	____
h)		565
i)		250
j)		500

Nach Übung

19

im Kursbuch

24. Tragen Sie die folgenden Sätze in die Tabelle ein.

a) Ich trinke abends meistens eine Tasse Tee.
b) Abends trinke ich meistens Tee.
c) Tee trinke ich nur abends.
d) Meine Kinder möchten Landwirte werden.
e) Markus möchte für Inge ein Essen kochen.
f) Was möchten Sie?
g) Das Brot ist alt und hart.
h) Ich bin jetzt satt.

	Vorfeld	Verb$_1$	Subj.	Angabe	Ergänzung	Verb$_2$
a)	Ich	trinke		abends meistens	eine Tasse Tee.	
b)						
c)						
d)						
e)						
f)						
g)						
h)						

Nach Übung

21

im Kursbuch

25. Suchen Sie Wörter aus Lektion 3. Es sind 38. Wie viele finden Sie in zehn Minuten?

```
A X S E C U X A N M A R M E L A D E O A D K A F F E E D G B O H N E N K
S A F T G V B D O I K E E L Ö S N C B G X U L K O H H A A X B F P M Q Ö
T C B F H G A B E L J I S X F M Y F V P B C K V N X B W A S S E R Q A L
E I R L S J W U H C I S M F G K I P A Q H Ä H N C H E N F T F R D O S
A T O Z A L N T G H E D E V E E C S U P P E S J U W I I E J Y B B O C C
K O T E L E T T P I L S R B L M K C Z F H N E K D E G N A C H T I S C H
B E X P O R T E T L I A Z I V Ü F H D E I S L M E H L D W E Z S D E N U
W U R S T O E R I N D F L E I S C H S L T M Y Ö L V C R M X Z U C K E R
M W P R S E F W A U I E Y R V E G J E H L F U K N T G L Z T H J U D A T
A L T B I E R A N Y T Á R T A N D E M A ß D R U G E E W E I S S B I E R
```

Wortschatz

Verben

anfangen 52, 53
anziehen 51
aufhören 49
aufmachen 49
aufräumen 50, 54
aufstehen 47
bedienen 47, 50
beschreiben 50
besuchen 45
bringen 50
dürfen 48

duschen 48
einkaufen 48, 50, 54
einladen 52
feiern 55
fernsehen 47, 48
fotografieren 45, 55
frühstücken 47, 50
holen 51
kontrollieren 47
können 48
messen 50

mitbringen 48
mitkommen 53
müssen 48
ordnen 49
Rad fahren 55
rauchen 45, 48
schlafen 45, 47, 48
schneiden 47
schwimmen 45, 47
sehen 47, 54
spazieren gehen 55

stattfinden 52
stören 48
tanzen 45, 47, 48
treffen 51, 53
vergessen 52
vergleichen 49
vorbereiten 50
vorhaben 53
zeichnen 48
zuhören 49

Nomen

r Abend, -e 51
e Ansichtskarte, -n 55
e Arbeit 50
r Ausflug, ¨e 52, 55
r Bäcker, - 47
e Bank, -en 47
e Bar, -s 45, 47, 52
e Bibliothek, -en 47, 52
s Buch, ¨er 47
s Café, -s 45, 47
e Diskothek, -en 52
r Donnerstag 54
e Dusche, -n 48
r Eintritt 48
s Essen 51
s Fernsehen 54

s Fieber 50
r Film, -e 47, 54
r Freitag 54
e Freizeit 50, 55
e Friseurin, -nen / r Friseur, -e 47
r Gast, ¨e 47, 58
r Gruß, ¨e 55
r Juli 54
e Kellnerin, -nen / r Kellner, - 47
s Kino, -s 47, 54
s Kleid, -er 51
s Konzert, -e 52, 54
s Krankenhaus, ¨er 47
e Krankenschwester, -n 50

e Lehrerin, -nen / r Lehrer, - 50
e Mannschaft, -en 52
e Maschine, -n 47
s Meer, -e 52
r Mensch, -en 52
r Mittag, -e 51
s Mittagessen, - 51
r Mittwoch 52, 54
r Montag 54
e Musik 45, 47
r Passagier, -e 47
e Pause, -n 51
s Restaurant, -s 55
r Samstag 54
r Satz, ¨e 49
s Schild, -er 48

s Schwimmbad, ¨er 47
e Situation, -en 49
r Sonnabend 54
s Sonnenbad, ¨er 47
r Sonntag 54
r Spaziergang, ¨e 47, 50
r Tanz, ¨e 52
e Torte, -n 47
e Uhrzeit, -en 53
r Verband, ¨e 51
s Viertel, - 53
r Vortrag, ¨e 52
e Wohnung, -en 54
e Zeitung, -en 50
e Zigarette, -n 49

Adjektive

früh 53
geöffnet 52
geschlossen 48, 52

herrlich 55
herzlich 55
leise 48

lieb 55
nächst- 53
nett 55

obligatorisch 48
spät 53
verboten 48

Lektion 4

Adverbien

eben 49	immer 55	morgen 52, 53, 55	selbst 48
heute 48, 52, 53	meistens 55	nie 54	vielleicht 53

Funktionswörter

also 53	gegen 52, 55	selbst 48	warum? 49
auf 47	jemand 47	von ... bis ... 52	wie lange? 52
bis 52, 53	nach 52, 55	wann? 50	zwischen 51

Ausdrücke

Achtung! 52	frei haben 54	Lust haben 53	spät sein 53
Betten machen 51	Leid tun 53	Pause machen 51	Tschüs! 53
das nächste Mal 53	los sein 52	Schön. 53	

Grammatik

Modalverben (§ 25 und 35)

dürfen:	Sie dürfen hier nicht rauchen.	können:	Man kann hier Bücher lesen.
müssen:	Du musst jetzt aber schlafen.	möchten:	Ich möchte das Konzert hören.

Verben mit trennbarem Verbzusatz (§ 27 und 36)

anfangen:	Wann fängt der Kurs an?	mitkommen:	Ich komme gern mit.
aufstehen:	Sie steht um acht Uhr auf.	stattfinden:	Wann findet der Ausflug statt?
einkaufen:	Hier kaufen wir immer ein.	vorbereiten:	Er bereitet das Frühstück vor.
fernsehen:	Sie sieht heute nicht fern.	zuhören:	Hören Sie bitte gut zu.

Uhrzeit (§ 19)

Wie spät	ist es?	Sieben Uhr.	Wann	kommt er?	Um	sieben.
Wie viel Uhr		Fünf nach sieben.	Um wie viel Uhr			halb acht.

Verben mit Vokalwechsel (§ 23)

essen	fernsehen	lesen	messen
du isst	du siehst fern	du liest	du misst
er / sie isst	er / sie sieht fern	er / sie liest	er / sie misst

nehmen	schlafen	treffen	
du nimmst	du schläfst	du triffst	
er / sie nimmt	er / sie schläft	er / sie trifft	

Lektion 4

Nach Übung

4

im Kursbuch

1. Was passt?

Bank   Bäcker   Bar   Schwimmbad   Geschäft

Kino   Bibliothek   Café   Friseur

a) Kuchen, Brot, Torte, backen: _____
b) Bücher, Zeitungen lesen: _____
c) Kuchen essen, Kaffee trinken: _____
d) Sonnenbad, schwimmen, Wasser: _____
e) Film sehen, dunkel: _____
f) schneiden, Frau, Mann, gut aussehen: _____
g) Geld haben, wechseln, €: _____
h) Bier, Wein, Schnaps trinken: _____
i) kaufen, verkaufen, bezahlen: _____

2. Was machen die Leute?

Nach Übung

4

im Kursbuch

a) *Musik hören*

b) _____

c) _____

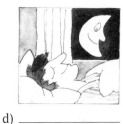

d) _____

e) _____

f) _____

g) _____

h) _____

i) _____

j) _____

k) _____

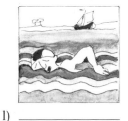

l) _____

Lektion 4

Nach Übung

5

im Kursbuch

3. Was muss, kann, darf Eva hier (nicht)? Welche Sätze passen?

> Eva muss hier warten.   Eva darf hier nicht fotografieren.   Hier darf Eva rauchen.
>   Hier darf Eva nicht rauchen.
>   Hier darf Eva kein Eis essen.   Eva möchte fotografieren.
> Eva muss aufstehen.   Eva kann hier ein Eis essen.   Eva möchte nicht rauchen.

a)

b)

c)

d)

e)

f)

g)

h)

i)

Nach Übung

5

im Kursbuch

4. Ein Wort passt nicht.

a) duschen – spülen – schwimmen – schlafen – waschen
b) Friseur – Arbeit – Passagier – Gast – Kellner
c) Krankenhaus – Maschine – Bibliothek – Gasthaus – Café
d) zeichnen – rauchen – trinken – essen – sprechen
e) sehen – hören – schmecken – essen
f) bezahlen – Geld ausgeben – stören – Geld wechseln – einkaufen
g) Foto – Bild – Musik – Film

5. Ergänzen Sie.

Nach Übung

5

im Kursbuch

a) Wolfgang (schlafen) _____ noch.

b) Frau Keller (lesen) _____ eine Zeitung.

c) (sehen) _____ du das Schild nicht? Hier darf man nicht rauchen.

d) (fernsehen) _____ du noch _____, oder möchtest du lesen?

e) Er (sprechen) _____ sehr gut Deutsch.

f) (sprechen) _____ du Spanisch?

g) Sie (fahren) _____ gerne Ski.

h) (schlafen) _____ du schon?

i) Frau Abel (fahren) _____ heute nach Leipzig.

j) (essen) _____ du das Steak oder (nehmen) _____ du das Kotelett?

6. Ihre Grammatik. Ergänzen Sie.

Nach Übung

5

im Kursbuch

	lesen	essen	schlafen	sprechen	sehen
ich	*lese*				
du					
er, sie, es, man					
wir					
ihr					
sie, Sie					

7. Ergänzen Sie die Verben.

Nach Übung

7

im Kursbuch

> aufmachen   aufhören   zuhören   machen   fernsehen   ~~aufstehen~~
>
> einkaufen   ~~hören~~   kaufen   sehen   ausgeben   aufstehen

a) Ich *stehe* jetzt *auf*. Möchtest du noch schlafen?

b) *Hören* Sie die Kassette _____ und spielen Sie den Dialog.

c) ○ Was machst du?   □ Ich _____ _____. Der Film ist sehr gut.

d) Ich _____ das Auto nicht _____. Ich habe nicht genug Geld.

e) _____ du bitte die Flasche _____? Ich kann das nicht.

f) _____ du bitte ein Foto _____? Hier ist die Kamera.

g) ○ _____ du heute _____?   □ Ja, gern! Was brauchen wir denn?

h) Hier dürfen Sie nicht rauchen. _____ Sie bitte _____!

i) Bitte seien Sie leise und _____ Sie _____. Vera spielt doch Klavier!

j) _____ du das Schild nicht _____? Du darfst hier kein Eis essen.

k) Für sein Auto _____ er viel Geld _____.

l) _____ Sie bitte _____! Das ist mein Platz!

Lektion 4

Nach Übung

9

im Kursbuch

**8. „Müssen", „dürfen", „können", „möchten".
Ergänzen Sie.**

a) ○ Mama, _____ ich
   noch fernsehen?
   □ Nein, das geht nicht. Es ist schon sehr
   spät. Du _____ jetzt schlafen.

b) ○ Papa, wir _____ ein
   Eis essen.
   □ Nein, jetzt nicht. Wir essen gleich.

c) ○ Mama, _____ wir jetzt spielen?
   □ Nein, ihr _____ erst
   das Geschirr spülen, dann
   _____ ihr spielen.

d) ○ Mama, ich _____
   fotografieren. _____ ich?
   □ Aber du _____ doch
   gar nicht fotografieren!

e) ○ Papa, _____ ich
   Klavier spielen?
   □ Ja, aber du _____ leise
   spielen. Mama schläft.

Nach Übung

9

im Kursbuch

9. Ihre Grammatik. Ergänzen Sie.

A.

	möchten	können	dürfen	müssen
ich				
du				
er, sie, es, man				
wir				
ihr				
sie, Sie				

a) Nils macht die Flasche auf.
b) Nils möchte die Flasche aufmachen.
c) Macht Nils die Flasche auf?
d) Möchte Nils die Flasche aufmachen?
e) Wer macht die Flasche auf?
f) Wer möchte die Flasche aufmachen?

B.

	Verb$_1$	Subjekt	Angabe	Ergänzung	Verb$_2$
a) _Nils_	_macht_				
b) _____					
c) _____					
d) _____					
e) _____					
f) _____					

10. Was passt zusammen?

Nach Übung
10
im Kursbuch

A	Hallo, was macht ihr da?
B	Sie dürfen hier nicht rauchen!
C	Stehen Sie bitte auf!
D	Darf man hier fotografieren?
E	Ihr könnt hier nicht warten!
F	Schwimmen ist hier verboten! Siehst du das Schild nicht?
G	Ihre Musik stört die Leute. Sie müssen leise sein.

1	Warum nicht? Wir stören hier doch nicht.
2	Bitte nur eine Zigarette. Ich höre gleich auf.
3	Ich kann doch nicht lesen.
4	Warum? Ist das Ihr Platz?
5	Wir schwimmen. Ist das verboten?
6	Nein, das ist verboten!
7	Warum das? Hier darf man doch Radio hören!

A	B	C	D	E	F	G

11. Was passt?

Nach Übung
13
im Kursbuch

einen ~~Verband~~   Musik   einen Brief   einen Schrank   ein Schwein   eine Frage
einen Gast   eine Bar   einen Spaziergang   Betten
eine Idee   eine Kartoffel   eine Bestellung   Kartoffelsalat
einen Film   einen Kaffee   das Abendessen   eine Torte
einen Beruf   einen Fehler   eine Reise   Pause   ein Krankenhaus   das Frühstück
ein Kotelett   die Arbeit   eine Adresse   Käse

einen Verband _____ | machen
_____
_____
_____
_____
_____

. . .

Lektion 4

12. Schreiben Sie.

a) Renate: ein Buch lesen — fernsehen

○ _Renate liest ein Buch. Möchtest du auch ein Buch lesen?_

□ _Nein, ich sehe lieber fern._

b) Jochen: um sieben Uhr aufstehen — erst um halb acht aufstehen
c) Klaus und Bernd: Tennis spielen — Fußball spielen
d) Renate: einen Spaziergang machen — fernsehen
e) wir: Radio hören — einen Spaziergang machen
f) Müllers: ein Sonnenbad nehmen — die Küche aufräumen
g) Maria: fernsehen — Klavier spielen

13. „Schon", „noch" oder „erst"? Ergänzen Sie.

a) Um 6.00 Uhr schläft Ilona Zöllner _____. Willi Rose steht dann _____
   auf. Ilona Zöllner steht _____ um 8.00 Uhr auf.
b) Monika Hilger möchte _____ um 21.00 Uhr schlafen. Da sieht Klaus Schwarz
   _____ fern.
c) Um 6.30 Uhr frühstückt Willi Rose, Ilona Zöllner _____ um 9.30 Uhr.
d) Um 23.00 Uhr tanzt Ilona Zöllner _____, Monika Hilger schläft dann _____.

14. Was passt nicht?

a) Reise – Achtung – Ausflug – fahren – Auto
b) Musik – Mannschaft – Konzert – Orchester
c) Pause – Gast – einladen – essen – trinken
d) Mensch – Leute – Person – Frauen
e) Tanz – Musik – Film – Diskothek
f) Geschäft – geöffnet – geschlossen – anfangen
g) stattfinden – Konzert – geöffnet – Veranstaltung – anfangen

15. Wann? Wie lange?

bis 1.00 Uhr   vier Tage   morgens   zwei Jahre   von 9.00 bis 17.00 Uhr
um 20.00 Uhr   heute   morgen   zwischen 5.00 und 6.00 Uhr   bis 3.00 Uhr
abends   zwei Monate   mittags   am Mittwoch   bis Mittwoch   morgen um halb acht

Wann?	Pause machen	Wie lange?	Pause machen
um 20.00 Uhr	Zeit haben	_bis 1.00 Uhr_	Zeit haben
_____	arbeiten	_____	arbeiten
...	geöffnet sein	...	geöffnet sein
	stattfinden		warten
	anfangen		

16. Wann fahren die Züge?

Nach Übung

17

im Kursbuch

Deutsche Bundesbahn — Deutsche Bundesbahn — Deutsche Bundesbahn								
Frankfurt — Dresden			**Hamburg — Berlin**			**Stuttgart — München**		
ab	Zug	an	ab	Zug	an	ab	Zug	an
6.38	IC 155	14.39	8.09	D 331	12.02	10.12	IC 591	12.20
8.31	D 355	16.58	11.27	IC 785	16.41	10.26	D 285	13.01
Lübeck — Rostock			**Münster — Bremen**			**Kiel — Flensburg**		
ab	Zug	an	ab	Zug	an	ab	Zug	an
9.40	D 1033	11.35	19.05	E 3385	21.07	17.42	E 4270	18.52
17.04	D 1037	21.48	21.57	IC 112	23.12	21.04	E 4276	22.19

a) Der IC 155 fährt um sechs Uhr achtunddreißig in Frankfurt ab und ist um vierzehn Uhr
   neununddreißig in Dresden.
b) Der D 355 fährt um ...
c) Der D 331 fährt um ...
...

17. Schreiben Sie Dialoge.

Nach Übung

18

im Kursbuch

○ Komm, wir müssen gehen!
  Das Kino fängt um fünf Uhr an.
□ Wir haben noch Zeit. Es ist
  erst Viertel nach vier.

a) Gymnastik b) Vortrag   c) Fotokurs   d) Tennisspiel e) Tanzveran-   f) Diskothek
                                                              staltung

    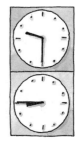 

Lektion 4

Nach Übung
20
im Kursbuch

18. Ordnen Sie die Antworten.

Ich habe keine Lust! Tut mir Leid, das geht nicht! Ich weiß noch nicht! Gut! Ich mag nicht!
Vielleicht! Gern! Na gut! Leider nicht! Kann sein! Die Idee ist gut!
In Ordnung! Na klar! Ich kann nicht! Ich habe keine Zeit!

ja	nicht ja und nicht nein	nein

Nach Übung
20
im Kursbuch

19. „Wann?", „wie lange?", „wie spät?", „wie oft?", „wie viel?"/„wie viele?".
    Fragen Sie.

a) *Um acht Uhr* stehe ich meistens auf.
b) Ich trinke morgens *vier Tassen* Kaffee.
c) Ich gehe *zweimal pro Monat* schwimmen.
d) Meine Wohnung kostet *470 Euro pro Monat.*
e) Ich wohne schon *vier Jahre* in Erfurt.

f) Es ist schon *vier Uhr*. Ich muss jetzt gehen.
g) Ich sehe abends *bis elf Uhr* fern.
h) Ich rauche nur *abends*.
i) Ich bin *von Freitag bis Sonntag* in Köln.
j) Ich mache *jedes Jahr* eine Reise.
k) Ihre Wohnung hat *drei Zimmer*.

Nach Übung
20
im Kursbuch

20. Schreiben Sie einen Dialog.

Warum fragst du? Tut mir Leid, ich muss heute arbeiten.
Schade. Und morgen Nachmittag? Ich möchte gern schwimmen gehen. Kommst du mit?
Sag mal, Hans, hast du heute Nachmittag Zeit? Ja, gern. Da kann ich.

○ *Sag mal,* _____
□ _____
○ _____
□ _____
○ _____
□ _____

Lektion 4

21. Ergänzen Sie.

Nach Übung
22
im Kursbuch

> nachmittags   morgen Mittag   morgen Nachmittag   morgen Abend   morgen früh   morgens
> abends   mittags

a) _____ um zwanzig Uhr gehe ich ins Kino. Es gibt einen Film mit Gary Cooper.

b) Ich stehe _____ immer sehr früh auf.

c) _____ um sechzehn Uhr gehe ich mit Bärbel einkaufen.

d) Ich arbeite nur morgens, _____ habe ich meistens frei.

e) Ich gehe spät schlafen. Ich sehe _____ oft bis 23 Uhr fern.

f) _____ muss ich um sieben Uhr aufstehen. Ich möchte mit Sibylle zusammen frühstücken.

g) _____ haben wir immer von zwölf bis vierzehn Uhr Pause. Dann gehe ich meistens nach Hause und koche etwas.

h) _____ muss ich nicht kochen. Ich gehe mit Jens um zwölf Uhr essen.

22. „Da" hat zwei Bedeutungen. Welche Bedeutung hat „da" in den Sätzen a – f?

Nach Übung
22
im Kursbuch

Wo? → Da! („da" = Ort)   Wann? → Da! („da" = Zeitpunkt)

a) Der Gasthof Niehoff ist sehr gut. Da kann man fantastisch essen.

b) Um 20.00 Uhr gehe ich mit Monika tanzen. Da habe ich leider keine Zeit.

c) Das Schwimmbad ist sehr schön. Da kann man gut schwimmen.

d) Der Supermarkt „Harms" ist billig. Da kann man gut einkaufen.

e) Montagabend kann ich nicht. Da gehe ich mit Vera essen.

f) ○ Was machst du morgen Abend?   □ Da gehe ich ins Konzert.

	Satz a)	Satz b)	Satz c)	Satz d)	Satz e)	Satz f)
„da" = Ort						
„da" = Zeitpunkt						

23. „Können" oder „müssen"? Was passt?

Nach Übung
22
im Kursbuch

a) Herr Werner _____ morgens nach Frankfurt fahren, denn er arbeitet in Frankfurt und wohnt in Hanau.

b) Frau Herbst _____ heute leider nicht ins Kino gehen. Sie hat Gäste und _____ kochen.

c) Petra _____ die Wohnung nicht nehmen. Denn 360 Euro _____ sie nicht bezahlen.

d) Willi Rose ist Kellner. Er _____ schon um sechs Uhr aufstehen.

e) Gerd hat heute frei. Er _____ nicht um sieben Uhr aufstehen. Er _____ bis zehn Uhr schlafen.

f) Frau Herbst _____ nur nachmittags einkaufen gehen, denn morgens _____ sie arbeiten.

g) Im Gasthof Niehoff _____ man bis 22 Uhr abends essen.

Lektion 4

Nach Übung

24

im Kursbuch

24. Was passt nicht?

a) Tschüs – Herzliche Grüße – Guten Tag – Sonntag – Herzlich willkommen – Guten Abend
b) Zimmer – Raum – Wohnung – Haus – Situation
c) Brief – Ansichtskarte – schreiben – lesen – hören
d) Ski fahren – abfahren – Tennis spielen – Fußball spielen – Rad fahren – spazieren gehen
e) heute – morgens – abends – nachmittags – mittags
f) nie – groß – oft – immer – meistens
g) wann? – wie lange? – wo? – wie oft? – wie spät?

Nach Übung

25

im Kursbuch

25. „Können" (1), „können" (2) oder „dürfen"?

„können" (1):   „können" (2):

Er kann nicht Ski fahren.   Sie kann diese Woche nicht   Hier kann sie nicht Ski fah-
Er lernt Ski fahren.   Ski fahren.   ren. Es gibt keinen Schnee.

a) Hier _____ ( )   b) Er _____ ( )   c) Sie _____ ( )
   man nicht schwimmen.   noch nicht gehen.   nicht ins Kino gehen.

d) Er _____ ( )   e) Hier _____ ( )   f) Hier _____ ( )
   nicht schwimmen.   sie nicht parken.   man essen.

26. Was stimmt hier nicht? Vergleichen Sie Text und Bild.

Nach Übung
25
im Kursbuch

 a) 10.00 Uhr

 b) 11.30 Uhr

 c) 12.30 Uhr

 d) 13.00 Uhr

 e) 14.00 Uhr

 f) 17.00 Uhr

 g) 23.00 Uhr

 h) 1.00 Uhr

Grömitz, 4.8.94

Lieber Mathias,
die Zeit hier ist nicht sehr schön. Ich stehe schon um sieben Uhr auf und
gehe morgens spazieren. Man kann hier nicht viel machen: nicht
schwimmen, nicht Tischtennis spielen, und man trifft keine Leute.
Es gibt auch kein Kino, keine Bar und keine Diskothek. Ich esse
hier sehr wenig, denn das Essen schmeckt nicht gut. Nachmittags
lese ich Bücher oder ich schreibe Briefe. Abends sehe ich meistens
fern und gehe schon um neun Uhr schlafen.

Herzliche Grüße

deine Babsi

A. Schreiben Sie.

Was macht Babsi?

a) *Sie steht erst um zehn Uhr auf*
b) *Um halb zwölf spielt sie*
c) ...

Was schreibt Babsi?

Ich stehe schon um sieben Uhr auf.
Ich gehe

B. Schreiben Sie jetzt den Brief richtig.

Grömitz, 4.8.92

Lieber Mathias,
die Zeit hier ist fantastisch. Ich stehe erst ...

Lektion 5

Wortschatz

Verben

anrufen 62
aussehen 60
baden 58, 68
bauen 63
buchen 67

diskutieren 66
einziehen 62
finden 60
gucken 61
herstellen 64

informieren 64
leihen 67
liegen 18, 62
schauen 60, 61
suchen 63, 66

tun 65
umziehen 58
verbieten 64
verdienen 62
wollen 63

Nomen

s Appartement, -s 64
r Aufzug, ⸗e 62
s Bad, ⸗er 57, 58
r Balkon, -e / -s 57,
    58, 62
s Dach, ⸗er 62, 64
s Ehepaar, -e 62
s Einkommen, - 63
s Ende 66
s Erdgeschoss, -e
    62, 67
e Erlaubnis 64
e Familie, -n 63
s Fenster, - 58, 64
r Flur, -e 57, 58, 59
r Fußboden, ⸗ 62
e Garage, -n 62
e Garderobe, -n 59
r Garten, ⸗ 62

s Glück 63
s Hochhaus, ⸗er 66
r Hof, ⸗e 64
s Hotel, -s 67
e Industrie, -n 67
e Insel, -n 67
r Keller, - 57, 62, 67
r Kiosk, -e 67
r Komfort 62
r Krach 64
r Lärm 66
s Leben, - 61
e Miete, -n 62, 64, 66,
    67
r Mietvertrag, ⸗e 62,
    64
e Mutter, ⸗ 61
r Nachbar, -n 64
e Natur 67

e Nummer, -n 58
r Quadratmeter, - 62
r Raum, ⸗e 58
s Reisebüro, -s 67
e Rezeption 67
e Ruhe 67
s Schlafzimmer, - 57,
    58
r Schreibtisch, -e 59
r Sessel, - 59
e Sonne, -n 67
r Spiegel, - 59
r Stock, -werke 62
r Strand, ⸗e 67
r Streit, Streitigkeiten
    64
e Stunde, -n 62, 63
e Telefonzelle, -n 67
r Teppich, -e 59

e Terrasse, -n 57, 62,
    64, 65
e Toilette, -n 62
r Urlaub 67
s Urteil, -e 64, 65
r Vermieter, - 64
r Vogel, ⸗ 64
r Vorhang, ⸗e 59
r Wagen, - 67
r Wald, ⸗er 67
e Ware, -n 64
s WC, -s 62
e Wiese, -n 67
e Woche, -n 58, 62
s Wohnzimmer, - 57,
    58
s Zimmer, - 58

Adjektive

direkt 67
fest 62
frei 61
glücklich 61, 66

günstig 63
hässlich 60
herzlich 66
interessant 32, 68

privat 62, 67
ruhig 62
sauber 67
schlecht 63

schön 58, 61
teuer 60
willkommen 62
zufrieden 58, 66

Adverbien

bald 66
draußen 64

eigentlich 63
endlich 66

nachts 64
sogar 58

vorher 64
ziemlich 58

Lektion 5

Funktionswörter

ab 62	außerhalb 63	in 64	unser 67
alles 66	beide, beides 63	niemand 63	was für? 62
an 64	für 59, 61	ohne 62, 64	zu *mit Adjektiv* 60
auf 64	gar nicht 66	trotzdem 63	

Ausdrücke und Abkürzungen

m^2 r Quadratmeter, - 62	Platz haben 66	zu Hause 61
okay 66	Ruhe finden 67	

Grammatik

Indefinitpronomen (§ 13)

			Nominativ		Akkusativ	
Maskulinum	Ich brauche	einen Schrank.	Hier ist	einer. keiner.	Ich habe	einen. keinen.
Femininum	Ich brauche	eine Kommode.	Hier ist	eine. keine.	Ich habe	eine. keine.
Neutrum	Ich brauche	ein Bett.	Hier ist	eins. keins.	Ich habe	eins. keins.
Plural	Ich brauche	Bilder.	Hier sind	welche. keine.	Ich habe	welche. keine.

Wo? (§ 3, 16a und 44)

	in	an	auf
der Bungalow mein Bungalow Ihr Bungalow	im Bungalow in meinem Bungalow in Ihrem Bungalow	am Bungalow an meinem Bungalow an Ihrem Bungalow	auf dem Bungalow auf meinem Bungalow auf Ihrem Bungalow
die Garage meine Garage Ihre Garage	in der Garage in meiner Garage in Ihrer Garage	an der Garage an meiner Garage an Ihrer Garage	auf der Garage auf meiner Garage auf Ihrer Garage
das Haus mein Haus Ihr Haus	im Haus in meinem Haus in Ihrem Haus	am Haus an meinem Haus an Ihrem Haus	auf dem Haus auf meinem Haus auf Ihrem Haus

Lektion 5

Nach Übung

3

im Kursbuch

1. Ergänzen Sie.

a) _schlafen_   +   _das Zimmer_   → das Schlafzimmer
b) _____ + _____ → das Wohnzimmer
c) _____ + _____ → der Schreibtisch
d) _____ + _____ → die Waschmaschine
e) _____ + _____ → der Fernsehapparat
f) waschen + das Becken → _____
g) braten + die Wurst → _____
h) stecken + die Dose → _____

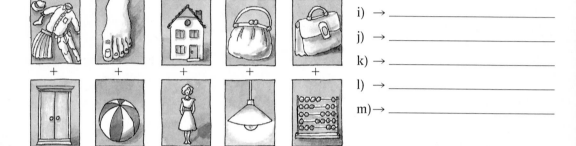

i) → _____
j) → _____
k) → _____
l) → _____
m)→ _____

Nach Übung

3

im Kursbuch

2. Bilden Sie Sätze.

a) Lampe – – → Flur
         → Schlafzimmer

Die Lampe ist nicht für den Flur,
sondern für das Schlafzimmer.

...

b) Waschmittel – →Waschmaschine
             → Geschirrspüler

c) Spiegel – – → Bad
        → Garderobe

d) Radio – – → Wohnzimmer
       → Küche

e) Stühle – – → Küche
       → Balkon

f) Topf – – – → Mikrowelle
      → Elektroherd

g) Batterien – →Taschenlampe
           → Radio

Nach Übung

4

im Kursbuch

3. Was passt nicht?

a) Sessel – Teppich – Tisch – Schreibtisch
b) Schlafzimmer – Bad – Spiegel – Flur
c) Elektroherd – Waschmaschine – Fenster – Kühlschrank
d) Sessel – Stuhl – Bett – Lampe
e) schön – zufrieden – gut – fantastisch
f) fernsehen – Wohnung – neu – umziehen

4. Schreiben Sie Dialoge.

Nach Übung

4

im Kursbuch

○ Gibt es hier ein Restaurant?
☐ Nein, hier gibt es keins.
○ Wo gibt es denn eins?
☐ Das weiß ich nicht.

a) Post

○ *Gibt es hier eine Post ?*
☐ *Nein, hier*
○ *Wo*
☐ *Das weiß*

b) Bibliothek

○ *Gibt*
☐ *Nein,*
○ *Wo*
☐ *Das*

c) Café   d) Telefon   e) Automechaniker   f) Bäckerei   g) Gasthof   h) Supermarkt

5. „Welch-" im Plural (A) oder Singular (B)? Schreiben Sie Dialoge.

Nach Übung

4

im Kursbuch

A.

○ Ich brauche noch Eier.
  Haben wir noch welche?
☐ Nein, es sind keine mehr da.

B.

○ Ich möchte noch Wein./Suppe./Obst.
  Haben wir noch welchen?/welche?/welches?
☐ Nein, es ist keiner/keine/keins mehr da.

Lesen Sie die Dialogmodelle A und B. Schreiben Sie dann selbst Dialoge. Wählen Sie das richtige Dialogmodell.

a) Äpfel

○ *Ich brauche noch Äpfel.*
  Haben
☐ *Nein,*

b) Soße

○ *Ich möchte noch Soße.*
  Haben
☐ *Nein,*

c) Zitronen	f) Tomaten	i) Fleisch	l) Früchte	o) Salat
d) Eis	g) Kartoffeln	j) Tee	m) Gewürze	p) Suppe
e) Saft	h) Gemüse	k) Marmelade	n) Öl	q) Obst

Lektion 5

Nach Übung

4

im Kursbuch

6. Ergänzen Sie.

○ Peter hat morgen Geburtstag. Was meinst du, was können wir kaufen? Eine Uhr?
□ Das geht nicht. Seine Frau kauft schon eine.

a) ○ _____ Kamera?   □ Das geht nicht. Er hat schon _____.
b) ○ _____ Taschenlampe?   □ Das geht nicht. Er braucht _____.
c) ○ _____ Zigaretten?   □ Das geht nicht. Er braucht _____.
                                 Er raucht doch nicht mehr.
d) ○ _____ Geschirr?   □ Das geht nicht. Er hat schon _____.
e) ○ _____ Schnaps?   □ Das geht nicht. Er trinkt doch _____.
f) ○ _____ Wein?   □ Das geht nicht. Maria kauft schon _____.
g) ○ _____ Filme?   □ Das geht nicht. Karl kauft schon _____.
h) ○ _____ Radio?   □ Die Idee ist gut. Er hat noch _____.

Nach Übung

4

im Kursbuch

7. Ihre Grammatik. Ergänzen Sie.

der	ein kein	Herd Herd Wein	*einer* *keiner* *welcher*	einen keinen	Herd Herd Wein		
die	eine keine	Lampe Lampe Butter		eine keine	Lampe Lampe Butter	*keine*	
das	ein kein	Bett Bett Öl	*eins*	ein kein	Bett Bett Öl	*welches*	
die (Pl.)	keine	Eier Eier		keine	Eier Eier		

Nach Übung

6

im Kursbuch

8. Schreiben Sie.

○ Ist der Schrank neu?
□ Nein, der ist alt.
○ Und die Lampe?
□ Die ist neu.

a) Sessel–Stühle
  ○ *Sind die Sessel neu?*
  □ *Nein, die*
    ...

b) Regal – Schrank
c) Waschmaschine – Kühlschrank
d) Schreibtisch – Stuhl

e) Garderobe – Spiegel
f) Kommode – Regale
g) Bett – Lampen

9. Ergänzen Sie.

Nach Übung

6

im Kursbuch

○ Was brauchen wir?

a) ☐ Ein Radio. △ _Das_ kann ich mitbringen.
b) ☐ Schnaps. △ _____ brauchen wir nicht.
c) ☐ Brot. △ _____ hole ich.
d) ☐ Gläser. △ _____ habe ich.
e) ☐ Teller. △ _____ bringe ich mit.
f) ☐ Geschirr. △ _____ ist schon da.
g) ☐ Stühle. △ _____ habe ich.
h) ☐ Butter. △ _____ kaufe ich ein.
i) ☐ Bier. △ _____ bringe ich mit.
j) ☐ Salat. △ _____ mache ich.
k) ☐ Wein. △ _____ haben wir schon.
l) ☐ Mineralwasser. △ _____ kaufe ich.
m)☐ Zigaretten. △ _____ wollen wir nicht.

10. Ihre Grammatik. Ergänzen Sie.

Nach Übung

6

im Kursbuch

a)

Der Flur, _der_ ...ist hier.
Die Lampe, _____
Das Bett, _____
Die Möbel, _____ ...sind hier.

b)

Den Flur, _____ ...sehe ich.
Die Lampe, _____
Das Bett, _____
Die Möbel, _____

11. Schreiben Sie einen Dialog.

Nach Übung

9

im Kursbuch

Du, ich habe jetzt eine Wohnung.
Und wie viele Zimmer hat sie?
Hast du auch schon Möbel?
Zwei Zimmer, eine Küche und ein Bad.
Ja, ich habe schon viele Sachen.
Fantastisch! Den nehme ich gern.
Sehr schön. Ziemlich groß und nicht zu teuer.
Ich habe noch einen Küchentisch. Den kannst du haben.
Toll! Wie ist sie denn?

○ _Du, ich habe jetzt eine Wohnung._
☐ _Toll! Wie_
○ ...

Lektion 5

Nach Übung

9

im Kursbuch

12. Schreiben Sie einen Brief.

> Tübingen, 2. Mai 1992
>
> Liebe Tante Irmgard,
>
> wir haben jetzt eine Wohnung in Tübingen. Sie hat zwei Zimmer, ist hell und ziemlich billig. Möbel für die Küche haben wir schon, aber noch keine Sachen für das Wohnzimmer. Einen Schrank für das Schlafzimmer brauchen wir auch noch. Hast du einen? Oder hast du vielleicht noch Stühle? Schreib bitte bald!
>
> Viele liebe Grüße
>
> Sandra

_____ 19 _____

Lieb _____
ich _____
Sie hat _____
Sie ist _____
Ich habe schon _____
aber ich brauche noch _____

Wohnung	3 Zimmer	Schrank
Garderobe	Bad	Lampe
Herd	hell	Küche
	schön	klein teuer

Nach Übung

11

im Kursbuch

13. Was passt?

a) Wohnort, Name, Straße, Postleitzahl, Vorname: _____

b) Bad, Wohnzimmer, Flur, Küche, Schlafzimmer: _____

c) Keller, Erdgeschoss, 1. Stock, 2. Stock: _____

d) Stunde, Tag, Woche, Monat: _____

e) Mutter, Vater, Kinder, Eltern: _____

Nach Übung

12

im Kursbuch

14. Welches Verb passt?

bauen	verdienen	anrufen	kontrollieren	suchen	werden

a) ein Haus   eine Garage   eine Sauna _____

b) die Heizung   den Aufzug   die Batterien _____

c) eine Wohnung   ein Zimmer   den Fehler _____

d) Geld   sehr viel   zu wenig _____

e) einen Freund   den Arzt   Johanna _____

f) Beamter   schlank   Lehrer _____

15. Was passt zusammen? Bilden Sie Sätze.

Nach Übung
12
im Kursbuch

eigentlich	aber
a) nicht arbeiten b) einen Freund anrufen c) ein Haus kaufen d) nicht einkaufen gehen e) nicht umziehen	sie findet keins ihr Kühlschrank ist leer ihre Wohnung ist zu klein ihr Telefon ist kaputt sie muss ~~Geld verdienen~~

a) *Eigentlich möchte Veronika nicht arbeiten, aber sie muss Geld verdienen.*
Veronika möchte eigentlich nicht arbeiten, aber sie muss Geld verdienen.
b) ...

16. Welches Wort passt?

Nach Übung
12
im Kursbuch

über etwa unter zwischen etwa unter von... bis

a) Hier gibt es Sonderangebote: alle Kassetten _____ sechs Euro.
b) Der Sessel kostet _____ 300 Euro. Ich weiß es aber nicht genau.
c) Hier gibt es Spiegel _____ 20 _____ 50 Euro.
d) _____ 18 Jahren bekommt man in Gasthäusern keinen Alkohol.
e) Die Miete für Häuser in Frankfurt liegt _____ 500 und 3000 Euro pro Monat.
f) Ich komme _____ um 6 Uhr.
g) _____ 300 Euro kann ich nicht bezahlen. Das ist zu viel.

17. Ihre Grammatik. Ergänzen Sie.

Nach Übung
12
im Kursbuch

a) Sie möchten gern bauen.
b) Sie möchten gern ein Haus bauen.
c) Sie möchten gern in Frankfurt ein Haus bauen.
d) In Frankfurt möchten sie gern ein Haus bauen.
e) Eigentlich möchten sie gern in Frankfurt ein Haus bauen.
f) Warum bauen sie nicht in Frankfurt ein Haus?

	Vorfeld	Verb$_1$	Subj.	Angabe	Ergänzung	Verb$_2$
a)	Sie	möchten				
b)						
c)						
d)						
e)						
f)						

Lektion 5

Nach Übung

12

im Kursbuch

18. Was ist richtig?

a) Wir möchten ein Haus   Ⓐ kaufen.
                            Ⓑ brauchen.
                            Ⓒ bauen.

b) Ich finde die Wohnung nicht teuer,
    sie ist sogar   Ⓐ ziemlich wenig.
                      Ⓑ ziemlich günstig.
                      Ⓒ ziemlich billig.

c) Das Haus kostet   Ⓐ wenig.
                     Ⓑ viel.
                     Ⓒ teuer.

d) Ich glaube, wir haben kein Glück,
    aber wir suchen   Ⓐ nicht weiter.
                       Ⓑ trotzdem weiter.
                       Ⓒ denn weiter.

e) Ihre Kinder heißen Jan und Kerstin.
    Ich kenne   Ⓐ sie.
                Ⓑ beide.
                Ⓒ zwei.

f) Die Wohnung ist leer. Da ist   Ⓐ niemand.
                                     Ⓑ jemand.
                                     Ⓒ kein Mensch.

g) Die Wohnung liegt nicht   Ⓐ günstig,   aber
    sie ist ziemlich billig.   Ⓑ zufrieden,
                                 Ⓒ alt,

h) Möchten Sie den Tee mit Milch
    oder   Ⓐ ohne?
         Ⓑ gern?
         Ⓒ für?

Nach Übung

12

im Kursbuch

19. Lesen Sie den Text im Kursbuch, Seite 63.

A. Ergänzen Sie den Text.

Familie Höpke _____ in Steinheim. Ihre Wohnung _____
nur drei Zimmer. Das ist zu _____, denn die _____ möch-
ten beide ein _____. Die Wohnung ist nicht _____ und
auch _____ teuer. Aber Herr Höpke _____ in Frankfurt.
Er muss morgens und _____ immer über eine _____ fahren.
Herr Höpke _____ in Frankfurt wohnen, aber dort _____
die _____ zu teuer. So viel Geld kann er für die Miete nicht
_____. Aber Höpkes _____ weiter. _____
haben sie ja Glück.

B. Schreiben Sie einen ähnlichen Text.

Familie Wiegand wohnt in _____

Nach Übung

17

im Kursbuch

20. Was ist Nummer...?

1. *das Dach*   10. _____
2. _____   11. _____
3. _____   12. _____
4. _____   13. _____
5. _____
6. _____
7. _____
8. _____
9. _____

21. „Haben" oder „machen"? Was passt?

Nach Übung
18
im Kursbuch

a) Glück _____

b) Krach _____

c) Lärm _____

d) Lust _____

e) Zeit _____

f) Ordnung _____

g) Platz _____

h) Streit _____

22. Ergänzen Sie.

Nach Übung
18
im Kursbuch

> Ap – barn – Dach – de – ~~Er~~ – fort – gel – haus – Hoch – Hof – Kom – Krach – Lärm –
> ~~laub~~ – ment – Mi – Mie – mie – Nach – ~~nis~~ – nu – par – Platz – Streit – te – te – ten – ter –
> Ver – Vö – Wän

a) Es ist nicht verboten, wir haben die ___*Erlaubnis*___ .

b) Auf dem Haus ist das _____ .

c) Eine Stunde hat 60 _____ .

d) Dort kann man wohnen: _____ und _____ .

e) Hier spielen die Kinder manchmal: _____ .

f) Auch ein Ehepaar hat manchmal _____ .

g) Die Miete bekommt der _____ .

h) Beide Familien wohnen im zweiten Stock, sie sind _____ .

i) Morgens singen die _____ .

j) Ein Zimmer hat vier _____ .

k) Beide Kinder haben ein Zimmer, wir haben viel _____ .

l) Eine Wohnung mit _____ ist teuer.

m) Die Wohnung kostet 370 Euro _____ pro Monat.

n) Das ist sehr laut und stört die Nachbarn: _____ und
_____ .

23. „In", „an", „auf" + Dativ. Ergänzen Sie Präposition und Artikel.

Nach Übung
18
im Kursbuch

a) Hier siehst du Ulrich _____ d ___ Badewanne
und _____ d _____ Toilette.

b) Und hier ist er _____ sein_____ Zimmer
_____ Fenster.

c) Hier ist Ulrich _____ d _____ Küche _____
sein_____ Kinderstuhl.

d) Und hier ist er _____ d _____ Wohnung von
Frau Haberl, _____ ihr _____ Keller und
_____ ihr_____ Terrasse.

e) Hier siehst du Ulrich zu Hause _____ d _____
Balkon und _____ Herd.

f) Hier sind wir mit Ulrich _____ ein_____
Gasthof.

g) Und da spielt er _____ d _____ Garagendach.

h) Und hier ist er _____ Telefon, er ruft seine Oma an.

Lektion 5

Nach Übung

18

im Kursbuch

24. Was passt hier?

a) Wann bekommen wir _____ das Geld? Wir warten schon drei Wochen.
   Ⓐ bald   Ⓑ vorher   Ⓒ endlich

b) Ich finde die Wohnung _____ schön, sie ist sogar ziemlich hässlich.
   Ⓐ genug   Ⓑ zuerst   Ⓒ gar nicht

c) Das Appartement ist ziemlich groß und kostet _____.
   Ⓐ wenig   Ⓑ billig   Ⓒ günstig

d) Ein Haus ist viel zu teuer, das kann ja _____ bezahlen.
   Ⓐ niemand   Ⓑ jeder   Ⓒ jemand

e) Sie können manchmal feiern, aber Sie müssen _____ die Nachbarn informieren.
   Ⓐ sonst   Ⓑ vorher   Ⓒ gerne

f) Eine Lampe für 15 Euro und eine sogar für 10! Das ist billig, ich nehme _____.
   Ⓐ gern   Ⓑ beide   Ⓒ zusammen

g) Ich arbeite 8 Stunden, _____ 7 _____ 15 Uhr.
   Ⓐ um... und bis   Ⓑ zwischen... und   Ⓒ von... bis

h) Wir gehen nicht spazieren, es ist ziemlich kalt _____.
   Ⓐ sonst   Ⓑ draußen   Ⓒ etwa

i) Manchmal bin ich _____ gar nicht müde, dann lese ich.
   Ⓐ ohne   Ⓑ nachts   Ⓒ ziemlich

j) _____ trinke ich immer Tee, aber heute möchte ich Kaffee.
   Ⓐ Sonst   Ⓑ Vorher   Ⓒ Endlich

Nach Übung

18

im Kursbuch

25. Welches Modalverb passt? Ergänzen Sie „können", „möchten", „müssen".

○ Sie _____ doch jetzt nicht mehr
  feiern!

□ Und warum nicht? Ich _____
  morgen nicht arbeiten und _____
  lange schlafen.

○ Aber es ist 22 Uhr. Wir _____
  schlafen, wir _____ um sechs
  Uhr aufstehen.

□ Und wann _____ ich dann fei-
  ern? Vielleicht mittags um zwölf? Da hat
  doch niemand Zeit, da _____
  doch niemand kommen.

○ Das ist Ihr Problem. Jetzt _____
  Sie leise sein, sonst holen wir die Polizei.

Lektion 5

26. Was passt zusammen? Lesen Sie vorher den Text im Kursbuch auf Seite 67.

A	Urlaub auf Hiddensee	1	liegt direkt am Strand.	A	
B	Autos dürfen	2	Ruhe finden.	B	
C	Die Insel	3	sogar ein Reisebüro.	C	
D	Strände und Natur	4	hier nicht fahren.	D	
E	Das Hotel	5	haben viel Komfort.	E	
F	Hier kann man	6	sind noch ziemlich sauber.	F	
G	Die Zimmer	7	ist ein Naturschutzgebiet.	G	
H	Im Hotel gibt es	8	ist ein Erlebnis.	H	

Nach Übung **20** *im Kursbuch*

27. Ergänzen Sie.

Industrie   Natur   Hotel   Urlaub

a) Wald, Wiese, Vögel: _____
b) herstellen, Export, Maschinen: _____
c) Zeit haben, Sonne, Meer: _____
d) Information, Rezeption, Zimmer: _____

Nach Übung **20** *im Kursbuch*

28. Schreiben Sie einen Brief.

A. Hanne macht Urlaub auf der Insel Rügen. Sie ist nicht zufrieden. Sie schreibt eine Karte an Margret. Lesen Sie die Karte.

Nach Übung **20** *im Kursbuch*

Liebe Margret,
viele Grüße von der Insel Rügen. Ich bin jetzt schon zwei Wochen hier, aber der Urlaub ist nicht sehr schön. Das Hotel ist laut, es ist nicht sauber, und wir haben keinen Komfort. Die Zimmer sind hässlich und teuer, und das Essen schmeckt nicht besonders gut. Die Diskothek ist geschlossen, und das Hallenbad auch.
Ich kann eigentlich nur spazieren gehen, aber das ist auch nicht sehr schön, denn hier fahren ziemlich viele Autos, das stört.
Am Dienstag bin ich wieder zu Hause. Viele Grüße, Hanne.

Was findet Hanne nicht gut? Notieren Sie.

Hotel laut,
nicht _____
Zimmer _____

B. Schreiben Sie den Brief positiv. Ihr Urlaub ist schön, Sie sind zufrieden.

Liebe Margret,
viele Grüße von der Insel Rügen. Ich bin ..., und der Urlaub ist fantastisch. Das Hotel ...

Lektion 6

Wortschatz

Verben

aufwachen 74
bedeuten 72
bleiben 71, 75
dauern 79
einpacken 78

einschlafen 74
gehen 70
helfen 74
hinfallen 76
klingeln 74

mitnehmen 78
packen 78
passieren 76
Recht haben 72
sollen 72

stehen 74
tun 65, 69, 73
verstehen 19, 72
wehtun 70

Nomen

e Angst, ¨e 74
e Apotheke, -n 72
e Ärztin, -nen /
  r Arzt, ¨e 69, 72
s Auge, -n 70
r Bahnhof, ¨e 78
r Bauch, ¨e 70, 71
s Bein, -e 70
s Beispiel, -e 72
e Brust 70, 71, 72,
  73
e Chefin, -nen / r Chef,
  -s 75
r Doktor, -en 69, 72
Dr. = Doktor 72
s Drittel, - 74
e Drogerie, -n 72
e Erkältung, -en 74

e Frage, -n 72
r Fuß, ¨e 69, 70
r Fußball 70
e Geschichte, -n 76
e Gesundheit 69, 72
s Grad, -e 74
e Grippe 71
r Hals, ¨e 70, 72
e Hand, ¨e 71
r Handschuh, -e 78
r Husten 71
s Knie, - 70
r Koffer, - 78
e Kollegin, -nen /
  r Kollege, -n 76
r Konflikt, -e 74
r Kopf, ¨e 71
r Krankenschein, -e 78

e Krankheit, -en 70, 72
s Licht 74
e Luft 74
r Magen, ¨ 72, 73
s Medikament, -e 72,
  74, 78
r Mund, ¨er 70
e Mütze, -n 78
e Nacht, ¨e 74
e Nase, -n 70, 71
s Obst 73
s Papier 74, 78
e Pflanze, -n 72
s Pflaster, - 78
r Pullover, - 78
r Rat, Ratschläge 71, 72
r Ratschlag, ¨e 73, 74
r Rücken, - 70

r Schmerz, -en 71, 72,
  73, 74
r Schnupfen 71, 74
s Spiel, -e 75
r Sport 72, 74
e Sprechstunde, -n 69,
  72
e Tablette, -n 71, 73
s Thema, Themen 72
r Tip, -s 74
r Tropfen, - 72
s Verbandszeug 78
e Verstopfung 73
r Wecker, - 74
s Wochenende, -n 75
r Zahn, ¨e 70, 71

Adjektive

arm 69
dick 73
erkältet 71
gebrochen 77

gefährlich 72
gesund 69, 72
gleich 74
heiß 74

krank 69, 70, 74
kühl 69
müde 74
nervös 72

reich 69
schlimm 72, 75
schwer 74
vorsichtig 72, 73

Adverbien

bestimmt 75
bloß 76
einmal 74

genau 75
häufig 74
höchstens 74

lange 72
plötzlich 77
täglich 69

unbedingt 72, 74
wirklich 75, 76

Funktionswörter

ander- 72
so viel 72

über 72

Ausdrücke

ein bisschen 75
Sport treiben 72, 74

zum Beispiel 72, 74

Grammatik

Possessivartikel (§ 6)

	Maskulinum	*Femininum*	*Neutrum*	*Plural: Mask. / Fem. / Neutrum*
er	sein Stuhl	seine Lampe	sein Regal	seine Stühle / Lampen / Regale
sie	ihr Stuhl	ihre Lampe	ihr Regal	ihre Stühle / Lampen / Regale
es	sein Stuhl	seine Lampe	sein Regal	seine Stühle / Lampen / Regale
wir	unser Stuhl	unsere Lampe	unser Regal	unsere Stühle / Lampen / Regale
ihr	euer Stuhl	eure Lampe	euer Regal	eure Stühle / Lampen / Regale
sie	ihr Stuhl	ihre Lampe	ihr Regal	ihre Stühle / Lampen / Regale

Perfekt (§ 29, 30 und 37)

Bring die Bierflaschen nach unten.
Wann kommt der Arzt?

Die habe ich gestern nach unten gebracht.
Der ist schon gekommen.

Perfekt mit „sein" bei diesen Verben:

aufstehen	ist aufgestanden	mitkommen	ist mitgekommen
aufwachen	ist aufgewacht	passieren	ist passiert
bleiben	ist geblieben	Rad fahren	ist Rad gefahren
einschlafen	ist eingeschlafen	reisen	ist gereist
eintreten	ist eingetreten	schwimmen	ist geschwommen
einziehen	ist eingezogen	sein	ist gewesen
fahren	ist gefahren	spazieren gehen	ist spazieren gegangen
gehen	ist gegangen	stehen	ist / hat gestanden
hinfallen	ist hingefallen	umziehen	ist umgezogen
kommen	ist gekommen	werden	ist geworden

Imperativ (§ 26 und 34)

Nimm doch noch etwas Fleisch, Lea!
Nehmt doch noch etwas Fleisch, Lea und Christian!
Nehmen Sie doch noch etwas Fleisch, Frau Wieland!

Modalverb „sollen" (§ 25 und 35)

kann schlimm sein! Sie müssen viel spazieren gehen. Trinken Sie keinen Kaffee und keinen Wein. Sie dürfen auch nicht fett essen.

Dr. Braun schreibt, ich soll viel spazieren gehen.
Ich soll keinen Kaffee und keinen Wein trinken, und ich soll auch nicht fett essen.

Lektion 6

Nach Übung

1

im Kursbuch

1. Was passt nicht?

a) Auge – Ohr – Bein – Nase
b) Arm – Zahn – Hand – Finger
c) Kopf – Gesicht – Augen – Fuß

d) Rücken – Bauch – Brust – Ohr
e) Bauch – Mund – Nase – Zahn
f) Zeh – Fuß – Hand – Bein

Nach Übung

2

im Kursbuch

2. Ergänzen Sie.

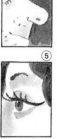

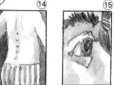

Nummer 1 ist *seine Nase*
Nummer 2 ist _____
Nummer 3 ist *ihr Arm*
Nummer 4 ist _____
Nummer 5 ist _____
Nummer 6 ist _____
Nummer 7 ist _____
Nummer 8 ist _____

Nummer 9 ist _____
Nummer 10 ist _____
Nummer 11 ist _____
Nummer 12 ist _____
Nummer 13 ist _____
Nummer 14 ist _____
Nummer 15 ist _____
Nummer 16 ist _____

Nach Übung

2

im Kursbuch

3. Bilden Sie den Plural.

a) _____ Hand, _____
b) _____ Arm, _____
c) _____ Nase, _____
d) _____ Finger, _____

e) _____ Gesicht, _____
f) _____ Fuß, _____
g) _____ Auge, _____
h) _____ Rücken, _____

i) _____ Bein, _____
j) _____ Ohr, _____
k) _____ Kopf, _____
l) _____ Zahn, _____

4. Welches Verb passt?

Nach Übung

5

im Kursbuch

sein	brauchen	beantworten	verstehen	nehmen	haben

a) Recht   Schmerzen   Grippe _____
b) Deutsch   ein Gespräch   das Problem _____
c) Tropfen   ein Bad   Medikamente _____
d) eine Frage   einen Brief   nicht alles _____
e) krank   schlimm   erkältet _____
f) Tabletten   einen Arzt   einen Rat _____

5. Was muss Herr Kleimeyer tun? Was darf er nicht? Schreiben Sie.

Nach Übung

6

im Kursbuch

a) erkältet
    im Bett bleiben
    schwimmen gehen
    Nasentropfen nehmen

Herr Kleimeyer ist erkältet.
Er muss im Bett bleiben.
Er darf nicht schwimmen gehen.
Er muss Nasentropfen nehmen.

b) nervös
    rauchen
    Gymnastik machen
    viel spazieren gehen

c) Kopfschmerzen
    nicht rauchen
    spazieren gehen
    Alkohol trinken

d) Magenschmerzen
    Tee trinken
    Wein trinken
    fett essen

e) zu dick
    viel Sport treiben
    Schokolade essen
    eine Diät machen

f) nicht schlafen können
    abends schwimmen gehen
    abends viel essen
    Kaffee trinken

g) Magengeschwür
    viel arbeiten
    den Arzt fragen
    vorsichtig leben

6. „Können", „müssen", „dürfen", „sollen", „wollen", „möchten"?

Nach Übung

6

im Kursbuch

a) Frau Moritz:
Ich _____ jeden Monat zum Arzt
gehen. Der Arzt sagt, ich _____
dann am Morgen nichts essen und trinken,
denn er _____ mein Blut
untersuchen. Jetzt warte ich hier schon
20 Minuten, und ich _____
eigentlich gern etwas essen. Aber ich
_____ noch nicht.

b) Herr Becker:
Ich habe immer Schmerzen im Rücken. Der
Arzt sagt, ich _____ Tabletten neh-
men. Aber das _____ ich nicht,
denn dann bekomme ich immer Magen-
schmerzen. Meine Frau sagt, ich
_____ jeden Morgen Gymnastik
machen. Aber das _____ ich
auch nicht, denn ich habe oft keine Zeit.
Meine Kollegen meinen, ich _____
zu Hause bleiben, aber ich _____
doch Geld verdienen.

Lektion 6

c) Herr Müller:

Ich habe Schmerzen im Bein. Ich _____ nicht gut gehen. Der Arzt sagt, ich
_____ oft schwimmen gehen, aber ich habe immer so wenig Zeit. Ich
_____ bis 18 Uhr arbeiten.

d) Karin:

Ich _____ nicht zum Doktor, denn er tut mir immer weh. Ich _____
keine Tabletten nehmen. Immer sagt er, ich _____ morgens, mittags und abends
Tabletten nehmen. Ich _____ das nicht mehr.

Nach Übung

6

im Kursbuch

7. „Müssen" oder „sollen"? „Nicht dürfen" oder „nicht sollen"?

○ Herr Doktor, ich habe immer so Magen-
    schmerzen.
□ Herr Keller, Sie müssen vorsichtig sein, Sie
    dürfen nicht so viel arbeiten.
□ Herr Doktor, ich habe immer…
○ Herr Keller,

a) Sie _müssen_ viel schlafen. →
b) Sie _____ viel Obst essen. →
c) Sie _____ nicht Fußball spielen. →
d) Sie _____ Tabletten nehmen. →
e) Sie _____ keinen Kuchen essen. →
f) Sie _____ nicht so viel rauchen. →
g) Sie _____ oft schwimmen gehen. →
h) Sie _____ keinen Wein trinken. →
i) Sie _____ nicht fett essen. →

○ Was sagt der Arzt, Markus?
□ Er sagt, ich soll vorsichtig sein, und ich soll
    nicht so viel arbeiten.

□ Was sagt der Arzt, Markus?
○ Er sagt,
    ich soll viel schlafen.
    _____
    _____
    _____
    _____
    _____
    _____
    _____

70 siebzig

8. Bilden Sie den Imperativ.

☐ Was soll ich denn machen?

a) schwimmen gehen

○ *Geh doch schwimmen!*

b) eine Freundin besuchen

c) Freunde einladen

d) spazieren gehen

e) etwas lesen

f) eine Stunde schlafen

g) das Kinderzimmer aufräumen

h) einen Brief schreiben

i) einkaufen gehen

j) das Geschirr spülen

k) das Abendessen vorbereiten

l) fernsehen

m) endlich zufrieden sein

9. Wie heißt das Gegenteil?

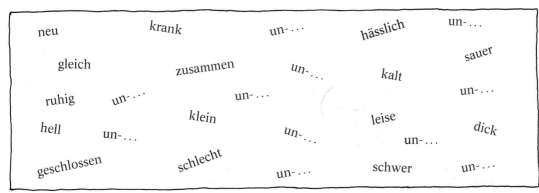

neu   krank   un-···   hässlich   un-···

gleich   zusammen   un-···   kalt   sauer

ruhig   un-···   un-···   un-···

hell   klein   leise   dick

un-···   un-···   un-···

geschlossen   schlecht   schwer   un-···

un-···

a) alt _____

b) gefährlich _____

c) glücklich _____

d) bequem _____

e) gut _____

f) modern _____

g) vorsichtig _____

h) zufrieden _____

i) leicht _____

j) heiß _____

k) nervös _____

l) süß _____

m) ehrlich _____

n) gesund _____

o) schlank _____

p) verschieden _____

q) schön _____

r) günstig _____

s) wichtig _____

t) laut _____

u) groß _____

v) dunkel _____

w) geöffnet _____

x) getrennt _____

Lektion 6

Nach Übung

15

im Kursbuch

10. Ilona Zöllner hat auf dem Schiff „MS Astor" Urlaub gemacht. Was hat sie dort jeden Tag gemacht? Schreiben Sie.

a) *Um halb neun ist...*

b) *Dann ...*

c) *Danach ...*

d) *Sie hat ...*

e) *und ...*

f) *Um ein Uhr ...*

g) *Von drei bis vier Uhr ...*

h) *Dann ...*

i) *Um fünf Uhr ...*

j) *Danach ...*

k) *Um sechs Uhr ...*

l) *Abends ...*

11. Ihre Grammatik. Ergänzen Sie.

Nach Übung

15

im Kursbuch

* Perfekt mit sein

Infinitiv	Partizip II
anfangen	angefangen
_____	angerufen
_____	geantwortet
_____	gearbeitet
_____	aufgehört
_____	aufgemacht
_____	aufgeräumt
_____	aufgestanden*
_____	ausgegeben
_____	ausgesehen
_____	gebadet
_____	gebaut
_____	beantwortet
_____	bedeutet
_____	bekommen
_____	beschrieben
_____	bestellt
_____	besucht
_____	bezahlt
_____	geblieben*
_____	gebraucht
_____	gebracht
_____	diskutiert
_____	geduscht
_____	eingekauft
_____	eingeladen
_____	eingeschlafen*
_____	entschieden
_____	erzählt
_____	gegessen
_____	gefahren*
_____	gefeiert
_____	ferngesehen
_____	gefunden
_____	fotografiert
_____	gefragt
_____	gefrühstückt

Infinitiv	Partizip II
_____	funktioniert
_____	gegeben
_____	gegangen*
_____	geglaubt
_____	geguckt
_____	gehabt
_____	geheißen
_____	geholfen
_____	hergestellt
_____	geholt
_____	gehört
_____	informiert
_____	gekauft
_____	gekannt
_____	geklingelt
_____	gekocht
_____	gekommen*
_____	kontrolliert
_____	korrigiert
_____	gekostet
_____	gelebt
_____	geliehen
_____	gelernt
_____	gelesen
_____	gelegen
_____	gemacht
_____	gemeint
_____	gemessen
_____	mitgebracht
_____	genommen
_____	gepasst
_____	passiert*
_____	geraucht
_____	gesagt
_____	geschaut
_____	geschlafen
_____	geschmeckt

Infinitiv	Partizip II
_____	geschnitten
_____	geschrieben
_____	geschwommen*
_____	gesehen
_____	gewesen*
_____	gespielt
_____	gesprochen
_____	gespült
_____	stattgefunden
_____	gestanden
_____	gestimmt
_____	gestört
_____	studiert
_____	gesucht
_____	getanzt
_____	telefoniert
_____	getroffen
_____	getrunken
_____	getan
_____	umgezogen*
_____	verboten
_____	verdient
_____	vergessen
_____	verglichen
_____	verkauft
_____	verstanden
_____	vorbereitet
_____	vorgehabt
_____	gewartet
_____	gewaschen
_____	weitergesucht
_____	gewusst
_____	gewohnt
_____	gezeichnet
_____	zugehört

Lektion 6

12. Ergänzen Sie die Übersicht.

Sie finden Beispiele in Übung 11.

-t		-en	
	ge ▢▢▢ t		ge ▢▢▢ en
hat	gekauft	hat	getroffen
hat	gearbeitet	ist	gegangen
	▢ ge ▢▢ t		▢▢ ge ▢▢ en
hat	aufgeräumt	hat	ferngesehen
		ist	eingeschlafen
	▢▢▢ t		
hat	verkauft		▢▢▢ en
		hat	bekommen

13. Welche Form passt nicht in die Gruppe?

Nach Übung
15
im Kursbuch

a) A) angefangen
   B) eingeschlafen
   C) eingekauft
   D) mitgekommen

c) A) gefragt
   B) geschlafen
   C) gehabt
   D) gefrühstückt

e) A) aufgehängt
   B) hergestellt
   C) mitgenommen
   D) aufgeräumt

g) A) gebraucht
   B) gearbeitet
   C) gewartet
   D) geantwortet

b) A) geschrieben
   B) umgezogen
   C) gegangen
   D) geblieben

d) A) geholfen
   B) genommen
   C) gesprochen
   D) gekauft

f) A) passiert
   B) fotografiert
   C) ferngesehen
   D) studiert

h) A) geschwommen
   B) gefunden
   C) getrunken
   D) gesucht

14. Welches Wort passt?

Nach Übung
15
im Kursbuch

a) Sie müssen _____ zum Arzt gehen.
b) Mein Magen hat _____ weh getan, ich habe sofort eine Tablette genommen.
c) Was hast du denn _____ gemacht?
d) Ich bin nicht wirklich krank, ich bin _____ ein bisschen erkältet.
e) 5000 Euro, das ist _____! Ich bezahle _____ 3000.
f) ○ _____ gehst du denn schwimmen?
   □ Nicht so _____, nur jeden Montag.
g) Bis Sonntag bist du _____ wieder gesund.
h) Möchtest du noch _____ Milch?
i) Du musst _____ mitkommen, es ist sehr wichtig.
j) Ich habe nicht viel Zeit, _____ eine Stunde.
k) Ich kann nicht mitspielen. Ich bin _____ krank.

> bestimmt   bloß   gar nicht
> oft
> ein bisschen   gern   nur
> häufig   höchstens   unbedingt
> wie lange   wie oft
> plötzlich   fast   spät
> selbst   wirklich
> unbedingt   zu viel
> höchstens

15. Bilden Sie den Imperativ.

Nach Übung
17
im Kursbuch

□ Was sollen wir denn machen?
a) schwimmen gehen
   ○ *Geht doch schwimmen!*

b) Musik hören
c) Freunde besuchen
d) Freunde einladen
e) Fußball spielen
f) einkaufen gehen
g) für die Schule arbeiten
h) fernsehen
i) ein bisschen aufräumen
j) ein Buch lesen
k) spazieren gehen
l) Musik machen
m) endlich zufrieden sein

Lektion 6

Nach Übung

17

im Kursbuch

16. Ihre Grammatik. Ergänzen Sie den Imperativ.

	du	ihr	Sie
kommen		*kommt*	
geben			
essen	*iss*		
lesen			
nehmen			
sprechen			*sprechen Sie*
vergessen			
einkaufen			
(ruhig) sein			

Nach Übung

17

im Kursbuch

17. Ihre Grammatik. Ergänzen Sie.

a) Nehmen Sie abends ein Bad.   c) Sibylle hat abends ein Bad genommen.
b) Ich soll abends ein Bad nehmen.   d) Trink nicht so viel Kaffee!

	Vorfeld	Verb$_1$	Subj.	Angabe	Ergänzung	Verb$_2$
a)		*Nehmen*	*Sie*	*abends*	*ein Bad !*	
b)						
c)						
d)						

Nach Übung

20

im Kursbuch

18. Schreiben Sie einen Brief.

Sie haben einen Skiunfall gehabt. Schreiben Sie an einen Freund/eine Freundin.

am Nachmittag Ski gefahren   zum Arzt gegangen
Fuß hat sehr weh getan   fantastisch
nicht vorsichtig gewesen
nicht mehr Ski fahren dürfen
schon zwei Wochen in Lenggries   gefallen
morgen nach Hause fahren   aber gestern Unglückstag

Lenggries, ...
Lieb ...
ich bin schon zwei ...
Der Urlaub war ...
Aber gestern ...

Lektion 7

Wortschatz

Verben

abfahren 88
abholen 86, 87, 89
abstellen 85
ansehen 91
anstellen 85
ausmachen 85
aussteigen 88, 89
ausziehen 84, 90

einsteigen 91
fallen 82
geben 89
gewinnen 84
gießen 81, 85
heiraten 82, 83, 84
kennen lernen 83
kündigen 84

lassen 87
malen 81
merken 89
operieren 84
parken 88
putzen 85
rufen 89
sitzen 88

telefonieren 86, 89
überlegen 82
vorbeikommen 90
wecken 86
wegfahren 83

Nomen

e Adresse, -n 90
r April 83
r August 83
e Autobahn, -en 88
e Bank, ⁼e 89
r Bericht, -e 89
r Besuch, -e 82
e Blume, -n 81, 85
r Boden, ⁼ 91
r Brief, -e 72, 78
s Büro, -s 82, 86
e Decke, -n 91
r Dezember 83
s Fahrrad, ⁼er 81

e Farbe, -n 90
r Februar 83
e Freundin, -nen /
  r Freund, -e 42, 51,
  54, 66, 75, 86
e Haltestelle, -n 86
r Handwerker, - 90
e Heizung 85
e Jacke, -n 89
r Januar 83
r Juni 83
e Katze, -n 85
r Kindergarten, ⁼ 86
r Knopf, ⁼e 85

s Loch, ⁼er 90
r Mai 83
r Maler, - 90
r Mann, ⁼er 84
r März 83
e Möglichkeit, -en 84
r November 83
r Oktober 83
r Parkplatz, ⁼e 88, 89
s Pech 90
e Polizei 89, 91
e Polizistin, -nen /
  r Polizist, -en 84, 89
e Prüfung, -en 82, 83

e Reise, -n 84
e Sache, -n 84
e Schule, -n 87
r September 83
e Stadt, ⁼e 90
r Supermarkt, ⁼e 86
s Theater, - 81
e Treppe, -n 84
e Tür, -en 90, 91
r Unfall, ⁼e 83, 84
r Vater, ⁼ 83, 85
e Wand, ⁼e 90
e Welt 84
r Zettel, - 41, 87, 91

Adjektive

falsch 90

schrecklich 84

still 88

Adverbien

allein 87, 88, 89
auf einmal 88, 89
außerdem 82

diesmal 90
einfach 88
gerade 82

gestern 90, 92
letzt- 83
selbstverständlich 85

wieder 84, 87, 90
wohl 84

Ausdrücke

Besuch haben 83
Bis bald! 90
da sein 88

ein paar 84
Grüß dich! 83
Klar! 85

nach Hause 86, 90
verabredet sein 83
weg sein 88

siebenundsiebzig   77

Lektion 7

Grammatik

Perfekt: Partizip bei trennbaren Verbzusätzen (§ 30 und 36)

<u>an</u>	hat <u>an</u>gefangen	<u>fern</u>	hat <u>fern</u>gesehen	<u>statt</u>	hat <u>statt</u>gefunden
<u>auf</u>	hat <u>auf</u>gehängt	<u>her</u>	hat <u>her</u>gestellt	<u>um</u>	ist <u>um</u>gezogen
<u>aus</u>	hat <u>aus</u>gegeben	<u>hin</u>	ist <u>hin</u>gefallen	<u>vor</u>	hat <u>vor</u>gehabt
<u>ein</u>	hat <u>ein</u>gekauft	<u>mit</u>	hat <u>mit</u>gebracht	<u>zu</u>	hat <u>zu</u>gehört

Perfekt: Partizip ohne „ge" (§ 30)

<u>be-</u>	z.B.	<u>be</u>kommen	hat <u>be</u>kommen	<u>ver-</u>	z.B.	<u>ver</u>bieten	hat <u>ver</u>boten
		beschreiben	hat beschrieben			vergessen	hat vergessen
		betreiben	hat betrieben			vergleichen	hat verglichen
						verstehen	hat verstanden
<u>ent-</u>	z.B.	<u>ent</u>scheiden	hat <u>ent</u>schieden				
<u>er-</u>	z.B.	<u>er</u>kennen	hat <u>er</u>kannt	*Verben auf* -ieren,			
		erzählen	hat erzählt		z.B.	operieren	hat <u>operiert</u>
		erziehen	hat erzogen			passieren	<u>ist passiert</u>

Präteritum: „haben" und „sein"

	ich	du	Sie	er/sie/es	wir	ihr	Sie	sie
haben	hatte	hattest	hatten	hatte	hatten	hattet	hatten	hatten
sein	war	warst	waren	war	waren	wart	waren	waren

Wohin? (§ 2, 16a und 45)

Wohin gehst du? Wohin fährst du?

In den Supermarkt.
In den Kindergarten.
In die Schule.
Ins Büro.
Ins Bett.

Zum Arzt.
Zum Kiosk.
Zur Haltestelle.
Zur Telefonzelle.

Nach Hause.
Nach Lenggries.

Personalpronomen im Akkusativ (§ 11 und 41)

<u>Jens</u> schläft noch. Man muss <u>ihn</u> wecken.
<u>Anna</u> ist müde. Man muss <u>sie</u> ins Bett bringen.
<u>Das Zimmer</u> ist schön. Jemand hat <u>es</u> aufgeräumt.
<u>Die Schuhe</u> sind sauber. Wer hat <u>sie</u> geputzt?

Lektion 7

1. Welches Verb passt?

a) einen Brief   eine Karte   ein Buch   einen Satz _____
b) Wasser   Saft   Bier   Kaffee   Tee _____
c) das Auto   die Wäsche   die Hände   die Füße _____
d) eine Prüfung   das Essen   einen Ausflug   ein Foto _____
e) einen Kaffee   das Essen   eine Suppe   Wasser _____
f) Deutsch   Ski fahren   einen Beruf   kochen _____
g) Fahrrad   Auto   Ski _____
h) ins Büro   ins Theater   tanzen   ins Bett   einkaufen _____
i) Freunde   Jochen   Frau Baier   einen Kollegen _____
j) Lebensmittel   Obst   im Supermarkt _____

einkaufen   fahren
gehen   treffen
kochen   lernen
machen
waschen
schreiben
trinken

Nach Übung

2

im Kursbuch

2. Was hat Familie Tietjen am Sonntag gemacht? Schreiben Sie.

Nach Übung

2

im Kursbuch

a) Frau Tietjen

Am Morgen:	lange schlafen
	duschen
Am Mittag:	das Essen kochen
Am Nachmittag:	Briefe schreiben
	Radio hören
Am Abend:	das Abendessen machen
	die Kinder ins Bett bringen

Am Morgen hat sie lange geschlafen und dann
Am Mittag hat sie _____
Am Nachmittag _____
Am _____

b) Herr Tietjen

Am Morgen:	mit den Kindern frühstücken
	Auto waschen
Am Mittag:	das Geschirr spülen
Am Nachmittag:	im Garten arbeiten
	mit dem Nachbarn sprechen
Am Abend:	im Fernsehen einen Film sehen
Um halb elf:	ins Bett gehen

c) Sonja und Ulla

Am Morgen:	im Kinderzimmer spielen
	Bilder malen
Am Mittag:	um halb eins essen
Am Nachmittag:	Freunde treffen
	zu Oma und Opa fahren
Am Abend:	baden
	im Bett lesen

Lektion 7

Nach Übung

2

im Kursbuch

3. Ihre Grammatik. Lesen Sie zuerst das Grammatikkapitel 38 auf S. 213 im Kursbuch. Ergänzen Sie dann.

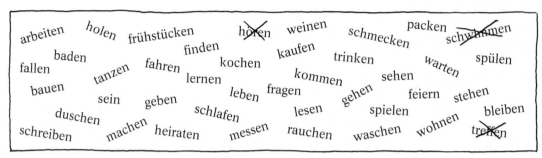

arbeiten holen frühstücken ~~hören~~ weinen schmecken packen ~~schwimmen~~
baden finden kaufen trinken warten spülen
fallen tanzen fahren kochen kommen sehen
bauen lernen leben fragen gehen feiern stehen
sein geben schlafen lesen spielen bleiben
duschen machen heiraten messen rauchen waschen wohnen ~~treffen~~
schreiben

a) ge–t (ge–et)

    hat | *gehört*
        | ...

b) ge–en

    hat | *getroffen*
        | ...

    ist | *geschwommen*
       | ...

Nach Übung

3

im Kursbuch

4. Der Privatdetektiv Holler hat Herrn Arendt beobachtet und Notizen gemacht.

a) Ergänzen Sie die Notizen.

anrufen trinken sein spazieren gehen bringen
~~kommen~~ kaufen warten fahren lesen
sprechen einkaufen gehen parken

Dienstag, 7. Juni

7.30 Uhr	aus dem Haus *gekommen.*
7.32 Uhr	an einem Kiosk eine Zeitung _____
7.34 – 7.50 Uhr	im Auto _____ und Zeitung _____
7.50 Uhr	zum City-Parkplatz _____
8.05 Uhr	auf dem City-Parkplatz _____
8.10 Uhr	in ein Café _____ und einen Kaffee _____
8.20 Uhr	mit einer Frau _____
bis 9.02 Uhr	im Café _____
bis 9.30 Uhr	im Stadtpark _____
9.30 Uhr	im HL-Supermarkt Lebensmittel _____
9.40 Uhr	Lebensmittel ins Auto _____
9.45 Uhr	in einer Telefonzelle jemanden _____

b) Was hat Herr Arendt gemacht? Schreiben Sie Sätze.

Um 7.30 Uhr ist Herr A. aus dem Haus gekommen. Er...
Dann ...   Um 7.50 Uhr ...

5. Ihre Grammatik. Lesen Sie zuerst das Grammatikkapitel 39 auf S. 213 im Kursbuch. Ergänzen Sie dann.

Nach Übung

4

im Kursbuch

bleiben   anrufen   fernsehen   glauben   mitbringen   antworten
klingeln   spazieren gehen   leihen   umziehen   einschlafen   sehen
aufmachen   kommen   aufräumen   fallen   aufstehen   zuhören   suchen
herstellen   wissen   kennen lernen   wegfahren   stattfinden   überlegen
vorbereiten   verkaufen   weitersuchen   hören

a)
-ge–t (-ge–et)

hat | *zugehört*
    | ...

ge–t (ge–et)

hat | *gehört*
    | ...

–t (–et)

hat | *verkauft*
    | ...

b)
-ge–en

hat | *ferngesehen*
    | ...

ist | *aufgestanden*
    | ...

ge–en

hat | *gesehen*
    | ...

ist | *geblieben*
    | ...

6. Das Präteritum von „sein" und „haben".

Nach Übung

5

im Kursbuch

a) ○ Was ist passiert?
   □ Ich _____ Pech, ich bin gefallen.
b) ○ Warum seid ihr am Dienstag nicht gekommen? Wo _____ ihr?
   □ Wir _____ zu Hause. Wir _____ Besuch.
c) ○ Welchen Beruf _____ dein Großvater?
   □ Er _____ Bäcker.
d) ○ Wie geht es den Kindern?
   □ Jetzt wieder gut; aber sie _____ beide Grippe und _____ zehn Tage
     nicht in der Schule.
e) ○ Warum sprichst du nicht mehr mit Thomas? _____ ihr Streit?
   □ Ja!
f) ○ Warum hast du so lange nicht angerufen? _____ du keine Zeit oder
     _____ du im Urlaub?
   □ Nein, ich _____ einen Unfall und _____ drei Wochen im Kranken-
     haus.
g) ○ Wie war Ihre Reise? _____ Sie keine Probleme?
   □ Nein, alles _____ in Ordnung.

Lektion 7

Nach Übung

5

im Kursbuch

7. Ihre Grammatik. Ergänzen Sie.

	ich	du	er, sie, es, man	wir	ihr	sie, Sie
sein	*war*					
haben	*hatte*					

Nach Übung

6

im Kursbuch

8. Welches Wort passt nicht?

a) ausziehen – Wohnung – wegfahren – mieten – umziehen – kündigen
b) Pech – Krankenhaus – Ärztin – operieren – Medikament – Apotheke
c) Polizist – Chef – Arzt – Bäcker – Kellner – Friseurin
d) wissen – kennen – kennen lernen – lernen – mitnehmen
e) Tür – Fenster – Treppe – Sache – Wand
f) ein paar – wenige – viele – alle – auch
g) überlegen – gewinnen – meinen – glauben
h) grüßen – malen – zeichnen – schreiben
i) Unfall – Fahrrad – Polizist – hinfallen – verabredet sein
j) holen – bringen – fallen – mitnehmen

Nach Übung

6

im Kursbuch

9. Ergänzen Sie.

> fotografieren   verstehen   operieren   bezahlen   erzählen   sagen
> bekommen   bestellen   verkaufen   besuchen   vergessen

a) ○ Hast du selbst _____?
   □ Nein, Ludwig hat die Fotos gemacht.
b) ○ Haben Sie schon _____?
   □ Nein! Ich möchte bitte ein Hähnchen mit Salat.
c) ○ Warum gehst du zu Fuß? Hast Du dein Auto _____?
   □ Nein, es ist kaputt.
d) ○ Haben Sie meinen Brief schon _____?
   □ Nein, noch nicht.
e) ○ Wo wart ihr?
   □ Im Krankenhaus. Wir haben Thomas _____. Man hat ihn
   _____.
f) ○ Was haben Sie _____? Ich habe Sie nicht _____. Es ist
   so laut hier.
g) ○ Hast du die Rechnung schon _____?
   □ Nein, das habe ich _____. Entschuldigung!
h) ○ Woher weißt du das?
   □ Regina hat das _____.

10. Bilden Sie Sätze.

Nach Übung
9
im Kursbuch

a) Pullover → Kommode
b) Bücher → Regal
c) Geschirr → Küche
d) Fußball → Kinderzimmer
e) Geschirr → Spülmaschine
f) Flaschen → Keller
g) Film → Kamera
h) Papier → Schreibtisch
i) Butter → Kühlschrank
j) Wäsche → Waschmaschine
k) Kissen → Wohnzimmer

11. Wo ist...? Schreiben Sie.

Nach Übung
9
im Kursbuch

a) ○ Wo ist mein Mantel? (Schrank) ○ *Im Schrank*
b) ○ Wo ist mein Fußball? (Garten) ○ _____
c) ○ Wo ist mein Pullover? (Kommode) ○ _____
d) ○ Wo sind meine Bücher? (Regal) ○ _____
e) ○ Wo ist mein Briefpapier? (Schreibtisch) ○ _____
f) ○ Wo sind meine Schuhe? (Flur) ○ _____
g) ○ Wo ist mein Koffer? (Keller) ○ _____

12. „In"+Akkusativ oder „in"+Dativ? Ergänzen Sie.

Nach Übung
9
im Kursbuch

„in dem" = „im", „in das" = „ins"

a) *in der* Bibliothek / Krankenhaus / Kindergarten | arbeiten
f) _____ Diskothek / Wohnzimmer / Garten | tanzen
b) _____ Wohnung / Garten / Zimmer | bleiben
g) _____ Tasse / Flasche / Glas | gießen
c) _____ Garage / Parkhaus / Stadt | fahren
h) _____ Telefonzelle / Hotel / Auto | telefonieren
d) _____ Kinderzimmer / Garten / Wohnung | spielen
i) _____ Schlafzimmer / Keller / Küche | bringen
e) _____ Stadt / Park / Wald | spielen
j) _____ Koffer / Tasche / Regal | tun

Lektion 7

Nach Übung

10

im Kursbuch

13. Ergänzen Sie.

a) Pullover: waschen / Schuhe: _____
b) Spülmaschine: abstellen / Licht: _____
c) Kopf: Mütze / Füße: _____
d) Spielen: Kindergarten / lernen: _____
e) Katze: füttern / Blume: _____
f) Geld: leihen / Wohnung: _____
g) abends: ins Bett bringen / morgens: _____
h) aus: abstellen / an: _____
i) schreiben: Brief / anrufen: _____
j) fantastisch: gut / schrecklich: _____

Nach Übung

10

im Kursbuch

14. „Ihn", „sie" oder „es"? Was passt?

a) ○ Ist Herr Stoffers wieder zu Hause?
   □ Ja, ich habe _____ gestern gesehen.
b) ○ Ist der Hund von Frau Wolters wieder gesund?
   □ Nein, sie bringt _____ morgen zum Tierarzt.
c) ○ Ist Frau Zenz immer noch im Krankenhaus?
   □ Nein, ihre Schwester hat _____ gestern nach Hause gebracht.
d) ○ Ist die Katze von Herrn Wilkens wieder da?
   □ Ich glaube nein. Ich habe _____ lange nicht gesehen.

e) ○ Hat Frau Wolf ihr Baby schon bekommen?
   □ Ja, ich habe _____ schon gesehen.
f) ○ Wie geht es Dieter und Susanne?
   □ Gut. Ich habe _____ Freitag angerufen.
g) ○ Kann Frau Engel morgen wieder arbeiten?
   □ Ich weiß es nicht.
   ○ Gut, dann rufe ich _____ heute mal an und frage _____.

Nach Übung

10

im Kursbuch

15. Was soll Herr Winter machen? Was sagt seine Frau? Schreiben Sie.

a) jede Woche das Bad putzen

Vergiss bitte das Bad nicht.
Du musst es jede Woche putzen.

b) jeden Abend die Küche aufräumen
c) jeden Morgen den Hund füttern
d) jede Woche die Blumen gießen
e) unbedingt den Brief von Frau Berger beantworten
f) jeden Abend das Geschirr spülen
g) unbedingt die Hausaufgaben kontrollieren
h) meinen Pullover heute noch waschen
i) meinen Krankenschein zu Dr. Simon bringen
j) abends den Fernsehapparat abstellen

16. Hast du das schon gemacht? Ergänzen Sie die Verben.

Nach Übung
10
im Kursbuch

- Wäsche waschen
- Koffer packen
- Geld holen
- Filme kaufen
- Wohnung aufräumen
- machen
- Hund zu Frau Bloch bringen
- zur Apotheke fahren, Reisetabletten kaufen
- mit Tante Ute sprechen, Katze hinbringen
- Auto aus der Werkstatt holen – nicht vergessen!

○ _____ du die Wäsche _____ ?

□ Ja. Ich _____ auch schon den Koffer _____ . Und du? _____ du Geld _____ ?

○ Natürlich, und ich _____ Filme _____ und die Wohnung _____ . Und was _____ du noch _____ ?

□ Ich _____ den Hund zu Frau Bloch _____ . Und ich _____ zur Apotheke _____ und _____ Reisetabletten _____ . – _____ du schon mit Tante Ute _____ ?

○ Ja, sie nimmt die Katze. Ich _____ sie schon _____ . – _____ du das Auto aus der Werkstatt _____ ?

□ Entschuldige, aber das _____ ich ganz _____ .

○ Na gut, dann fahren wir eben morgen.

17. Was passt zusammen?

Nach Übung
13
im Kursbuch

sitzen   aufwachen   weggehen   parken   anstellen
rufen   weiterfahren
aufhören   zurückkommen   aussteigen   weg sein   abholen
suchen

a) einschlafen – _____

b) da sein – _____

c) stehen – _____

d) weggehen – _____

e) hören – _____

f) fahren – _____

g) abstellen – _____

h) bringen – _____

i) wiederkommen – _____

j) anfangen – _____

k) halten – _____

l) finden – _____

m) einsteigen – _____

Lektion 7

Nach Übung
15
im Kursbuch

18. Ordnen Sie die Wörter.

a) ☐ gleich ☐ sofort ☐ jetzt ☐ später ☐ bald

b) ☐ um 11.00 Uhr ☐ gegen 11.00 Uhr ☐ nach 11.00 Uhr

c) ☐ gestern früh ☐ heute Mittag ☐ gestern Abend ☐ heute Morgen
☐ morgen Nachmittag ☐ morgen Abend ☐morgen früh

d) ☐ später ☐ dann ☐ zuerst ☐ danach

e) ☐ immer ☐ nie ☐ oft ☐ manchmal

f) ☐ viel ☐ alles ☐ etwas ☐ ein bisschen

Nach Übung
15
im Kursbuch

19. „Schon", „noch", „noch nicht", „nicht mehr", „erst"? Was passt?

a) Telefon habe ich _____. Das bekomme ich _____ in vier Wochen.

b) Sie wohnt _____ in der Mozartstraße, sie ist schon umgezogen. Sie wohnt jetzt in der Eifelstraße.

c) Ich war sehr müde, aber ich bin _____ um ein Uhr nachts eingeschlafen.

d) ○ Es ist schon spät, wir müssen gehen.   ☐ Ja, ich weiß. Ich muss _____ die Waschmaschine abstellen, dann komme ich.

e) Ich habe _____ fünfmal angerufen, aber es war niemand zu Hause.

f) Sie ist 82 Jahre alt, aber sie fährt _____ Auto.

g) Mathias ist _____ drei Jahre alt, aber er kann _____ schwimmen.

h) ○ Möchtest du eine Zigarette?   ☐ Nein, danke! Seit vier Wochen rauche ich _____ .

i) Die Spülmaschine funktioniert _____ , sie ist kaputt.

Nach Übung
15
im Kursbuch

20. Was passt wo?

Herzliche Grüße	Auf Wiedersehen	Liebe Grüße	Guten Morgen
Lieber Herr Heick	Guten Abend	Guten Tag	Tschüs
Hallo Bernd	Lieber Christian	Sehr geehrte Frau Wenzel	

a) Was schreibt man? _____

b) Was sagt man? _____

Lektion 8

Wortschatz

Verben

besorgen 96
einzahlen 95
erledigen 96
existieren 102
fehlen 103

fliegen 100
kaufen 15, 96
legen 100
reinigen 95
reparieren 95

schicken 96
stehen 99
stellen 100
übernachten 95
verwenden 96

wechseln 95
ziehen 103
zurückgeben 96

Nomen

e Abfahrt 98
e Auskunft, ¨e 101
e Bäckerei, -en 93
e Bahn, -en 96, 101
e Briefmarke, -n 95
e Buchhandlung, -en
  93, 94
r Bürger, - 103
r Bus, -se 101
e DDR = Deutsche
  Demokratische
  Republik 101
s Denkmal, ¨er 98
s Ding, -e 96
e Ecke, -n 97
e / r Erwachsene,
  -n (ein Erwachsener)
  98

(s) Europa 101
e Fahrkarte, -n 95, 96
  101
r Fahrplan, ¨e 101
e Fahrt, -en 99
e Fantasie 103
r Flughafen, ¨ 101
s Flugzeug, -e 101
e Freiheit, -en 103
s Gebäude, - 102
e Grenze, -n 101
s Interesse, -n 103
r Journalist, -en 102
e / r Jugendliche, -n
  (ein Jugendlicher)
  103
e Kirche, -n 94
e Kleidung 95

r Krieg, -e 102
r Künstler, - 103
r Mantel, ¨ 96, 100
e Mauer, -n 98, 102
e Metzgerei, -en 93
e Mitte 101
s Museum, Museen
  94, 102
r Norden 101
e Oper, -n 102
r Osten 101
s Paket, -e 96
r Park, -s 94
r Pass, ¨e 95
r Platz, ¨e 94, 98
e Post 93, 94
r Punk, -s 103
s Rathaus, ¨er 94

e Reinigung, -en 93, 94
r Rest, -e 98
r Schalter, - 101
r See, -n 103
r Soldat, -en 102
r Stadtplan, ¨e 97
r Süden 101
e Tasche, -n 100
r Teil, -e 98, 102
s Tor, -e 102
r Turm, ¨e 98
e Universität, -en 98
e Wahl, -en 101
r Weg, -e 97, 101
r Westen 101
s Zentrum, Zentren 101,
  102

Adjektive

arbeitslos 103
berühmt 102

bunt 103
deutsch 102

früher 102
grau 103

sozial 103
voll 103

Adverbien

anders 103
geradeaus 97

links 97
rechts 97

völlig 102
weiter 97

Funktionswörter

bis zu 97
so ... wie ... 103

über ... nach ... 101
von ... nach ... 101

Ausdruck

zum Schluss 99

Lektion 8

Grammatik

Präpositionen (§ 27 bis 30)

		Maskulinum	*Femininum*	*Neutrum*
an	Wo?	am Turm	an der Tür	am Fenster
	Wohin?	an den Turm	an die Tür	ans Fenster
auf	Wo?	auf dem Bahnhof	auf der Straße	auf dem Rathaus
	Wohin?	auf den Bahnhof	auf die Straße	auf das Rathaus
aus	Woher?	aus dem Garten	aus der Schweiz	aus dem Haus
bei	Wo?	beim Arzt	bei der Arbeit	beim Essen
für	Wofür?	für den Flur	für die Küche	für das Zimmer
gegen	Wogegen?	gegen den Durchfall	gegen die Erkältung	gegen das Fieber
hinter	Wo?	hinter dem Park	hinter der Kirche	hinter dem Denkmal
	Wohin?	hinter den Park	hinter die Kirche	hinter das Denkmal
in	Wo?	im Stadtpark	in der Apotheke	im Kino
	Wohin?	in den Stadtpark	in die Apotheke	ins Kino
mit	Mit wem?	mit dem Freund	mit der Freundin	mit dem Kind
nach	Wann?	nach dem Krieg	nach der Arbeit	nach dem Essen
neben	Wo?	neben dem Supermarkt	neben der Post	neben dem Kino
	Wohin?	neben den Supermarkt	neben die Post	neben das Kino
ohne	Ohne wen?	ohne den Freund	ohne die Freundin	ohne das Kind
seit	Seit wann?	seit dem Besuch	seit der Reise	seit dem Gespräch
über	Wo?	über dem Platz	über der Stadt	über dem Haus
	Wohin?	über den Platz	über die Stadt	über das Haus
unter	Wo?	unter dem Turm	unter der Bank	unter dem Dach
	Wohin?	unter den Turm	unter die Bank	unter das Dach
von	Von wem?	vom Arzt	von der Ärztin	vom Kind
vor	Wo?	vor dem Tisch	vor der Kirche	vor dem Denkmal
	Wohin?	vor den Tisch	vor die Kirche	vor das Denkmal
zu	Wohin?	zum Arzt	zur Schule	zum Fenster
zwischen	Wohin?	zwischen den Schrank und die Kommode		
		zwischen die Lampe und das Regal		
	Wo?	zwischen dem Schrank und der Kommode		
		zwischen der Kommode und dem Regal		

Lektion 8

1. Lesen Sie und ergänzen Sie.

a) *Paul trägt die Koffer nicht selbst.*

Er lässt die Koffer tragen.

b) Paul: die Dusche reparieren

Paul repariert die ...
Er lässt ...

c) Paul: das Auto in die Garage fahren
d) ich: den Kaffee machen
e) er: den Brief beantworten
f) ihr: den Koffer am Bahnhof abholen
g) Sie: die Wäsche waschen

h) ich: die Hausarbeiten machen
i) Paula: die Wohnung putzen
j) du: den Schreibtisch aufräumen
k) ich: das Essen und die Getränke bestellen
l) Paul und Paula: das Frühstück machen

2. Was passt zusammen?

Sie möchten...   Wohin gehen Sie dann?

a)	Geld wechseln	*Auf die Commerz-Bank*
b)	das Auto reparieren lassen	
c)	Deutsch lernen	
d)	Briefmarken kaufen	
e)	eine Fahrkarte kaufen	
f)	einen Film sehen	
g)	Informationen bekommen	
h)	einen Tee trinken	
i)	schwimmen	
j)	Fleisch kaufen	
k)	Salat und Gemüse kaufen	
l)	Bücher leihen	

Ufa-Kino   Post
Metzgerei Koch
Parkcafé
Schwimmbad
VW-Werkstatt
Commerz-Bank
Bibliothek   Bahnhof
Supermarkt König
Tourist-Information
Sprachschule Berger

Lektion 8

3. Schreiben Sie.

In der Stadt hin und her. Heute hat Paul viel erledigt.

a) `08:30`

Um halb neun ist
er von zu Hause
weggefahren

b) `09:00`

Zuerst ist er zur Bank
gefahren.
Um neun Uhr war er ...

c) `09:30`

Dann ist er zum ...

f) `11:00`

e) `10:30`

d) `10:00`

g) `11:30`

h) `12:00`

i) `14:30`

l) `16:30`

k) `16:00`

j) `15:00`

4. Was erzählt Paul? Schreiben Sie.

Nach Übung

6

im Kursbuch

a) *Um halb neun bin ich von zu Hause weggefahren.*

b) *Zuerst bin ich zur Bank gefahren. Um 9 Uhr war ich ...*

c) *Dann bin ich ...*

d) *Dann ...*

e) ...

18:30

5. Schreiben Sie.

Nach Übung

6

im Kursbuch

a) ○ Wo kann man hier gut essen?
   □ Im Restaurant Adler, das ist am Marktplatz.
b) ○ Wo kann man hier Deutsch lernen?
   □ In der Sprachschule Berger, die ist in der Schlossstraße.

c) Kuchen – Markt-Café – Marktplatz
d) Gemüse – Supermarkt König – Obernstraße
e) parken – City-Parkplatz – Schlossstraße
f) übernachten – Bahnhofshotel – Bahnhofstraße

g) essen – Schloss-Restaurant – Wapel
h) Tee – Parkcafé – Parksee
i) schwimmen – Schwimmbad – Bahnhofstraße
j) Bücher – Bücherei – Kantstraße

6. Schreiben Sie.

Nach Übung

9

im Kursbuch

a) Bahnhof / ← / Schillerstraße
   Am Bahnhof links in die Schillerstraße.

b) Marktplatz / → / Stadtmuseum
   Am Marktplatz rechts bis zum Stadtmuseum.

Am Bahnhof links in die Schillerstraße.

c) Volksbank / → / Telefonzelle
d) Restaurant / ← / Maxplatz
e) Diskothek / ← / Parkplätze
f) Stadtcafé / → / Haltestelle

g) Buchhandlung / ← / Rathaus
h) Telefonzelle / → / Berner Straße
i) Fotostudio / → / Lindenweg
j) Stadtpark / geradeaus / Spielwiesen

Lektion 8

Nach Übung

9

im Kursbuch

7. Ergänzen Sie „in", „an", „neben" oder „zwischen"; „der", „das", „die"; „ein" oder „eine".

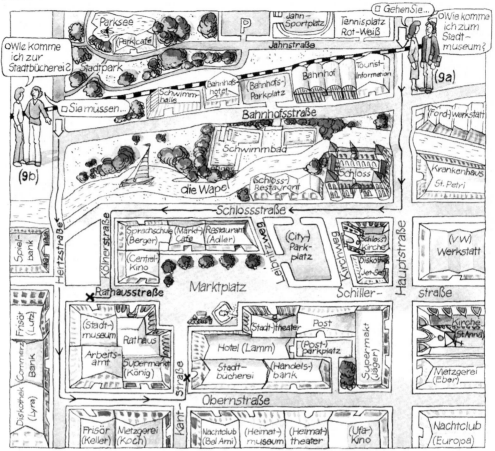

Wo liegt was? Beschreiben Sie den Stadtplan.

a) _Der_ Postparkplatz liegt _neben_ _einem_ Supermarkt.

b) _Neben_ _dem_ Supermarkt Jäger liegt _ein_ Parkplatz.

c) _____ Schloss ist _____ Restaurant.

d) _____ Markt-Café liegt _____ _____ Restaurant.

e) _____ Schwimmbad liegt _____ _____ Wapel.

f) _____ _____ Sprachschule Berger und _____ Restaurant Adler ist _____ Café, _____ Markt-Café.

g) _____ _____ Schloss ist _____ Schlossrestaurant.

h) _____ Tourist-Information ist _____ _____ Bahnhofstraße, _____ Bahnhof.

i) _____ Parkcafé liegt _____ Parksee.

j) _____ Jahn-Sportplatz liegt _____ _____ Tennisplatz Rot-Weiß und _____ Parkplatz.

8. Lesen Sie und ergänzen Sie.

Nach Übung
9
im Kursbuch

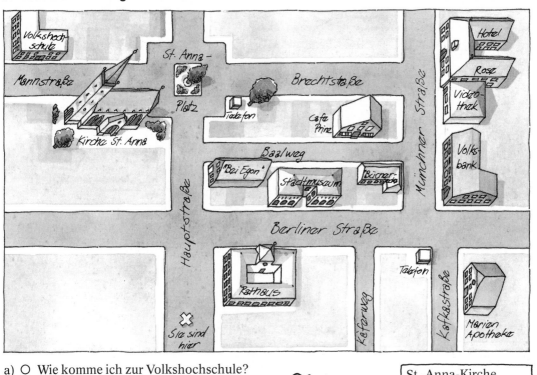

a) ○ Wie komme ich zur Volkshochschule?
  □ Zuerst hier geradeaus bis zum *St.-Anna-Platz*. Dort
   an der _____ vorbei in die _____.
   Dort ist dann rechts die _____.

> St.-Anna-Kirche
> Volkshochschule
> Mannstraße
> St.-Anna-Platz

b) ○ Wie komme ich zur „Bücherecke"?
  □ Zuerst hier geradeaus bis zur _____, dort
   rechts. Am _____ vorbei und dann links in
   die _____. Da sehen Sie dann links den
   _____, und da an der Ecke liegt auch die
   _____.

> Baalweg
> „Bücherecke"
> Berliner Straße
> Stadtmuseum
> Münchner Straße

c) ○ Wie komme ich zur Videothek?
  □ Hier die _____ entlang bis zum
   _____. Dort bei der _____
   rechts in die _____. Gehen Sie die
   _____ entlang bis zur _____.
   Dort sehen Sie dann die _____. Sie liegt
   direkt neben dem _____.

> Brechtstraße
> Münchner Straße
> Videothek
> Telefonzelle
> St.-Anna-Platz
> Brechtstraße
> Hotel Rose
> Hauptstraße

d) zur Marienapotheke?   f) zum Café Prinz?
e) zum Stadtmuseum?   g) zur nächsten Telefonzelle?

Lektion 8

Nach Übung

9

im Kursbuch

9. Lesen Sie den Stadtplan auf S. 92 und ergänzen Sie.

a) ○ Wie komme ich _zum_ Stadtmuseum?
□ Gehen Sie hier die Hauptstraße
geradeaus bis _____ Schloss. Dort
_____ Schloss rechts, dann immer
geradeaus, _____ Parkplatz vorbei bis
_____ Kölner Straße. Dort _____
_____ Sprachschule links. Dann die
Kölner Straße geradeaus bis _____
Rathausstraße. Dort rechts. Das
Stadtmuseum ist _____ _____
Rathaus.

b) ○ Wie komme ich _____ Stadtbücherei?
□ Sie müssen hier die Hertzstraße geradeaus gehen, _____ _____ Wapel, _____
_____ Spielbank und _____ _____ Commerzbank vorbei, bis _____ Diskothek . . .

c) ○ Wie komme ich vom Bahnhof zum Hotel Lamm?

Nach Übung

10

im Kursbuch

10. Schreiben Sie einen Text. Benutzen Sie die Wörter rechts.

Eine Stadtrundfahrt in Berlin

Sätze	
– Pünktlich um 14 Uhr hat Herr Leutze uns begrüßt.	–
– Herr Leutze hat uns etwas über das alte Berlin erzählt.	Zuerst
– Wir sind zum Kurfürstendamm gefahren.	Danach
– Am Ku'damm kann man die Gedächtniskirche sehen	Da
– Die Gedächtniskirche ist eine Ruine.	Sie
Die Gedächtniskirche soll an den Krieg erinnern.	und
– Wir sind zum ICC gefahren.	Dann
– Am ICC haben wir Pause gemacht.	Dort
– Wir sind weitergefahren.	Nach einer Stunde
– Wir haben die Berliner Mauer gesehen.	Dann . . . endlich
– Die Mauer hat Berlin und Deutschland in zwei Teile geteilt.	Bis 1989
– Die Berliner Mauer war 46 km lang.	Sie
– Wir sind nach Ostberlin gefahren.	Dann
– Wir haben die Staatsbibliothek, den Dom und die Humboldt-Universität gesehen.	–
– Leider war die Stadtrundfahrt schon zu Ende.	Dann

Pünktlich um 14 Uhr hat uns Herr Leutze begrüßt.
Zuerst hat er uns etwas . . .

11. Schreiben Sie.

Bernd sucht seine Brille. Wo ist sie?

Nach Übung

11

im Kursbuch

a) _____

b) _____

c) _____

d) _____

e) _____

f) _____

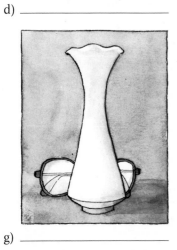

g) _____

h) _____

i) _____

Lektion 8

Nach Übung

11

im Kursbuch

12. Wer wohnt wo? Schreiben Sie.

a) Wer wohnt neben Familie Reiter, aber nicht unter Familie Huber? *Familie Meier.*
b) Wer wohnt hinter dem Haus? _____
c) Wer wohnt neben Familie Meier, aber nicht über Familie Becker? _____
d) Wer wohnt neben Familie Reiter, aber nicht über Familie Schulz? _____
e) Wer wohnt vor dem Haus? _____
f) Wer wohnt neben Familie Schulz, aber nicht unter Familie Korte? _____
g) Wer wohnt zwischen Familie Holzmann und Familie Huber, aber nicht über Familie Meier?
_____
h) Wer wohnt neben Familie Berger, aber nicht über Familie Walter? _____
i) Wer wohnt zwischen Familie Becker und Familie Berger? _____

Nach Übung

11

im Kursbuch

13. Was stimmt hier nicht? Schreiben Sie.

Auf der Couch liegt ein Teller.
Vor der Tür ...

Lektion 8

14. Schreiben Sie.

Nach Übung

11

im Kursbuch

a) ○ Wohin stellen wir | den Fernseher?   □ Am besten | *auf den Tisch.*
b) _____ | _____ Sessel?   _____
c) _____ | _____ Tisch?   _____
d) _____ | _____ Lampe?   _____
e) _____ | _____ Bett?   _____
f) _____ | _____ Blume?   _____
g) _____ | _____ Kühlschrank?   _____

Lektion 8

Nach Übung

11

im Kursbuch

15. Ihre Grammatik: Ergänzen Sie.

	wo (sein)? *Dativ*	wohin (tun)? *Akkusativ*
der	unter _____ Tisch	unter _____ Tisch
das	(in _____) _____ Waschbecken	(in _____) _____ Waschbecken
die	vor _____ Tür	vor _____ Tür
die	zwischen _____ Zeitungen	zwischen _____ Zeitungen

Nach Übung

12

im Kursbuch

16. Ergänzen Sie die Präpositionen.

Wann kommen Sie nach Berlin?

Seit 1990 gibt es keine Grenze mehr (a) _____ der Bundesrepublik Deutschland und der ehemaligen DDR. Berlin ist wieder ein Zentrum (b) _____ der Mitte Europas. Man kann wieder (c) _____ vielen Wegen (d) _____ Berlin kommen.

(e) _____ dem Flugzeug: Es gibt Flugverbindungen (f) _____ fast alle europäischen Großstädte und (g) _____ viele andere Länder. Täglich landen Flugzeuge (h) _____ aller Welt (i) _____ den Berliner Flughäfen.

(j) _____ vielen Städten in Deutschland fahren täglich Busse (k) _____ Funkturm und (l) _____ anderen Plätzen Berlins. Informationen bekommen Sie (m) _____ Reisebüros.

Bequem ist es (n) _____ der Bahn: Die Züge fahren direkt (o) _____ die Innenstadt.

Autofahrer kommen (p) _____ den Autobahnen schnell (q) _____ Berlin.

Wann fahren Sie mal (r) _____ Berlin, (s) _____ Brandenburger Tor, (t) _____ Gedächtniskirche oder raus (u) _____ den Wannsee? Seien Sie unser Gast in Berlin!

Nach Übung

13

im Kursbuch

17. Was passt nicht?

a) Erwachsene – Jugendliche – Menschen – Kinder
b) Buslinie – Zugverbindung – Autobahn – Flugverbindung
c) Gebäude – Immobilien – Haushalt – Häuser
d) Flughafen – Bahn – Bahnhof – Haltestelle
e) Gedächtniskirche – Alexanderplatz – Humboldt-Denkmal – Museen
f) Buchhandlung – Bibliothek – Bücherei – Verbindung
g) Park – Straße – Nummer – Platz – Weg
h) Aufzug – Ausflug – Reisegruppe – Urlaub
i) Norden – Süden – Osten – Wiesen

18. Ergänzen Sie Präpositionen und Artikel.

Nach Übung

13

im Kursbuch

a) (von) ___vom___ Bahnhof abholen

b) (an) _____ St.-Anna-Platz aussteigen

c) (in) ___im___ See baden

d) (in) _____ Bäckerei Brot kaufen

e) (an) _____ Marienplatz einsteigen

f) (auf) _____ Bank Geld einzahlen

g) (nach) _____ Paris fliegen

h) (auf) _____ Straße hinfallen

i) (in) _____ Regal legen

j) (neben) _____ Kirche parken

k) (nach) _____ Hause schicken

l) (vor) _____ Haus sitzen

m) (auf) _____ Sportplatz spielen

n) (hinter) _____ Denkmal stehen

o) (in) _____ Pension Mai übernachten

p) (in) _____ Schrank stellen

q) (unter) _____ Brandenburger Tor verabredet sein

r) (in) _____ Stadt wohnen

s) (von) _____ Hause wegfahren

t) (zwischen) _____ Post und _____ Parkplatz liegen

19. Ihre Grammatik: Ergänzen Sie.

Nach Übung

13

im Kursbuch

a) Berlin liegt an der Spree.

b) Wie kommt man schnell nach Berlin?

c) Nach Berlin kann man auch mit dem Zug fahren.

d) Wir treffen uns um zehn an der Gedächtniskirche.

e) Der Fernsehturm steht am Alexanderplatz.

f) Er hat das Bett wirklich in den Flur gestellt.

g) Du kannst den Mantel ruhig auf den Stuhl legen.

h) Zum Schluss hat er die Sätze an die Wand geschrieben.

i) Der Bär sitzt unter dem Funkturm.

	Vorfeld	Verb$_1$	Subj.	Ergänzung	Angabe	Ergänzung	Verb$_2$
a)	Berlin	liegt				an der Spree.	
b)							
c)							
d)							
e)							
f)							
g)							
h)							
i)							

Lektion 8

Nach Übung

13

im Kursbuch

20. Silbenrätsel. Bilden Sie Wörter.

> fahrt   Auto   Bahn   fahrt   Park   stätte   Rast
>
> Bahn   Zug   hof   Flug   hafen   platz   Auto   um   steigen
>
> Inter   city   bahn   fahrt   Eisen   bahn   verbindungen

a) Bahn
_____
...

b) Auto
_____
...

c) Flugzeug
_____
...

Nach Übung

14

im Kursbuch

21. Schreiben Sie einen Brief.

A. Ergänzen Sie.

Berlin, den 9. November

Liebe Stefanie,

wir wohnen jetzt schon ein Jahr (a) _____ Berlin. Man lebt hier wirklich viel besser als (b) _____ Köln. Komm doch mal (c) _____ Berlin. Hier kann man viel machen. (d) _____ Restaurant „Mutter Hoppe" gehen und echt berlinerisch essen, (e) _____ Diskothek „Metropol" bis zum frühen Morgen tanzen, (f) _____ _____ vielen Parks und (g) _____ Zoologischen Garten spazieren gehen, (h) _____ Müggelsee baden und (i) _____ _____ Havel segeln. Abends geht's natürlich (j) _____ Kino, (k) _____ Theater oder (l) _____ einen Jazzclub. (m) _____ den Geschäften (n) _____ dem Ku'damm und (o) _____ KaDeWe (Kaufhaus des Westens) kann man gut einkaufen und natürlich auch Leute anschauen. Am Wochenende fahren wir oft mit der S-Bahn (p) _____ Zehlendorf (q) _____ _____ Wannsee. Dort kann man (r) _____ See schwimmen oder faul (s) _____ _____ Sonne liegen. Manchmal machen wir (t) _____ Grunewald auch einen Spaziergang oder eine Radtour.

Vielleicht können wir das einmal zusammen machen. Komm also bald mal (u) _____ Berlin!

Herzliche Grüße

Sandra und Holger

B. Schreiben Sie jetzt selbst einen Brief.

Ort und Datum:
München, ...

Anrede:
Lieber/Liebe ...

Informationen:
– 2 Jahre München – das Restaurant „Weißblaue Rose", echt bayrisch – das „Rationaltheater", Kabarettprogramme – im Englischen Garten, spazieren gehen, Rad fahren – die Kaufinger Straße, einkaufen – Olympiazentrum, selbst Sport treiben oder ein Fußballspiel anschauen – Starnberger See, segeln, schwimmen, surfen, baden

Schlusssatz:
...

Gruß:
Bis bald, und liebe Grüße dein/deine ...

Wortschatz

Verben

behalten 114
beraten 108
einschalten 112
erklären 107
freuen 105

gebrauchen 113
gefallen 114
laufen 110
lieben 107, 114
nennen 114

passen 107, 113
reichen 114
schenken 105, 107, 108
sterben 114

tragen 106
verkaufen 15, 110
verlassen 116
zeigen 68, 107, 111
zusammengehören 113

Nomen

r Abschnitt, -e 113
e / r Bekannte, -n (ein Bekannter) 109
e Beschäftigung, -en 114
s Camping 106, 108
e Chance, -n 114
e Erinnerung, -en 112
e Feier, -n 109
r Fernseher, - 112
s Feuerzeug, -e 106
r Führerschein, -e 109
r Geburtstag, -e 18, 107
r Gegenstand, ˍe 115
s Gerät, -e 112

e Großstadt, ˍe 114
e Handtasche, -n 113
e Hilfe 110
s Holz 110
s Huhn, ˍer 114
r Hund, -e 106, 114
e Information, -en 67, 112
e Ingenieurin, -nen / r Ingenieur, -e 14, 108
e Kette, -n 105, 106, 107
s Klima 114
r König, -e 110
e Kuh, ˍe 114

r Kunde, -n 112, 114
Möbel (Plural) 110
s Motorrad, ˍer 115
e Party, -s 105, 108
e Pfeife, -n 105, 106, 115
s Pferd, -e 114
e Platte, -n 110
r Plattenspieler, - 106
s Rad, ˍer 107
r Reiseführer, - 106, 111
r Ring, -e 105, 106
e Schallplatte, -n 106
r Schlafsack, ˍe 106
r Schluss 114

r Schmuck 106
e Schreibmaschine, -n 106, 111, 115
r Strom 113
e Tante, -n 114
s Tier, -e 114
e Verkäuferin, -nen / r Verkäufer, - 107
(s) Weihnachten 105
s Werkzeug, -e 106
s Wörterbuch, ˍer 106
r Wunsch, ˍe 110
s Zelt, -e 106

Adjektive

breit 110
dünn 110
kurz 110

lang 110
langsam 110
lebendig 112

niedrig 110
richtig 113
schmal 110

schnell 110
wunderbar 110

Adverb

irgendwann 114

Funktionswörter

deshalb 107, 114
selber 106, 116

Ausdruck

zu Ende 108

Lektion 9

Grammatik

Definiter Artikel und Nomen im Dativ (§ 3)

Maskulinum	*Singular:*	dem Stuhl	*Plural:*	den	Stühlen
Femininum		der Lampe			Lampen
Neutrum		dem Klavier			Klavieren

Indefiniter Artikel, Possessivartikel, Negation im Dativ (§ 3 und 10)

	Indefiniter Artikel	Possessivartikel		Negation	
Singular:	einem Stuhl einer Lampe einem Regal	meinem / seinem deinem / Ihrem	Stuhl	keinem keiner keinem	Stuhl Lampe Regal
		meiner / seiner deiner / Ihrer	Lampe		
		meinem / seinem deinem / Ihrem	Regal		
Plural:	Stühlen Lampen Regalen	meinen / seinen deinen / Ihren	Stühlen Lampen Regalen	keinen	Stühlen Lampen Regalen

Personalpronomen im Dativ (§ 21)

ich	Bitte helfen Sie mir.	wir	Herr Abt, Sie müssen uns helfen.
du	Ich kann dir das erklären.	ihr	Gehört der Hund euch?
Sie	Ich kann Ihnen das erklären.	Sie	Gehört der Hund Ihnen?
er / es	Das Essen schmeckt ihm nicht.	sie	Zeigst du ihnen ihre Zimmer?
sie	Hast du ihr schon geantwortet?		

Verben mit Dativergänzung (§ 3, 21, 51 und 62)

Nur Dativergänzung:	antworten fehlen gehören helfen schmecken	Was soll ich dem Kunden antworten? Was fehlt dir denn? Gehört dieser Walkman einem Schüler? Kannst du der Frau dort helfen? Hoffentlich schmeckt der Kuchen den Kindern.
Dativergänzung und Akkusativergänzung	geben schenken zeigen erklären	Komm, ich gebe dir ein Buch. Was kann man einem Mädchen schenken? Zeigen Sie dem Herrn da die Firma, bitte. Können Sie mir diesen Ausdruck erklären?

1. Was passt nicht? Ergänzen Sie die Wörter.

Nach Übung

1

im Kursbuch

Tiere   Bücher   Schmuck   Sport/Freizeit   Gesundheit   Haushaltsgeräte   Haushalt   ~~Musik~~   Reise   Sprachen   Möbel

a) Plattenspieler – Radiorekorder – Mikrowelle – CD-Player: *Musik*

b) Elektroherd – Mikrowelle – Waschmaschine – Waschbecken: _____

c) Schlafsack – Halskette – Reiseführer – Hotel – Zelt: _____

d) Geschirr spülen – Rad fahren – Tennis – Fußball: _____

e) Sprechstunde – Pause – Medikament – Arzt: _____

f) Ring – Halskette – Messer – Ohrring: _____

g) Bücherregal – Elektroherd – Sessel – Schrank: _____

h) Typisch – Türkisch – Spanisch – Deutsch: _____

i) Kochbuch – Reiseführer – Reiseleiter – Wörterbuch: _____

j) Hund – Schwein – Pferd – Rind – Katze – Hähnchen: _____

k) aufräumen – Wäsche waschen – Betten machen – aufpassen: _____

2. Was ist das? Ergänzen Sie.

Nach Übung

1

im Kursbuch

a) Es ist kein Mensch und kein Tier, aber es lebt auch. _____

b) Im Zelt schläft man in einem _____

c) Ein Schmuckstück für den Hals ist eine _____

d) Sie verstehen ein Wort nicht, dann brauchen Sie ein _____

e) Zum Feuer machen braucht man ein _____

f) Ein Film extra für das Fernsehen gemacht ist ein _____

g) CD-Platten, Musikkassetten und _____

h) Paul muß nicht spülen, er hat einen _____

i) Es sind Pflanzen. Man schenkt sie gerne Frauen. _____

j) Ein Buch mit Reiseinformationen ist ein _____

3. Alle mögen Opa. Warum? Schreiben Sie.

Nach Übung

2

im Kursbuch

a) (Wolfgang)   einen Videorekorder schenken

Er hat ihm einen Videorekorder geschenkt.

b) (Beate)   das Auto leihen

c) (Beate und Wolfgang)   ein Haus bauen

d) (Kinder)   Geschichten erzählen

e) (ich)   ein Fahrrad kaufen

f) (du)   Briefe schreiben

g) (wir)   Pakete schicken

h) (Sie)   den Weg zeigen

Lektion 9

Nach Übung

2

im Kursbuch

4. Ergänzen Sie die Tabellen. Machen Sie vorher Übung 2 auf Seite 107 im Kursbuch.

Wer?		Wem?	Was?
a) Der Verkäufer Er	zeigt	Carola und Hans den Kindern ihnen	ein Radio.
b) _Der_ _____	erklärt	_Y_ _____	den Dativ.
c) _____	will	_E_ _____	helfen.
d) _____	schenkt	_____	eine Halskette.
e) _____	kauft	_____	ein Fahrrad.

Nach Übung

3

im Kursbuch

5. Bilden Sie Sätze.

a)

Mutter
45 Jahre
hört gern Musik
raucht
reist gern

Reisetasche   Kochbuch   Skibrille

~~Feuerzeug~~   Kamera   Fußball

Wörterbuch   ~~Schallplatte~~   Briefpapier

b)

Vater
50 Jahre
spielt Fußball
kocht gern
Hobby-Fotograf

a) Die Mutter:
Ihr kann man eine Schallplatte schenken, denn sie hört gern Musik. Ihr kann man ein Feuerzeug..., denn Ihr kann man ...

b) Der Vater:
Ihm kann man ...
...

c)

Tochter
18 Jahre
schreibt gern Briefe
lernt Spanisch
fährt gern Ski

c) Die Tochter:
Ihr kann man ...
...

Lektion 9

6. Hören, verstehen, schreiben.

a) Dialog A

Hören Sie den Dialog A aus Übung 4 im Kursbuch auf Seite 108. Lesen Sie dann die Tabelle und den Text.

wann?	was?	bei wem?
morgen	Feier	bei Hilde und Georg

Geschenkideen		gut (+) / nicht gut (–)
1	Wörterbuch lernen Französisch	haben schon eins
2	Flasche Wein	trinken keinen Wein
3	Musikkassetten hören gern Musik	gute Idee

Morgen ist bei Hilde und Georg eine Feier. Die Gäste möchten ein Geschenk mitbringen. Die Frau will ihnen ein Wörterbuch schenken, denn Hilde und Georg lernen Französisch. Aber sie haben schon eins. Eine Flasche Wein können die Gäste auch nicht mitbringen, denn Hilde und Georg trinken keinen Wein. Aber sie hören gern Jazz. Deshalb schenken die Gäste ihnen eine Musikkassette.

b) Dialog C

Hören Sie den Dialog C aus Übung 4 im Kursbuch auf Seite 108. Notieren Sie dann.

wann?	was?	bei wem?
	Dienstjubiläum	

Geschenkideen		gut (+) / nicht gut (–)
1	raucht gern	das ist
2	Kochbuch	hat schon
3	seine	Idee ist

Schreiben Sie jetzt einen Text.

Morgen feiert Ewald sein Dienstjubiläum. Die Gäste möchten ... Der Mann will ...

einhundertfünf 105

Lektion 9

Nach Übung

4

im Kursbuch

7. Annabella hat Geburtstag. Goofy möchte ihr etwas schenken.

Lesen Sie den Comic und ergänzen Sie die Pronomen.

© DISNEY

8. Hertha hat Geburtstag. Paul möchte ihr etwas schenken. Schreiben Sie einen Comic.

Nach Übung

im Kursbuch

Lektion 9

Nach Übung

5

im Kursbuch

9. Schreiben Sie. Machen Sie vorher Übung 5 im Kursbuch auf Seite 109.

Beispiel: *Bernd wird dreißig Jahre alt. Das möchte er am Freitag um 20 Uhr feiern. Er lädt Ulla ein. Sie soll ihm bis Dienstag antworten oder ihn anrufen.*

a) zu Übung 5a
Bettina hat ...

b) zu Übung 5b
Herr und Frau Halster ...

Nach Übung

5

im Kursbuch

10. Ihre Grammatik. Ergänzen Sie.

Nominativ	Dativ	Akkusativ
ich		
du		
Sie		
er		ihn
es		es
sie		sie

Nominativ	Dativ	Akkusativ
wir		
ihr		
Sie		
sie		sie

Nach Übung

8

im Kursbuch

11. Was passt nicht?

a) Zimmer: hell – zufrieden – sauber – leer
b) Auto: gesund – schnell – laut – lang
c) Pullover: teuer – gut – breit – groß
d) Nachbar: dick – nett – klein – niedrig
e) Stuhl: leicht – niedrig – klein – langsam
f) Schrank: breit – schwer – kalt – schön

12. Was passt nicht?

a) wohnen: billig – ruhig – groß – schön
b) arbeiten: gern – nett – langsam – immer
c) schmecken: bitter – süß – schnell – gut
d) essen: warm – gesund – schnell – klein
e) feiern: dick – gerne – oft – laut
f) erklären: falsch – genau – hoch – gut

Nach Übung

8

im Kursbuch

13. Ihre Grammatik. Ergänzen Sie.

klein	kleiner	am kleinsten	lang		
		am billigsten		größer	
	schneller				am schmalsten
neu					am besten
	lauter		gern		
		am leichtesten		mehr	

14. Ergänzen Sie.

Wir haben ein Schiffauto gebaut.
Aber es hat uns nicht gefallen.

Zuerst war es zu klein,
da haben wir es *größer*
gemacht.

a) Dann war es zu groß, da haben wir es wieder _____ gemacht.
b) Dann war es zu breit, da haben wir es _____ gemacht.
c) Dann war es zu schmal, da haben wir es wieder _____ gemacht.
d) Dann war es zu niedrig, da haben wir es _____ gemacht.
e) Dann war es zu hoch, da haben wir es wieder _____ gemacht.
f) Dann war es zu kurz, da haben wir es _____ gemacht.
g) Dann war es zu lang, da haben wir es wieder _____ gemacht.
h) Dann war es zu schwer, da haben wir es _____ gemacht.
i) Dann war es zu leicht, da haben wir es wieder _____ gemacht.
j) Dann war es zu hässlich, da haben wir es _____ gemacht.
k) Zum Schluss war es uns zu teuer, und es war auch nicht mehr in Ordnung. Wir haben es
   nämlich _____ gemacht.

15. Bilden Sie Sätze.

a) teuer sein

Pension Huber	+
Gasthof „Zur Post"	++
Schlosshotel	+++

Der Gasthof „Zur Post" ist teurer als die Pension Huber. Am teuersten ist das Schlosshotel.

b) hoch sein

Big Ben in London	+
Olympiaturm in München	++
Eiffelturm in Paris	+++

c) alt sein

Humboldt-Universität Berlin	+
Universität Straßburg	++
Karls-Universität in Prag	+++

d) groß sein

Münster	+
Dresden	++
Berlin	+++

e) lang sein

Weser	+
Elbe	++
Rhein	+++

f) gern spielen (Boris)

Fußball	+
Golf	++
Tennis	+++

g) gut Deutsch sprechen

George	+
Monique	++
Natalie	+++

h) schnell schwimmen

Paula	+
Linda	++
Yasmin	+++

i) schön wohnen

Bernd	+
Thomas	++
Jochen	+++

Lektion 9

Nach Übung

10

im Kursbuch

16. Schreiben Sie.

a) die Lampe – teuer

○ *Nimm doch die Lampe da!*
□ *Die gefällt mir ganz gut,*
aber ich finde sie zu teuer.
○ *Dann nimm doch die da*
links, die ist billiger.

b) der Tisch – niedrig

○ *Nimm doch ...*
□ *Der gefällt ...*

c) der Teppich – breit   f) die Sessel (Pl.) –
d) das Regal – groß   unbequem
e) die Uhr – teuer   g) die Teller (Pl.) – klein

Nach Übung

10

im Kursbuch

17. Ergänzen Sie.

○ Guten Tag. Kann ich (a) ___*Ihnen*___ helfen?
□ Ja, ich suche eine Bürolampe. Können Sie (b) _____ bitte (c) _____
   zeigen?
○ Gern. Hier habe ich (d) _____ für 48 Euro. (e) _____ kann ich
   (f) _____ sehr empfehlen. (g) _____ ist sehr günstig.
□ Ja, (h) _____ ist ganz praktisch, aber (i) _____ gefällt (j) _____
   nicht.
○ Und (k) _____ hier? Wie gefällt (l) _____ _____?
□ Ganz gut. Was kostet (m) _____ denn?
○ 65 Euro.
□ Das ist (n) _____ zu teuer.
○ Wir haben hier noch (o) _____ für 37 Euro.
□ (p) _____ finde ich ganz schön. (q) _____ nehme ich. Können Sie
   (r) _____ bitte einpacken?
○ Ja, natürlich.

Nach Übung

12

im Kursbuch

18. Welche Antwort passt?

a) Was hat Ihre Frau dazu gesagt?
   Ⓐ Das hat ihr nicht gefallen.
   Ⓑ Sie hat es immer wieder gesagt.
   Ⓒ Sie hat das nicht gut gefunden.

b) Sind Sie jetzt wirklich glücklich?
   Ⓐ Ja, sie sind wirklich glücklich.
   Ⓑ Ja, ich bin wirklich glücklich.
   Ⓒ Ja, sie ist wirklich glücklich.

c) Schenk ihr doch einen Walkman.
   Ⓐ Hat sie noch keinen?
   Ⓑ Der ist am besten.
   Ⓒ Was ist das denn?

d) Nimm doch den zu 99 Euro.
   Ⓐ Und warum?
   Ⓑ Der ist am billigsten.
   Ⓒ Welchen kannst du mir denn empfehlen?

Lektion 9

Nach Übung

12

im Kursbuch

19. Was passt zusammen?

A. Mit welchen Geräten kann man ...

Musik hören? _____
Musik aufnehmen? _____
Nachrichten hören? _____
Nachrichten hören und sehen? _____
die Kinder filmen? _____
Videokassetten abspielen? _____
Filme aufnehmen? _____
fotografieren? _____
Filme ansehen? _____
Interviews aufnehmen? _____
Sprachkassetten abspielen? _____
fernsehen? _____

a)	Radio
b)	Radiorekorder
c)	CD-Player
d)	(Foto-)Kamera
e)	Fernsehgerät
f)	Videokamera
g)	Videorekorder
h)	Video-Walkman
i)	Walkman

B. Was kann man mit den Geräten machen?

a) *Mit einem Radio kann man Nachrichten hören.*
b) ...

20. Ihre Grammatik.

Nach Übung

13

im Kursbuch

Unterstreichen Sie:

Wer/Was?

Wem?

Wen/Was?

a) Der Verkäufer hat ihr auf der Messe den Walkman erklärt.
b) Den Walkman hat er ihr auf der Messe erklärt.
c) Dort hat er ihr den Walkman erklärt.
d) Er hat ihr früher oft geholfen.
e) Seine Tante hat ihm deshalb später das Bauernhaus vererbt.
f) Das Bauernhaus hat sie ihm deshalb vererbt.
g) Die Großstadt hat ihm zuerst ein bisschen gefehlt.
h) Später hat sie ihm nicht mehr gefehlt.

	Vorfeld	Verb₁	Subj.	Ergänz.	Angabe	Ergänzung	Verb₂
a)	Der Verkäufer	hat		ihr	auf der Messe	den Walkman	erklärt.
b)							
c)							
d)							
e)							
f)							
g)							
h)							

Lektion 10

Wortschatz

Verben

aufpassen 123
berichten 118, 121
besichtigen 122

bestehen (aus) 120
erfinden 118
fließen 121, 125

gehören 119, 124
wachsen 126
wählen 119

wandern 126

Nomen

r Anfang, ¨e 122
s Ausland 121
r Bach, ¨e 125
r Bau 122
e Beamtin, -nen /
  r Beamte, -n; ein
  Beamter 119
r Berg, -e 125
e Brücke, -n 126
s Datum, Daten 119
r Dialekt, -e 120
s Elektrogerät, -e 118

e Firma, Firmen 15,
  90, 118
r Fluss, ¨e 125
s Gasthaus, ¨er 123
s Gebiet, -e 120
r Hafen, ¨ 122
s Jahrhundert, -e 122
r Kilometer, - 124
e Kneipe, -n 123
e Küste, -n 120, 121
Lebensmittel (Plural)
  41, 118

s Mal, -e 53, 122
r Meter, - 62, 122
e Ministerin, -nen /
  r Minister, - 119
e Nation, -en 124
e Pension, -en 126
r Politiker, - 118
e Schauspielerin, -nen /
  r Schauspieler, - 118
e Schriftstellerin, -nen /
  r Schriftsteller, - 118

e Sehenswürdigkeit, -
  en 126
r Sitz, -e 122
e Sprache, -n 120, 121
r Staat, -en 120, 124,
  125
s Studium 119
r Tod 122
e Touristin, -nen /
  r Tourist, -en 122
s Werk, -e 119

Adjektive

blau 124
endgültig 119
fertig 122
international 13, 124
offiziell 120, 121
tief 125

Adverbien

damals 124
daher 120

Funktionswort

darin 122

Grammatik

Definiter Artikel und Nomen im Genitiv (§ 4 und 5)

Maskulinum	*Singular:*	des Stuhls	*Plural:*	der	Stühle
Femininum		der Lampe			Lampen
Neutrum		des Klaviers			Klaviere

Indefiniter Artikel, Possessivartikel, Negation im Genitiv (§ 4 und 10)

	Indefiniter Artikel	*Possessivartikel*		*Negation*	
Singular:	eines Stuhls einer Lampe eines Regals	meines / seines deines / Ihres	Stuhls	keines keiner keines	Stuhls Lampe Regals
		meiner / seiner deiner / Ihrer	Lampe		
		meines / seines deines / Ihres	Regals		
Plural:	(von Stühlen) (von Lampen) (von Regalen)	meiner/ seiner deiner / Ihrer	Stühle Lampen Regale	keiner	Stühle Lampen Regale

Ländernamen im Genitiv (§ 4 und 12)

im größten Teil
im Norden / im Süden / im Osten / im Westen

die Grenzen
die Sprache
die Städte
die Flüsse und Seen

die Hauptstadt
ein Wahrzeichen

Deutschlands
Österreichs
Frankreichs

…

der Bundesrepublik
der Schweiz
der Türkei
der GUS
des Großherzogtums Luxemburg
des Fürstentums Liechtenstein
der USA *(Plural!)*
der Niederlande *(Plural!)*

Präpositionen mit Akkusativ (§ 30)

		Maskulinum	*Femininum*	*Neutrum*
durch	Wie?	durch den See	durch die Stadt	durch das Haus
um	Wo?	(rund) um den See	um die Stadt	um das Haus

Lektion 10

Nach Übung

1

im Kursbuch

1. Welches Wort passt?

a) Wien ist _____ von Österreich.
   Ⓐ ein Ausland   Ⓑ die Hauptstadt   Ⓒ ein Staat

b) Ein _____ braucht Benzin und hat 2 Räder.
   Ⓐ Fahrrad   Ⓑ Motorrad   Ⓒ Auto

c) ○ Welches _____ haben wir heute?
   □ Heute ist der 1. Juni 1991.
   Ⓐ Datum   Ⓑ Termin   Ⓒ Tag

d) In meinem Regal stehen alle _____ von Goethe.
   Ⓐ Adressen   Ⓑ Dialekte   Ⓒ Werke

e) In Deutschland ist ein Lehrer _____.
   Ⓐ Künstler   Ⓑ Handwerker   Ⓒ Beamter

f) Im Theater arbeiten _____.
   Ⓐ Schauspieler   Ⓑ Künstler   Ⓒ Schriftsteller

Nach Übung

2

im Kursbuch

2. Welche Wörter bedeuten Berufe, welche nicht?

Arzt Friseur Person Verkäufer Doktor Kollege Österreicher Chef Sohn Deutscher Tante Politiker Polizist Junge Bäcker Student Mann Hausfrau Bruder Lehrer Schriftsteller Tourist Nachbar Theater Passagier Eltern Minister Freund Maler Tochter Schauspieler Schweizer Beamter Herr Schüler Soldat Ausländer

a) Berufe

Arzt / Ärztin
. . .

b) keine Berufe

Student / Studentin
. . .

Nach Übung

3

im Kursbuch

3. Schreiben Sie die Zahlen.

a) der 1. _____ Januar
b) der 2. _____ Februar
c) der 3. _____ März
d) der 4. _____ April
e) der 5. _____ Mai
f) der 6. _____ Juni
g) der 7. _____ Juli

h) der 8. _____ August
i) der 9. _____ September
j) der 10. _____ Oktober
k) der 11. _____ November
l) der 12. _____ Dezember
m) der 13. _____ August
n) der 14. _____ Oktober

4. Was passt zusammen?

Nach Übung

3

im Kursbuch

Fußball	einen Brief	ein Buch	eine Insel	ein Bild
eine Maschine	ein Lied	ein Gerät	ein Land	Tennis

a) _____ entdecken
b) _____ schreiben
c) _____ komponieren

d) _____ erfinden
e) _____ malen
f) _____ spielen

5. Wann hat... gelebt? Schreiben Sie.

Nach Übung

3

im Kursbuch

a) Thomas Mann   1875–1955

von achtzehnhundertfünfundsiebzig bis neunzehnhundertfünfundfünfzig

b) Max Frisch   1911–1991
c) Albert Einstein   1879–1955
d) Adolph von Menzel   1815–1905
e) Heinrich Heine   1797–1856
f) Friedrich Schiller   1759–1805

g) Johann Sebastian Bach   1685–1750
h) Martin Luther   1483–1546
i) Meister Eckhart   1260–1328
j) Friedrich I. Barbarossa 1125–1190
k) Karl der Große   742–814

6. Was wissen Sie über Thomas Mann? Schreiben Sie.

Nach Übung

3

im Kursbuch

1875 in Lübeck
mit 26 Jahren das Buch „Die Buddenbrooks"
etwa 40 Jahre lang in München
fünf Kinder
1929 den Nobelpreis für Literatur
1933 aus Deutschland
kurze Zeit in der Schweiz
1938 nach Amerika
nach dem Zweiten Weltkrieg nach Europa
von 1952 bis zu seinem Tod in der Schweiz
Deutschland nur noch manchmal
1955 in Kilchberg bei Zürich

bekommen   besuchen   ~~geboren~~ sein   gehen   haben   leben   sein   schreiben   sterben   zurückkommen   weggehen   wohnen

Thomas Mann ist 1875 in Lübeck geboren.

...

Lektion 10

Nach Übung

3

im Kursbuch

7. Ergänzen Sie.

> von … bis   bis   in   an   seit   nach   vor

Goethe ist (a) _____ 28. August 1749 in Frankfurt geboren. (b) _____ 1765 geht er dort zur Schule. (c) _____ 1765 _____ 1768 studiert er in Leipzig. (d) _____ _____ Studium dort geht er an die Universität in Straßburg und promoviert dort (e) _____ Jahr 1771. Er wohnt dann wieder in Frankfurt und arbeitet dort (f) _____ 1771 _____ 1775 als Rechtsanwalt. (g) _____ _____ vier Jahren in Frankfurt schreibt er den Roman „Die Leiden des jungen Werthers". Das Buch macht ihn in ganz Europa berühmt. (h) _____ Jahr 1775 ruft ihn der Herzog Karl August nach Weimar. Goethe arbeitet dort als Landesbeamter und sogar als Minister. 1786 reist er nach Italien und bleibt dort (i) _____ 1788. Er kommt (j) _____ _____ Reise nach Weimar zurück. 1806 heiratet er Christiane Vulpius. Mit ihr lebt er schon (k) _____ 1788 zusammen. (l) _____ _____ Weimarer Zeit interessiert ihn vor allem die Naturwissenschaft. Erst (m) _____ _____ Freundschaft und Zusammenarbeit mit Friedrich Schiller (1794 (n) _____ 1805) schreibt er wieder wichtige literarische Werke: „Wilhelm Meisters Lehrjahre", „Reineke Fuchs", „Hermann und Dorothea", „Die natürliche Tochter" und, (o) _____ Schillers Tod 1805, den „Faust" (1. Teil), die „Wahlverwandtschaften", „Aus meinem Leben. Dichtung und Wahrheit", „Wilhelm Meisters Wanderjahre" und den „West-östlichen Divan". (p) _____ _____ letzten Monaten (q) _____ _____ Tod beendet er die Arbeiten am „Faust 2. Teil". Goethe stirbt (r) _____ Jahr 1832 in Weimar.

Nach Übung

5

im Kursbuch

8. Woher kommt er/sie? Was spricht er/sie? Schreiben Sie.

a)
Er ist Spanier.
Er kommt aus Spanien.
Er spricht Spanisch.

b) _____
_____
_____

c) _____
_____
_____

d) _____
_____
_____

9. Lesen Sie noch einmal die Seiten 13, 16 und 17 im Kursbuch. Ergänzen Sie dann.

Nach Übung

5

im Kursbuch

	Er/Sie heißt…	Er/Sie ist aus…	Er/sie ist…	Er/sie spricht…
a)	Julia Omelas Cunha		Brasilianerin	
b)	Victoria Roncart	Frankreich		
c)	Farbin Halim			Hindi
d)	Kota Oikawa	Japan		
e)	Sven Gustafsson			Schwedisch
f)	Ewald Hoppe		Pole	
g)	John Roberts			Englisch
h)	Monika Sager	Deutschland		

10. Ergänzen Sie.

Nach Übung

5

im Kursbuch

| aber   dann   deshalb   oder   und   trotzdem   sonst |

a) Deutsch spricht man in Deutschland _____ in Österreich, _____ auch in einem Teil der Schweiz.

b) Das Elsass gehört zu Frankreich, _____ viele Menschen sprechen dort einen deutschen Dialekt.

c) Der Süden von Dänemark war früher manchmal deutsch und manchmal dänisch. _____ sprechen dort noch viele Menschen Deutsch.

d) Seit mehr als 100 Jahren leben deutsche Familien in Russland. Sie hatten wenig Kontakt zu Deutschland. _____ haben sie die deutsche Sprache nicht vergessen. Ihr Deutsch ist nicht sehr modern, _____ jeder Deutsche kann sie gut verstehen.

e) Sie möchten die deutsche Sprache und ihre Dialekte kennenlernen? _____ machen Sie am besten eine Reise durch Deutschland!

f) Herr und Frau Raimund möchten Französisch lernen. _____ machen sie beide einen Sprachkurs. Im Juli ist der Kurs zu Ende. _____ wollen sie in Frankreich Urlaub machen.

g) Was kann man leichter lernen: Englisch _____ Französisch?

h) Man muss eine Fremdsprache gut sprechen, _____ kann man im Ausland keine Freunde finden.

Lektion 10

Nach Übung

6

im Kursbuch

11. Ergänzen Sie.

a) die Sehenswürdigkeiten (Hauptstadt) *der Hauptstadt*
b) der Komponist (Lieder) _____ _____
c) am Anfang (Jahrhundert) _____ _____
d) das Wahrzeichen (Stadt) _____ _____
e) der Sitz (Stadtparlament) _____ _____
f) der Chef (Orchester) _____ _____
g) im Westen (Land) _____ _____
h) die Namen (Firmen) _____ _____
i) das Dach (Turm) _____ _____
j) die Adressen (Geschäfte) _____ _____

Nach Übung

6

im Kursbuch

12. Sagen Sie es anders.

Das ist die Telefonnummer... = Das ist die Telefonnummer...

a) meiner Mutter = *von meiner Mutter*

b) seines Vaters = *von* _____
c) unserer Schule = _____
d) ihres Chefs = _____
e) deines Kollegen = _____
f) der Reinigung = _____
g) des Rathauses = _____
h) unserer Nachbarn = _____

i) *der Bibliothek* = von der Bibliothek
j) _____ = von meinem Vermieter
k) _____ = vom Gasthaus Schmidt
l) _____ = von einem Restaurant
m) _____ = vom Café Fischer
n) _____ = von unserem Arzt
o) _____ = von euren Nachbarn
p) _____ = vom Nationalmuseum

Das ist die Telefonnummer... = Das ist...

q) von Barbara = *Barbaras Telefonnummer*
r) von Werner = _____
s) von Hannes = _____
t) von Jürgen = _____
u) von Ulrike = _____

13. Lesen Sie im Kursbuch Seite 122. Steht das so im Text?

Nach Übung

7

im Kursbuch

	r	f
1.		
2.		
3.		
4.		
5.		
6.		
7.		
8.		
9.		
10.		

1. Der Dresdner Zwinger ist die größte Kirche Deutschlands.
2. Im Juni 1880 war das Riesenrad endlich fertig.
3. Der Österreicher H. von Karajan hat in Berlin gearbeitet.
4. Bier aus dem Hofbräuhaus gibt es seit mehr als 400 Jahren.
5. Ein Engländer hat den Berner „Zytglogge" gebaut.
6. Heute können die Touristen den Dresdner Zwinger wieder besichtigen.
7. In die Stadt Bern kann man nur durch einen Turm hineinkommen.
8. Die Bauzeit des Kölner Doms war sehr lang.
9. Der „Michel" steht am Hamburger Hafen.
10. In Frankfurt finden die Messen auf dem Römerberg statt.

14. Welches Verb passt? Ergänzen Sie.

Nach Übung

7

im Kursbuch

geboren sein   gehören   bestehen   gestorben sein   raten   wählen   besichtigen

a) zu Österreich / zum Hotel / zu einer Gruppe _____
b) einen Namen / eine Person / richtig _____
c) in Wien / mit 79 Jahren / am 5. Januar _____
d) einen Minister / einen Politiker / das Parlament _____
e) eine Kirche / das Denkmal / ein Schloss _____
f) aus Fleisch und Gemüse / aus Holz / aus Papier _____
g) in Heidelberg / am 25. Mai 1954 / vor 25 Jahren _____

15. Ergänzen Sie. Was passt zusammen?

Nach Übung

7

im Kursbuch

mit einem Freund   bei einem Freund   für einen Freund   dem Freund ein Buch

einem Freund   ein Freund   zu einem Freund   einen Freund

a) _____ telefonieren / verabredet sein / sprechen
b) _____ leihen / schenken / schicken
c) _____ wohnen / bleiben / übernachten
d) _____ gehen / ziehen / fahren
e) _____ helfen / leid tun / zuhören
f) _____ einkaufen / bezahlen / Zeit haben
g) _____ anrufen / einladen / heiraten
h) _____ sein / bleiben / werden

Lektion 10

Nach Übung
7
im Kursbuch

16. Welche Verben sind möglich?

A. Herr Ziehl
a) ☐ fährt
b) ☐ arbeitet
c) ☐ besichtigt
d) ☐ bleibt
e) ☐ bringt
f) ☐ beschreibt
g) ☐ fragt
h) ☐ fotografiert
i) ☐ trifft
j) ☐ kennt
den Hafen.

B. Deutschland
a) ☐ besteht aus
b) ☐ gehört zu
c) ☐ verbindet mit
d) ☐ geht zu
e) ☐ liegt in
f) ☐ kommt aus
g) ☐ ist ein Teil von
h) ☐ diskutiert mit
i) ☐ ist in
Europa.

Nach Übung
10
im Kursbuch

17. Ergänzen Sie. Lesen Sie vorher den Text im Kursbuch auf Seite 124.

(a) Am _____ treffen sich drei _____: (b) Deutschland, _____ _____ _____ Schweiz. (c) Die _____ zwischen den drei _____ sind sehr offen. (d) Man kann _____ Probleme _____ einem Land _____ das andere _____. (e) Im Südosten _____ Sees liegt Österreich, im Südwesten _____ Schweiz und im Norden Deutschland. (f) 168 Kilometer seines _____ gehören _____ Bundesrepublik. (g) Das Ufer in der _____ ist 69 _____ _____, 40 Kilometer _____ als das Ufer in Österreich. (h) _____ Mai _____ Oktober verbinden _____ und zwei _____ die Städte am Bodensee. (i) Mehr als 200 _____ und _____ fließen in den See. (j) _____ ist 63 Kilometer _____ und 14 Kilometer _____. (k) Jedes Jahr kommen viele _____ _____ den Bodensee und _____ dort Urlaub. (l) Auf zwei über 300 Kilometer langen Wegen können Sie rund _____ den See _____ oder Rad fahren.

Nach Übung
11
im Kursbuch

18. Ergänzen Sie die Präpositionen und Artikel.

in	durch	nach	auf	um	an	über

a) Viele Schweizer fahren _____ Friedrichshafen und kaufen dort ein.
b) _____ Westen der Schweiz sprechen die Leute Französisch.
c) In den Dörfern _____ _____ Nordseeküste und _____ _____ Nordseeinseln sprechen viele Leute Plattdeutsch.
d) Gestern sind wir _____ _____ Pfänder gewandert. Er ist 1064 Meter hoch. Der Blick von dort _____ Bodensee ist fantastisch.
e) Der Wanderweg rund _____ _____ Bodensee ist 316 Kilometer lang.
f) Der Rhein fließt _____ _____ Bodensee.

g) Gehen Sie dort _____ _____ Brücke. Dann kommen Sie _____ _____ Insel Mainau.

h) Früher ist man in Bern _____ _____ Zeitglockenturm _____ _____ Stadt gegangen.

i) Das Land Liechtenstein liegt _____ _____ Nähe des Bodensees.

j) _____ _____ Bodenseeinseln dürfen keine Autos fahren.

k) Wir fahren am Wochenende _____ _____ Alpen. Denn _____ _____ Bergen liegt jetzt genug Schnee; man kann dort sehr gut Ski fahren.

19. Welches Wort passt nicht?

Nach Übung
11
im Kursbuch

a) Sprache – Dialekt – Deutsch – Buch

b) Ausland – Österreich – Schweiz – Liechtenstein

c) Strand – Küste – Meer – Ufer

d) Hafen – Bahnhof – Schiff – Flughafen

e) Meter – Kilogramm – Liter – Tasse – Kilometer

f) breit – rund – tief – lang – hoch – kurz

g) Kneipe – Museum – Hotel – Schloss – Denkmal

h) Fluss – Bach – Meer – Bad

i) Fahrrad – Fähre – Auto – Flugzeug

j) Nation – Staat – Land – Natur

k) Hafen – Brücke – Straße – Weg

l) Dorf – Stadt – Ort – Parlament

m) Frühling – Klima – Herbst – Sommer

n) Hotel – Pension – Museum – Gasthof

o) mit dem Auto – zu Fuß – mit dem Rad – mit dem Fuß – mit dem Schiff

20. Was passt?

Nach Übung
11
im Kursbuch

etwas   vor allem   meistens   oft   selten   ganz

fast   manchmal   natürlich   plötzlich   vielleicht

a) (Gewöhnlich) _____ trinke ich abends Tee.

b) (Selbstverständlich) _____ kannst du mitkommen.

c) Das ist (völlig) _____ unmöglich.

d) Leider habe ich (kaum noch Freunde) _____ keine Freunde mehr.

e) (Ganz besonders) _____ mag ich Jazz-Musik.

f) (Eventuell) _____ fahren wir heute noch nach Hause.

g) Nach Berlin kommen wir (nicht oft) _____.

h) Möchten Sie noch (ein bisschen) _____ Wein?

i) Meine Freunde sehe ich (häufig) _____.

j) Auf dem Petersplatz in Rom waren viele Leute, und (in einer Sekunde) _____ habe ich meinen Freund nicht mehr gesehen.

k) Meistens kann ich gut schlafen, aber (nicht immer) _____ trinke ich zu viel Kaffee, und dann habe ich Probleme.

Lektion 10

21. Was passt?

a) Dieses Buch über die Berliner Museen ist _____ interessant.
   Ⓐ ganz besonders   Ⓑ praktisch   Ⓒ genau

b) Geh bitte zum Lebensmittelmarkt und kauf Milch. _____ brauche ich noch
   Obst und Gemüse vom Markt.
   Ⓐ Ungefähr   Ⓑ Außerdem   Ⓒ Wirklich

c) Ich komme etwa um sieben Uhr nach Hause, _____ auch etwas später.
   Ⓐ ungefähr   Ⓑ endlich   Ⓒ eventuell

d) Kleidung, Schuhe, Skizeug: Da ist ja _____ noch Platz im Koffer!
   Ⓐ fast   Ⓑ kaum   Ⓒ ziemlich

e) Fred hat das Auto erst vor vier Monaten gekauft. Es ist noch _____ neu.
   Ⓐ direkt   Ⓑ fast   Ⓒ eventuell

f) Das habe ich noch nie gesehen! Ich glaube, das geht gar nicht! Das ist
   _____ unmöglich.
   Ⓐ kaum   Ⓑ endlich   Ⓒ praktisch

g) _____ trinke ich morgens Tee, aber heute möchte ich gern einen Kaffee.
   Ⓐ Gewöhnlich   Ⓑ Praktisch   Ⓒ Unbedingt

h) Warum fragst du überhaupt? _____ bist du auch eingeladen.
   Ⓐ Wohl   Ⓑ Natürlich   Ⓒ Gar nicht

i) Sofie isst gern Torte, _____ Schokoladentorte.
   Ⓐ gleichzeitig   Ⓑ vor allem   Ⓒ eigentlich

j) _____ rufe ich dich an. Das ist doch gar kein Problem.
   Ⓐ Einfach   Ⓑ Wirklich   Ⓒ Selbstverständlich

k) Meine Wohnung hat nicht nur einen Balkon, sie hat _____ einen Garten.
   Ⓐ ungefähr   Ⓑ sogar   Ⓒ überall

22. Schreiben Sie den Brief neu.

a) Ordnen Sie die Teile.

wandern. Die
mir, sonst

schon mit meinem
es hier fantastisch.

hannes,
Woche bin ich nun
Bodensee. Ich finde
Tag haben wir

Grüße

Sonne, und ich kann
Berge sind herrlich.
ist alles prima. Bis nächste

Lieber Jol
seit einer
Zelt am
Den ganzen

stundenlang
Nur du fehlst
Woche!
Ganz herzliche
Katin

b) Schreiben Sie den Brief.

Lieber Johannes,
seit einer Woche ...

Lektion 11

Wortschatz

Verben

ändern 141
ansehen 131
anziehen 136
ärgern 139

aussehen 130
finden 130
gefallen 135
gehören zu 132

kritisieren 138
kündigen 139
lügen 140
stecken 138

verlangen 140
vorstellen 131
zahlen 140

Nomen

e/r Angestellte, -n
  (ein Angestellter)
  139
r Anzug, ¨e 136
r Arbeitgeber, - 139
s Arbeitsamt 139
s Auge, -n 132
s Badezimmer, - 139
r Bauch, ¨e 134
e Bluse, -n 135
e Brille, -n 135
r Bruder, ¨ 137
e Chefin, -nen 134

r Ehemann, ¨er 133
s Ergebnis, -se 138
e Farbe, -n 135
r Feind, -e 134
s Gesicht, -er 132
s Haar, -e 135
r Hals, ¨e 132
s Hemd, -en 136
e Hochzeit, -en 136
e Hose, -n 136
e Jacke, -n 135
r Job, -s 139
s Kleid, -er 135

e Kleidung 135
r Kollege, -n 134
e Krawatte, -n 136
e Leistung, -en 140
e Liebe 138
r Mann, ¨er 134
e Meinung, -en 135
r Morgen 138
r Mund, ¨er 132
r Musiker, - 130
r Prozess, -e 139
r Pullover, - 135
r Punkt, -e 138

r Rechtsanwalt, ¨e 139
s Restaurant, -s 138
r Rock, ¨e 135
r Schuh, -e 135
e Sorge, -n 134
e Stelle, -n 139
r Strumpf, ¨e 135
r Test, -s 138
e Tochter, ¨ 138
s Vorurteil, -e 134
r Wagen, - 138

Adjektive

alt 130
angenehm 138
arm 138
ähnlich 137
blau 132
blond 130
braun 132
dick 130
dumm 130
dunkel 135
dünn 130
ehrlich 138
elegant 133
freundlich 130

gefährlich 134
gelb 133
gemütlich 130
genau 131
gleich 140
grau 133
grün 133
gut 131
hässlich 130
hübsch 130
intelligent 130
interessant 134
jung 130
klug 134

komisch 130
konservativ 135
kurz 132
lang 132
langweilig 130
lustig 130
nervös 130
nett 130
neu 133
offen 138
pünktlich 138
rot 133
ruhig 130
rund 132

schlank 130
schmal 132
schön 130
schwarz 132
selten 134
sportlich 133
sympathisch 130
traurig 130
treu 134
verrückt 138
voll 134
weich 135
weiß 133
wunderbar 138

Adverbien

bestimmt 141
etwa 130
immer 134

meinetwegen 140
meistens 134
nie 134

nur 139
oft 134
sonst 140

weiter- 131
wieder- 139
ziemlich 130

Funktionswörter

alle 138
dieser 138

jeder 138
manche 138

un- 130
viel 131

welcher 137
wie 130

Lektion 11

Grammatik

Adjektiv: Vergleiche (§ 19)

gleich: so | groß | wie
schwer
...

nicht gleich: | größer | als
schwerer
...

Adjektiv: Endungen (§ 16)

Nominativ			*Akkusativ*			*Dativ*			*Genitiv*		
der	klein e	...	den	klein en	...	dem	klein en	...	des	klein en	...
die			die	klein e	der			der	des	klein en	
das			das			dem			des		
die	klein en	...	die	klein en	...	den	klein en	...	der	klein en	...
ein	klein er	...	einen	klein en	...	einem	klein en	...	eines	klein en	...
eine	klein e		eine	klein e		einer			einer		
ein	klein es		ein	klein es		einem			eines		
–	klein e	...	–	klein e	...	–	klein en	...	–	klein er	...

Artikelwörter (§ 6)

Singular	*Maskulinum:*	der	dieser	mancher	jeder
		den	diesen	manchen	jeden
		dem	diesem	manchem	jedem
		des	dieses	manches	jedes
	Femininum:	die	diese	manche	jede
		die	diese	manche	jede
		der	dieser	mancher	jeder
		der	dieser	mancher	jeder
	Neutrum:	das	dieses	manches	jedes
		das	dieses	manches	jedes
		dem	diesem	manchem	jedem
		des	dieses	manches	jedes
Plural		die	diese	manche	alle
		die	diese	manche	alle
		den	diesen	manchen	allen
		der	dieser	mancher	aller

1. Was findet man bei einem Menschen normalerweise positiv, was negativ?

Nach Übung

2

im Kursbuch

	positiv	negativ
nett lustig sympathisch dumm intelligent freundlich langweilig unsympathisch hässlich attraktiv ruhig hübsch schön schlank dick komisch nervös gemütlich unfreundlich		

2. Was passt nicht?

Nach Übung

2

im Kursbuch

a) nett – freundlich – sympathisch – hübsch
b) schlank – intelligent – groß – blond
c) alt – dick – dünn – schlank
d) blond – langhaarig – attraktiv – schwarzhaarig
e) hässlich – hübsch – schön – attraktiv
f) nervös – ruhig – gemütlich – jung
g) nett – komisch – unsympathisch – unfreundlich

3. „Finden", „aussehen", „sein"? Was passt?

Nach Übung

2

im Kursbuch

a) Jens _____ ich langweilig _____.
b) Vera _____ sympathisch _____.
c) Anna _____ blond _____.
d) Gerd _____ ich attraktiv _____.
e) Ute _____ intelligent _____.
f) Paul _____ 30 Jahre alt _____.
g) Vera _____ 1 Meter 64 groß _____.
h) Gerd _____ traurig _____.
i) Paul _____ ich hässlich _____.

4. Was passt? Ergänzen Sie.

Nach Übung

3

im Kursbuch

Renate 157   Karin 159   Nadine 170   Sonja 172   Christa 186

ein bisschen/etwas
über
nur/bloß
fast
mehr
viel genau
etwa/ungefähr

a) Karin ist _____ größer als Renate.
b) Karin ist _____ 10 Zentimeter kleiner als Nadine.
c) Sonja ist _____ 2 Zentimeter größer als Nadine.
d) Christa ist _____ größer als Nadine.
e) Nadine ist _____ als 10 Zentimeter größer als Karin.
f) Nadine ist _____ 10 Zentimeter größer als Karin.
g) Christa ist _____ 30 Zentimeter größer als Renate.
h) Christa ist _____ 14 Zentimeter größer als Sonja.

Lektion 11

Nach Übung

6

im Kursbuch

5. Was ist typisch für...?

a)

Michael
Jackson

b)

Klaus
Kinski

Nase: klein *Die kleine Nase* .
Haare: schwarz *Die* .
Gesicht: hübsch _____ .
Haut: braun _____ .

Augen: gefährlich _____ .
Gesicht: schmal _____ .
Haare: dünn _____ .
Haut: hell _____ .

c)

Bud
Spencer

d)

Mick
Jagger

Gesicht: lustig _____ .
Arme: stark _____ .
Bauch: dick _____ .
Appetit: groß _____ .

Beine: lang _____ .
Lippen: dick _____ .
Bauch: dünn _____ .
Nase: groß _____ .

Nach Übung

6

im Kursbuch

6. Was passt nicht?

a) Gesicht: schmal – rund – stark – breit
b) Augen: groß – klein – schmal – schlank
c) Nase: rund – lang – breit – kurz – dick – klein
d) Beine: lang – dünn – schlank – groß – dick – kurz
e) Mensch: groß – kurz – klein – schlank – dünn – dick

Lektion 11

7. Hartmut hatte Geburtstag. Wer hat ihm die Sachen geschenkt? Schreiben Sie.

a) Fotoapparat: billig/Bernd
   Den billigen Fotoapparat hat Bernd ihm geschenkt.
b) Uhr: komisch/Petra
c) Buch: langweilig/Udo
d) Pullover: hässlich/Inge
e) Kuchen: alt/Carla
f) Wein: sauer/Dagmar
g) Jacke: unmodern/Horst
h) Kugelschreiber: kaputt/Holger
i) Radio: billig/Rolf

Nach Übung **7** im Kursbuch

8. Mit welcher Farbe malt man diese Dinge?

braun	rot	gelb	schwarz	grün	weiß	blau

a) Sonne: _____
b) Feuer: _____
c) Schnee: _____
d) Wasser: _____

e) Nacht: _____
f) Wiese: _____
g) Erde: _____

Nach Übung **7** im Kursbuch

9. „Welches findest du besser?" Schreiben Sie.

a) Kleid (lang/kurz)
   Welches Kleid findest du besser, das lange oder das kurze?
b) Mantel (gelb/braun)
c) Jacke (grün/weiß)
d) Pullover (dick/dünn)
e) Mütze (klein/groß)
f) Hose (blau/rot)
g) Handschuhe (weiß/schwarz)

Nach Übung **7** im Kursbuch

10. Ordnen Sie.

manchmal	sehr oft	nie	meistens/fast immer	selten	fast nie/sehr selten	immer	oft

nie → _____ → _____ → _____ → _____ →
_____ → _____ → _____ → _____

Nach Übung **10** im Kursbuch

Lektion 11

Nach Übung

10

im Kursbuch

11. Kennen Sie das Märchen von König Drosselbart? Die schöne Königstochter soll heiraten, aber kein Mann gefällt ihr.

Nimm doch den hier!

Wie hässlich!
So ein dicker Hals
gefällt mir nicht.

Was sagt sie über die anderen Männer? Schreiben Sie.

b) *Wie hässlich! So ein* _____

...

Brust	Mund	Arme	Beine	Bauch	Nase	Gesicht
lang	dick	kurz	traurig	dünn	groß	schmal

Nach Übung

11

im Kursbuch

12. Bildlexikon. Wie heißen die Kleidungsstücke? Schreiben Sie auch die Artikel.

a) *die* _____ *Jacke* _____
b) *das* _____ *Kleid* _____
c) _____ _____
d) _____ _____
e) _____ _____
f) _____ _____
g) _____ _____
h) _____ _____
i) _____ _____
j) _____ _____
k) _____ _____

13. Was passt?

Nach Übung

11

im Kursbuch

| Aussehen | Mensch/Charakter | Haare | Kleidung |

a) _____ : dünn – lang – blond – dunkel – kurz – hell – rot – braun

b) _____ : sportlich – elegant – konservativ – teuer – neu – attraktiv – schön – modern

c) _____ : intelligent – dumm – klug – langweilig – gefährlich – ehrlich – konservativ – komisch – nett – alt – lustig – nervös – ruhig – jung

d) _____ : schön – hübsch – interessant – hässlich – attraktiv – schlank – groß – dick – klein

14. Beschreiben Sie die Personen.

Nach Übung

11

im Kursbuch

a) Er hat *einen dicken* _____ Bauch.
   _____ Beine.
   _____ Füße.
   _____ Haare.
   _____ Brille.
   _____ Gesicht.
   _____ Nase.
   _____ Mund.

b) Sein Bauch ist *dick.* _____
   Seine Beine sind _____
   Seine Füße sind _____
   Seine Haare sind _____
   Seine Brille ist _____
   Sein Gesicht ist _____
   Seine Nase ist _____
   Sein Mund ist _____

c) Sie hat _____ Ohren.
   _____ Haare.
   _____ Nase.
   _____ Mund.
   _____ Beine.
   _____ Gesicht.
   _____ Füße.
   _____ Hals.

d) Ihre Ohren sind _____
   Ihre Haare sind _____
   Ihre Nase ist _____
   Ihr Mund ist _____
   Ihre Beine sind _____
   Ihr Gesicht ist _____
   Ihre Füße sind _____
   Ihr Hals ist _____

Lektion 11

Nach Übung

17

im Kursbuch

15. Ergänzen Sie.

a) Er trägt einen schwarz*en*_____ Pullover mit einem weiß_____ Hemd.
b) Sie trägt einen blau_____ Rock mit einer gelb_____ Bluse.
c) Er trägt schwer_____ Schuhe mit dick_____ Strümpfen.
d) Sie trägt einen dunkl_____ Rock mit einem rot_____ Pullover.
e) Sie trägt ein weiß_____ Kleid mit einer blau_____ Jacke.
f) Sie trägt eine braun_____ Hose mit braun_____ Schuhen.

Nach Übung

17

im Kursbuch

16. Ihre Grammatik. Ergänzen Sie.

	Nominativ	Akkusativ	Dativ
Mantel: rot	*ein roter Mantel*	*einen*	
Hose: braun			
Kleid: blau			
Schuhe: neu			

Nach Übung

17

im Kursbuch

17. Ergänzen Sie.

○ Sag mal, was soll ich anziehen?

a) □ Den schwarz*en*_____ Mantel
mit der weiß*en*_____ Mütze.
b) □ Das blau_____ Kleid
mit der rot_____ Jacke.
c) □ Die braun_____ Schuhe
mit den grün_____ Strümpfen
d) □ Die hell_____ Bluse
mit dem gelb_____ Rock.
e) □ Die rot_____ Jacke
mit dem schwarz_____ Kleid.

Nach Übung

17

im Kursbuch

18. Ihre Grammatik. Ergänzen Sie.

	Nominativ	Akkusativ	Dativ
Mantel: rot	*der rote Mantel*	*den*	
Hose: braun			
Kleid: blau			
Schuhe: neu			

19. Schreiben Sie Dialoge.

Nach Übung

17

im Kursbuch

a) Bluse: weiß, blau

  ○ *Du suchst doch eine Bluse.*
    Wie findest du die hier?
  □ *Welche meinst du?*
  ○ *Die weiße.*
  □ *Die gefällt mir nicht.*
  ○ *Was für eine möchtest du denn?*
  □ *Eine blaue.*

b) Hose: braun, schwarz
c) Kleid: kurz, lang
d) Rock: rot, gelb
e) Schuhe: blau, weiß

20. Ihre Grammatik. Ergänzen Sie.

Nach Übung

17

im Kursbuch

	Nominativ	Akkusativ	Dativ
Mantel	*Was für ein Mantel?* *Welcher Mantel?*	*Was für ei* *Welch*	*Mit was für* *Mit*
Hose			
Kleid			
Schuhe			

21. Was passt?

Nach Übung

17

im Kursbuch

a) schreiben : Schriftsteller / Musik machen : _____
b) Mutter : Vater / Tante : _____
c) Bruder : Schwester / Sohn : _____
d) Gramm (g) : Kilo (kg) / Zentimeter (cm) : _____
e) Chefin : Chef / Ehefrau : _____
f) wohnen : Nachbar / arbeiten : _____
g) Frau : Bluse / Mann : _____
h) Geburtstag haben : Geburtstagsfeier / heiraten : _____
i) schlecht hören : Hörgerät / schlecht sehen : _____
j) nichts : alles / leer : _____
k) Sorgen : viele Probleme / Glück : _____

Lektion 11

Nach Übung

17

im Kursbuch

22. Ergänzen Sie „welch-?" und „dies-".

a) ○ _Welcher_ Rock ist teurer? □ _Dieser_ rote hier.
   ○ _____ Hose ist teurer? □ _____ braune hier.
   ○ _____ Kleid ist teurer? □ _____ gelbe hier.
   ○ _____ Strümpfe sind teurer? □ _____ blauen hier.

b) ○ _____ Anzug nimmst du? □ _____ schwarzen hier.
   ○ _____ Bluse nimmst du? □ _____ weiße hier.
   ○ _____ Hemd nimmst du? □ _____ blaue hier.
   ○ _____ Schuhe nimmst du? □ _____ braunen hier.

c) ○ Zu _____ Rock passt die Bluse? □ Zu _____ roten hier.
   ○ Zu _____ Hose passt das Hemd? □ Zu _____ weißen hier.
   ○ Zu _____ Kleid passt der Mantel? □ Zu _____ braunen hier.
   ○ Zu _____ Schuhen passt die Hose? □ Zu _____ schwarzen hier.

Nach Übung

18

im Kursbuch

23. Ergänzen Sie.

kritisieren	Test	Arbeitsamt	Prozess	Angestellte
Ergebnis	angenehm	verrückt		Arbeitgeberin
Typ	Stelle	pünktlich		Wagen

a) Frau Brandes hat die Firma gekauft. Sie ist jetzt _____ und hat
   120 _____ .
b) Hans ist arbeitslos. Er bekommt Geld vom _____ .
c) Hans kommt nie zu spät. Er ist immer _____ .
d) Eine Irokesenfrisur, das ist doch nicht normal, das ist _____ .
e) Frau Peters ist ruhig, nett und freundlich. Sie ist wirklich eine _____
   Kollegin.
f) Karin hat ihren _____ gewonnen. Das Gericht hat ihr Recht
   gegeben.
g) Lutz ist glücklich. Er war drei Monate arbeitslos, aber jetzt hat er eine neue
   _____ gefunden.
h) Franz war gestern beim Arzt und hat einen Bluttest gemacht. Das
   _____ bekommt er nächste Woche.
i) Heinz hat seine Arbeit immer gut gemacht. Sein Chef musste ihn nie
   _____ .
j) Heinz sieht komisch aus, aber er ist ein sehr netter _____ .
k) Morgen geht Sonja zu Fuß zur Arbeit. Ihr _____ ist kaputt.
l) Der _____ war positiv: Die Qualität des Produkts ist sehr gut.

24. „Jeder", „alle" oder „manche"? Ergänzen Sie.

Nach Übung

18

im Kursbuch

a) ○ Wie finden Sie die Entscheidung des Arbeitsamtes? □ Richtig! _____
Punks sind doch gleich! Die wollen doch nicht arbeiten. Das weiß man doch.
  ○ Aber _____ suchen doch Arbeit! Heinz Kuhlmann zum Beispiel.
  □ Das glaube ich nicht.
b) ○ Finden Sie _____ Punk unsympathisch?
  □ Nein. Es gibt auch nette Punks. Nur _____ mag ich nicht.
c) ○ Hat das Arbeitsamt recht? □ Nein, das Arbeitsamt muss _____ Personen
die gleiche Chance geben, auch _____ arbeitslosen Punk.
d) ○ Gefallen Ihnen Punks? □ Ich finde sie eigentlich ganz lustig, aber nicht
_____ sind gleich. Viele tragen interessante Kleidung, nur
_____ finde ich hässlich.

25. Ihre Grammatik. Ergänzen Sie.

Nach Übung

18

im Kursbuch

	Singular						Plural		
Nominativ	der	*jeder*	die	*jede*	das	*jedes*	die	*alle*	*manche*
Akkusativ	den		die		das				
Dativ	dem		der		dem				

26. Ordnen Sie.

Nach Übung

21

im Kursbuch

Du hast Recht.   Ich bin anderer Meinung.   Das finde ich nicht.   Das stimmt.
Das ist richtig.   Das ist falsch.   Das ist auch meine Meinung.
Das finde ich auch.   Das ist Unsinn.   So ein Quatsch!   Ich glaube das auch.
Einverstanden!   Das ist wahr.   Das stimmt nicht.   Das ist nicht wahr.

pro (+) | contra (−)

27. Welche Verben passen am besten?

Nach Übung

21

im Kursbuch

kündigen
kritisieren
verlangen
zahlen
tragen lügen

a) falsch, nicht wahr, nicht ehrlich: _____
b) unbedingt wollen, nicht bitten: _____
c) Geld, Rechnung, kaufen: _____
d) Kleidung, Schuhe, Schmuck: _____
e) schlecht finden, sagen warum: _____
f) nicht mehr arbeiten wollen, unzufrieden, neuer Job: _____

Lektion 12

Wortschatz

Verben

anbieten 151
anfangen 155
aufhören 146
aussuchen 149
beginnen 151
bestimmen 146

bewerben 154
dauern 149
kämpfen 151
kennen 151
kennen lernen 146
lernen 146

lesen 154
lösen 153
schaffen 151
sollen 146
stimmen 150
suchen 146

überlegen 150
verdienen 144
versprechen 153
vorbereiten 153
werden 145
zuhören 150

Nomen

e Antwort, -en 151
e Anzeige, -n 154
r Arzt, ⸚e 145
e Aufgabe, -n 154
r Augenblick, -e 146
e Ausbildung 146
r Beamte, -n (ein
  Beamter) 152
r Beruf, -e 144
r Betrieb, -e 153
e Bewerbung, -en
  151
r Bundeskanzler 144
r Computer, - 153
s Datum, Daten 154
s Diplom, -e 151
s Examen, - 151
r Export, -e 154

e Fahrt, -en 155
e Firma, Firmen 153
s Gehalt, ⸚er 153
r Grund, ⸚e 155
e Grundschule 149
s Gymnasium,
  Gymnasien 149
Haupt- 149
e Hauptsache, -n
  155
r Import, -e 154
s Inland 153
e Kantine, -n 153
r Kindergarten, ⸚ 151
e Klasse, -n 144
e Lehre, -n 149
r Maurer, - 146
r Monat, -e 151

e Möglichkeit 150
r Nachteil, -e 150
e Nummer, -n 153
r Politiker, - 144
r Polizist, -en 152
s Problem, -e 151
e Prüfung, -en 152
e Religion, -en 149
e Schauspielerin, -nen
  145
e Schule, -n 147
r Schüler, - 149
e Sekretärin, -nen
  153
s Semester, - 151
e Sicherheit 155
e Sprache, -n 144
r Student, -en 151

s Studium, Studien
  151
r Termin, -e 153
r Text, -e 150
e Universität, -en
  151
e Verkäuferin, -nen
  146
r Vertrag, ⸚e 153
r Vorteil, -e 150
e Wirtschaft 151
s Wort, ⸚er 153
r Zahnarzt, ⸚e 146
e Zahnärztin, -nen 24
s Zeugnis, -se 150
e Zukunft 14

Adjektive

anstrengend 146
arbeitslos 151
ausgezeichnet 153
bekannt 146

dringend 153
geehrt 154
leicht 155
praktisch 146

sauber 146
schlecht 147
schlimm 150
schmutzig 146

schwer 146
selbständig 146
toll 146
wichtig 144

Adverbien

hiermit 154

je 155

mindestens 150

sicher 152

Funktionswörter

dann 144
denn 151
deshalb 146

mehrere 153
obwohl 146
seit 154

trotzdem 151
von … bis … 149
wann 154

warum 145
weil 145
wenn 149

Ausdrücke

auf eine Schule gehen 150	auf keinen Fall 155	es gibt 149	zufrieden sein 146
auf jeden Fall 155	eine Schule besuchen 149	Lust haben 146	zur Schule gehen 144
		Spaß machen 146	

Grammatik

Nebensätze: „weil", „obwohl", „wenn" (§ 52 und 53)

Junktor	Vorfeld	$Verb_1$	Subj.	Angabe	Ergänzung	$Verb_2$	$Verb_1$ im Nebensatz
	Sabine	will			Fotomodell	werden.	
	Das	ist			ein schöner Beruf.		
	Sabine	will			Fotomodell	werden,	
weil			das		ein schöner Beruf		ist.
	Paul	möchte			Nachtwächter	werden,	
obwohl			er	dann nachts		arbeiten	muss.
Wenn			Paul		Nachtwächter		wird,
		muss	er	nachts		arbeiten.	

Modalverben: Präteritum (§ 41)

ich	wollte	konnte	durfte	sollte	musste
du	wolltest	konntest	durftest	solltest	musstest
Sie	wollten	konnten	durften	sollten	mussten
er / sie / es	wollte	konnte	durfte	sollte	musste
wir	wollten	konnten	durften	sollten	mussten
ihr	wolltet	konntet	durftet	solltet	musstet
Sie	wollten	konnten	durften	sollten	mussten
sie	wollten	konnten	durften	sollten	mussten

Ordinalzahlen (§ 20)

der | erste, zweite, dritte, vierte, fünfte, sechste, siebte, achte, neunte, … Mai
zwanzigste, einundzwanzigste, zweiundzwanzigste, … Dezember
hundertste, hundertunderste, hundertundzweite, … Tag
tausendste, tausendunderste, … Kursteilnehmer
tausendeinhundertste, tausendeinhundertunderste, … Kunde
millionste VW

Endungen wie Adjektivendungen: Seite 124!

Lektion 12

1. Sagen Sie es anders.

a) Peter möchte Zoodirektor werden, denn er mag Tiere.

Peter möchte Zoodirektor werden, weil er Tiere mag.
Weil Peter Tiere mag, möchte er Zoodirektor werden.

b) Gabi will Sportlerin werden, denn sie möchte eine Goldmedaille gewinnen.
c) Sabine will Fotomodell werden, denn sie mag schöne Kleider.
d) Paul mag abends nicht früh ins Bett gehen. Deshalb möchte er Nachtwächter werden.
e) Sabine möchte viel Geld verdienen, deshalb will sie Fotomodell werden.
f) Paul will Nachtwächter werden, denn er möchte nachts arbeiten.
g) Julia will Dolmetscherin werden, denn dann kann sie oft ins Ausland fahren.
h) Julia möchte gern viele Sprachen verstehen. Deshalb möchte sie Dolmetscherin werden.
i) Gabi will Sportlerin werden, denn sie ist die Schnellste in ihrer Klasse.

Ihre Grammatik. Ergänzen Sie.

Junktor	Vorfeld	Verb$_1$	Subj.	Erg.	Ang.	Ergänzung	Verb$_2$	Verb$_1$ im Nebensatz
a)	*Peter*	*möchte*				*Zoodirektor*	*werden,*	
denn	*er*	*mag*				*Tiere.*		
	Peter	*möchte*				*Zoodirektor*	*werden,*	
weil			*er*			*Tiere*		*mag.*
b)	*Gabi*	*will*						
c)								

2. Präsens oder Präteritum? Ergänzen Sie die richtige Form von „wollen".

Nach Übung

3

im Kursbuch

a) Franz _____ eigentlich Ingenieur werden; heute ist er Automechaniker.

b) Hanna _____ Managerin werden, deshalb studiert sie Betriebswirtschaft.

c) Christas Traumberuf war Schauspielerin, aber ihre Eltern _____ das nicht.
Heute ist sie Lehrerin.

d) ○ Was _____ du werden?
☐ Das weiß ich nicht mehr. Das habe ich vergessen.

e) ○ Was _____ ihr beide werden?   ☐ Das wissen wir noch nicht.

f) Meine Schwester und ich, wir _____ eigentlich beide studieren. Aber unsere
Eltern hatten nicht genug Geld.

g) ○ Warum _____ du Dolmetscherin werden?
☐ Weil ich dann oft ins Ausland reisen kann.

h) Ihr seid beide Lehrer. War das euer Traumberuf, oder _____ ihr eigentlich
etwas anderes werden?

i) ○ Findest du deinen Beruf interessant? Bist du zufrieden?
☐ Nein, eigentlich _____ ich Ärztin werden.

j) ○ Möchtet ihr studieren?   ☐ Nein, wir _____ beide einen Beruf lernen.

3. Ihre Grammatik. Ergänzen Sie.

Nach Übung

3

im Kursbuch

ich	du	er, sie es, man	wir	ihr	sie	Sie
will	w					
wollte						

4. Was passt?

Nach Übung

4

im Kursbuch

kennen lernen   Schauspielerin   Zahnarzt   Verkäufer

Ausbildung   Maurer   verdienen   Zukunft   Klasse

a) Restaurant : Kellner / Geschäft : _____

b) arbeiten : Beruf / lernen : _____

c) ausgeben : bezahlen / bekommen : _____

d) Schule : Lehrerin / Theater : _____

e) Augen : Augenarzt / Zähne : _____

f) jetzt : im Augenblick / in 3 Jahren : in der _____

g) mit Farbe malen : Maler / mit Steinen bauen : _____

h) Sprachen : lernen / Leute : _____

i) Sport : Mannschaft / Schule : _____

Lektion 12

Nach Übung

4

im Kursbuch

5. Zwei Adjektive passen nicht.

a) Die Arbeit ist…: schmutzig, interessant, wichtig, einfach, leicht, klein, schwer, gefährlich, jung, langweilig, laut, anstrengend
b) Er arbeitet…: schnell, bekannt, selbständig, sauber, genau, schlank, langsam
c) Die Arbeitskollegin ist…: schlank, klein, arm, reich, stark, frisch, schön, zufrieden, nett, einfach, langweilig, freundlich, toll
d) Die Maschine ist…: zufrieden, kaputt, schmutzig, sauber, klein, freundlich, laut, schwer, gefährlich

Nach Übung

5

im Kursbuch

6. Ihre Grammatik. Ergänzen Sie.

	können	dürfen	sollen	müssen
ich	konnte			
du				
er, sie es, man				
wir				
ihr				
sie				
Sie				

Nach Übung

6

im Kursbuch

7. „Obwohl" oder „weil"? Was passt?

a) Herr Gansel musste Landwirt werden, _____ seine Eltern einen Bauernhof hatten.
b) Frau Mars ist Stewardess geworden, _____ ihre Eltern das nicht wollten.
c) Herr Schmidt arbeitet als Taxifahrer, _____ ihm die unregelmäßige Arbeitszeit nicht gefällt.
d) Herr Schmidt konnte nicht mehr als Maurer arbeiten, _____ er einen Unfall hatte.
e) Frau Voller sucht eine neue Stelle, _____ sie nicht genug verdient.
f) Frau Mars liebt ihren Beruf, _____ die Arbeit manchmal sehr anstrengend ist.
g) Herr Gansel musste Landwirt werden, _____ er es gar nicht wollte.

Ihre Grammatik. Ergänzen Sie mit den Sätzen d) bis g).

Junktor	Vorfeld	Verb$_1$	Subj.	Erg.	Angabe	Ergänzung	Verb$_2$	Verb$_1$ im Nebensatz
d)	*Herr Sch.*	*konnte*			*nicht mehr*	*als Maurer*	*arbeiten*	
weil			*er*			*einen Unfall*		*hatte.*
e)								
f)								
g)								

8. Geben Sie einen Rat.

Nach Übung

11

im Kursbuch

Wolfgang hat gerade seinen Realschulabschluss gemacht. Er weiß noch nicht, was er jetzt machen soll. Geben Sie ihm einen Rat.

a) Bankkaufmann werden – jetzt schnell eine Lehrstelle suchen
   Wenn du Bankkaufmann werden willst, dann musst du jetzt eine Lehrstelle suchen.
   , dann such jetzt schnell eine Lehrstelle.

b) studieren – aufs Gymnasium gehen

c) sofort Geld verdienen – die Stellenanzeigen in der Zeitung lesen

d) nicht mehr zur Schule gehen – einen Beruf lernen

e) noch nicht arbeiten – weiter zur Schule gehen

f) später zur Fachhochschule gehen – jetzt zur Fachoberschule gehen

g) einen Beruf lernen – die Leute beim Arbeitsamt fragen

Lektion 12

Nach Übung

11

im Kursbuch

9. Bilden Sie Sätze.

a) Kurt / eine andere Stelle suchen / weil / mehr Geld verdienen wollen

Kurt sucht eine andere Stelle, weil er mehr Geld verdienen will.

Weil Kurt mehr Geld verdienen will, sucht er eine andere Stelle.

b) Herr Bauer / unzufrieden sein / weil / anstrengende Arbeit haben
c) Eva / zufrieden sein / obwohl / wenig Freizeit haben
d) Hans / nicht studieren können / wenn / schlechtes Zeugnis bekommen
e) Herbert / arbeitslos sein / weil / Unfall haben (*hatte*)
f) Ich / die Stelle nehmen / wenn / nicht nachts arbeiten müssen

Nach Übung

12

im Kursbuch

10. Was passt?

Gymnasium	Grundschule	Bewerbung	Zeugnis
mindestens	Semester	Lehre	beginnen	Nachteil

a) studieren : Studium / Beruf lernen : _____
b) Schule : Schuljahr / Studium : _____
c) nicht mehr als : höchstens / nicht weniger als : _____
d) Examen : Universität / Abitur : _____
e) gut : Vorteil / schlecht : _____
f) Universität : Diplom / Schule : _____
g) nicht wissen : Frage / keine Stelle : _____
h) Ende : aufhören / Anfang : _____
i) unter 6 Jahren : Kindergarten / ab 6 Jahren : _____

Nach Übung

15

im Kursbuch

11. Welcher Satz hat eine ähnliche Bedeutung?

a) *Vera findet keine Stelle.*
   - Ⓐ Vera findet keine Stelle gut.
   - Ⓑ Vera sucht eine Stelle, aber es gibt keine.
   - Ⓒ Vera hat ihre Stelle verloren.

b) *Ihr macht das Studium wenig Spaß.*
   - Ⓐ Sie studiert nicht gerne.
   - Ⓑ Sie möchte lieber studieren.
   - Ⓒ Sie findet ihr Studium interessant.

c) *Ich bekomme bestimmt eine Stelle.*
   Ich sehe da kein Problem.
   - Ⓐ Ich schaffe es bestimmt. Ich finde eine Stelle.
   - Ⓑ Es gibt nur wenig Stellen. Ich habe bestimmt keine großen Chancen.
   - Ⓒ Vielleicht habe ich ja Glück und finde eine Stelle.

d) *Was soll ich machen? Hast du eine Idee?*
   - Ⓐ Kannst du mir den Weg erklären?
   - Ⓑ Kannst du mir einen Rat geben?
   - Ⓒ Kennst du die richtige Antwort?

12. Was passt?

Nach Übung

15

im Kursbuch

sonst	trotzdem	dann	aber	denn	deshalb	und

a) Für Akademiker gibt es wenig Stellen. _____ haben viele Studenten Zukunftsangst.

b) Die Studenten wissen das natürlich, _____ die meisten sind nicht optimistisch.

c) Man muss einfach besser sein, _____ findet man bestimmt eine Stelle.

d) Du musst zuerst das Abitur machen. _____ kannst du nicht studieren.

e) Ihr macht das Studium keinen Spaß. _____ studiert sie weiter.

f) Sie hat viele Bewerbungen geschrieben. _____ sie hat keine Stelle gefunden.

g) Sie lebt noch bei ihren Eltern, _____ eine Wohnung kann sie nicht bezahlen.

h) Auch an der Uni muss man kämpfen, _____ hat man keine Chancen.

i) Wenn sie nicht bald eine Stelle findet, _____ möchte sie wieder studieren.

j) Den Job im Kindergarten findet sie interessant, _____ sie möchte lieber als Psychologin arbeiten.

k) Ihre Doktorarbeit war sehr gut. _____ hat sie noch keine Stelle gefunden.

Ihre Grammatik. Ergänzen Sie mit den Sätzen a) bis g).

	Junktor	Vorfeld	Verb₁	Subjekt	Erg.	Ang.	Ergänzung	Verb₂
a)		Für Akademiker	gibt	es			wenig Stellen	
		Deshalb	haben	viele Studenten			Zukunftsangst.	
b)		Die Studenten						
c)								
d)								
e)								
f)								
g)								

Lektion 12

Nach Übung

15

im Kursbuch

13. Sie können es auch anders sagen.

<table>
<tr><td>so</td><td>oder</td><td>so</td></tr>
</table>

a) Die Studenten kennen ihre schlechten Berufschancen. Trotzdem studieren sie weiter.

Die Studenten studieren weiter, obwohl sie ihre schlechten Berufschancen kennen.

b) Obwohl Vera schon 27 Jahre alt ist, wohnt sie immer noch bei den Eltern.

Vera ist schon 27 Jahre alt. Trotzdem ...

c) Manfred will nicht mehr zur Schule gehen. Trotzdem soll er den Realschulabschluss machen.
d) Jens will Englisch lernen, obwohl er schon zwei Fremdsprachen kann.
e) Eva sollte Lehrerin werden. Trotzdem ist sie Krankenschwester geworden.
f) Ein Doktortitel hilft bei der Stellensuche wenig. Trotzdem schreibt Vera eine Doktorarbeit.
g) Obwohl es zu wenig Stellen für Akademiker gibt, hat Konrad Dehler keine Zukunftsangst.
h) Bernhard hat das Abitur gemacht. Trotzdem möchte er lieber einen Beruf lernen.
i) Doris möchte keinen anderen Beruf, obwohl sie sehr schlechte Arbeitszeiten hat.

Nach Übung

15

im Kursbuch

14. Sie können es auch anders sagen. Bilden Sie Sätze mit „weil", „denn" oder „deshalb".

a) Thomas möchte nicht mehr zur Schule gehen, denn er möchte lieber einen Beruf lernen.

Thomas möchte nicht mehr zur Schule gehen, weil er lieber einen Beruf lernen möchte.
Thomas möchte lieber einen Beruf lernen. Deshalb möchte er nicht mehr zur Schule gehen.

b) Jens findet seine Stelle nicht gut, weil er zu wenig Freizeit hat.

Jens findet seine Stelle nicht gut, denn ...
Jens hat zu wenig Freizeit ...

c) Herr Köster kann nicht arbeiten, denn er hatte gestern einen Unfall.
d) Manfred soll noch ein Jahr zur Schule gehen, denn er hat keine Stelle gefunden.
e) Vera wohnt noch bei ihren Eltern, weil sie nur wenig Geld verdient.
f) Kerstin kann nicht studieren, denn sie hat nur die Hauptschule besucht.
g) Conny macht das Studium wenig Spaß, weil es an der Uni eine harte Konkurrenz gibt.
h) Simon mag seinen Beruf nicht, weil er eigentlich Automechaniker werden wollte.
i) Herr Bender möchte weniger arbeiten, denn er hat zu wenig Zeit für seine Familie.

Nach Übung

15

im Kursbuch

15. Ist das Vorfeld noch frei? Ergänzen Sie die Sätze mit dem Subjekt!

a) Armin hat viel Freizeit. Trotzdem ___—___ ist ___*er*___ unzufrieden.
b) Brigitte verdient gut. Aber ___*sie*___ ist ___—___ unzufrieden.
c) Dieter lernt sehr viel. Trotzdem _____ hat _____ ein schlechtes Zeugnis.
d) Inge spricht sehr gut Englisch, denn _____ hat _____ zwei Jahre in England gelebt.
e) Waltraud mag Tiere. Deshalb _____ will _____ Tierärztin werden.

f) Klaus will Politiker werden. Dann _____ ist _____ oft im Fernsehen.
g) Renate ist in der zwölften Klasse. Also _____ macht _____ nächstes Jahr das Abitur.
h) Paul hat einen anstrengenden Beruf. Aber _____ verdient _____ viel Geld.
i) Petra geht doch weiter zur Schule, denn _____ hat _____ keine Lehrstelle gefunden.
j) Utas Vater ist Lehrer. Deshalb _____ wird _____ auch Lehrerin.
k) Klaus hat morgen Geburtstag. Dann _____ ist _____ 21 Jahre alt.

16. Ergänzen Sie die Stellenanzeige.

Nach Übung

16

im Kursbuch

Wir sind ein groß_____ Unternehmen der deutsche_____ Textilindustrie. Wir machen attraktiv_____ Mode für jung_____ Leute und verkaufen sie in eigen_____ Geschäften. Für unser neu_____ Modekaufhaus in Rostock suchen wir

eine neu_____ Chefin oder einen neu_____ Chef.

Er oder sie sollte zwischen 35 und 45 Jahren alt sein, schon alleine ein groß_____ Textilgeschäft geleitet haben und gerne mit jung_____ Leuten zusammenarbeiten. Wir bieten Ihnen einen interessant_____ Arbeitsplatz, ein gut_____ Gehalt und eine sicher_____ beruflich_____ Zukunft in einem modern_____ Betrieb.

17. Schreiben Sie das Datum.

Nach Übung

18

im Kursbuch

a) ○ Welches Datum haben wir heute?

(12. Mai)
□ *Heute ist der zwölfte Mai.*
(28. Februar)
□ _____
(1. April)
□ _____
(3. August)
□ _____

b) ○ Wann sind Sie geboren?

(7. April)
□ *Am siebten April.*
(17. Oktober)
□ _____
(11. Januar)
□ _____
(31. März)
□ _____

c) ○ Ist heute der fünfte September?

(3. September)
□ *Nein, wir haben heute den dritten.*
(4. September)
□ _____
(7. September)
□ _____
(8. September)
□ _____

d) ○ Wann war Carola in Spanien?

(4. April – 8. März)
□ *Vom vierten April bis zum achten März.*
(23. Januar – 10. September)
□ _____
(14. Februar – 1. Juli)
□ _____
(7. April – 2. Mai)
□ _____

Lektion 12

18. Schreiben Sie einen Dialog.

Maurer.

Ja, ja, ich weiß. Aber findest du das wichtiger als eine gute Stelle? …

Hallo Petra, hier ist Anke.

Das ist doch nicht schlimm. Dann musst du nur ein bisschen früher aufstehen.

Ja, drei Angebote. Am interessantesten finde ich eine Firma in Offenbach.

Aber du weißt doch, ich schlafe morgens gern lange.

Und? Erzähl mal!

Da kann ich Chefsekretärin werden. Die Kollegen sind nett und das Gehalt ist auch ganz gut.

Und was machst du? Nimmst du die Stelle?

Na, wie geht's? Hast du schon eine neue Stelle?

Ich weiß noch nicht. Nach Offenbach sind es 35 Kilometer. Das ist ziemlich weit.

Hallo Anke!

○ _Maurer._
□ _Hallo Petra, hier ist Anke._
○ …

19. Was passt?

| Betrieb | anfangen | Inland | ausgezeichnet | auf jeden Fall | Kantine | lösen |
| Import | Hauptsache | Rente | Monate | dringend | Student | arbeitslos |

a) Schule : Schüler / Studium : _____

b) studieren : Universität / arbeiten : _____

c) zu Hause : Esszimmer / Betrieb : _____

d) in einem fremden Land : im Ausland / im eigenen Land : im _____

e) Zeugnisnote 6 : sehr schlecht / Zeugnisnote 1 : _____

f) Frage : beantworten / Problem : _____

g) arbeiten : berufstätig / ohne Arbeit : _____

h) jung und arbeiten : Gehalt / alt und nicht arbeiten : _____

i) ins Ausland verkaufen : Export / im Ausland kaufen : _____

j) unwichtig : Nebensache / wichtig : _____

k) nein : auf keinen Fall / ja : _____

l) unwichtig : nicht schnell, nicht sofort / wichtig : _____

m) Ende : aufhören / Anfang : _____

n) Montag, Freitag, Mittwoch : Tage / April, Juni, Mai : _____

20. Welches Wort passt?

Nach Übung
21
im Kursbuch

| Zeugnis | Gehalt | Termin | Kunde | Religion | bewerben |

a) Geld, verdienen, jeden Monat, arbeiten: _____
b) Geschäft, einkaufen, bezahlen: _____
c) Uhrzeit, Datum, Ort, treffen: _____
d) Stelle suchen, arbeiten wollen, Zeugnis, Gespräch: _____
e) Kirche, Gott, glauben: _____
f) Papier, Schule, Note, gut, schlecht: _____

21. Ergänzen Sie.

Nach Übung
21
im Kursbuch

| versprechen | gehen | aussuchen | bestimmen | machen | besuchen | schaffen |

a) Petra _____ die Arbeit keinen Spaß mehr, deshalb sucht sie eine neue Stelle.
b) Bernd soll eigentlich Bankkaufmann werden. Aber er will das nicht, er möchte seinen Beruf selbst _____ .
c) Kurt muss noch ein Jahr zur Schule _____ , dann ist er fertig.
d) In Deutschland müssen Kinder zwischen 6 und 10 Jahren die Grundschule _____ .
e) ○ Mama, welchen Pullover darf ich mir kaufen?
   □ Das ist mir egal. Du kannst dir einen _____ .
f) Horst ist sehr glücklich. Er hat sein Examen _____ .
g) ○ Kann ich nächste Woche drei Tage Urlaub bekommen? □ Meinetwegen ja, aber ich kann es Ihnen nicht _____ . Ich muss vorher den Chef fragen.

22. Was passt am besten?

Nach Übung
21
im Kursbuch

| sprechen | verdienen | korrigieren | schreiben | anbieten | kennen |
| werden | lesen | hören | dauern | studieren | |

a) Geld: _____
b) eine Fremdsprache, Englisch, sehr laut: _____
c) einen Brief, einen Text, ein Buch, mit der Schreibmaschine: _____
d) Medizin, Chemie, Deutsch: _____
e) einen Fehler, einen Brief, einen Text: _____
f) Frau Ulfers, das Buch, den Weg: _____
g) Radio, Musik, eine Kassette: _____
h) der Frau einen Platz, dem Kollegen eine Tasse Kaffee, dem Gast ein Stück Kuchen:
_____
i) Arzt, Maurer, Lehrer, Sekretärin: _____
j) eine Stunde, fünf Minuten, ein Jahr: _____
k) ein Buch, eine Zeitung, einen Brief, den Vertrag: _____

Lektion 13

Wortschatz

Verben

ärgern 161
aufregen 161
auspacken 165
ausruhen 165
benutzen 164
beschweren 165
bitten 162

erzählen 165
freuen 161
geschehen 158
interessieren 161
küssen 163
lachen 165
legen 162

leihen 162
malen 165
nützen 166
raten 162
reden 166
sammeln 165
singen 158

spielen 158
stören 167
tanzen 165
verbieten 162
vergessen 165
vergleichen 159
weinen 165

Nomen

r Ausgang, ¨e 167
r Bart, ¨e 165
r Baum, ¨e 163
r Bericht, -e 158
s Bild, -er 158
e Ecke, -n 163
r Eingang, ¨e 166
r Fall, ¨e 158
r Finger, - 165
e Freizeit 165
r Fußball 158
r Gedanke, -n 164
e Gefahr, -en 160
e Gesundheit 158
r Gewinn, -e 158
r Glückwunsch, ¨e 161
r Gott, ¨er 158
r Gruß, ¨e 166

r Hammer, ¨ 158
r Himmel 163
r Hut, ¨e 163
e Illustrierte, -n 158
r Kasten, ¨ 162
s Kaufhaus, ¨er 167
r Kompromiss, -e 162
s Konzert, -e 158
r Krach 165
e Kultur 158
e Kunst 161
r Laden, ¨ 166
e Landschaft, -en 158
r Lautsprecher, - 166
s Lied, -er 162
e Literatur 161
r Maler, - 165

s Material, -ien 160
e Medizin 158
e Minute, -n 165
r Mond, -e 163
e Musik 161
e Nachricht, -en 158
s Orchester, - 158
e Ordnung 166
r Passagier, -e 160
r Pfennig, -e 165
r Pilot, -en 160
r Plan, ¨e 160
r Platz, ¨e 165
e Qualität, -en 167
s Radio, -s 162
e Sache, -n 165
r Schatten, - 164
r Schauspieler, - 165
e Sendung, -en 158

r Sinn 163
e Spezialität, -en 166
r Sport 158
r Stein, -e 160
e Technik 161
s Telegramm, -e 158
s Theater, - 165
s Tier, -e 158
e Uhrzeit, -en 159
e Unterhaltung, -en 158
e Vorstellung, -en 165
e Werbung 158
e Wissenschaft, -en 161
s Wochenende, -n 167
r Zahn, ¨e 158
r Zuschauer, - 165

Adjektive

europäisch 158
fein 163
feucht 165
gewöhnlich 165

günstig 165
herzlich 161
möglich 166
öffentlich 166

fantastisch 165
regelmäßig 165
reich 160
schwierig 158

tot 160
verboten 165
weit 164

Adverbien und Funktionswörter

abends 161
besonders 161
einige 162
extra 158

genauso 167
kaum 166
leider 165
nachts 161

so etwas 165
solch- 165
überhaupt nicht 163
viele 177

vielleicht 165
wenigstens 160
zuletzt 158

Grammatik

Reflexive Verben (§ 25)

Mit Reflexivpronomen im Akkusativ:

Ich	interessiere	mich	für Tierfilme.
Du	ärgerst	dich	sicher über dieses Programm.
Sie	freuen	sich	doch auch auf das Spiel, oder?
Er	freut	sich	über seinen neuen Fernseher.
Sie	regt	sich	über das Programm vom Sonntag auf.
Wir	beschweren	uns	nicht über den Moderator.
Ihr	stellt	euch	immer vor den Fernseher!
Sie	beschweren	sich	ja über jedes Programm!

Mit Reflexivpronomen im Dativ:

Ich	höre	mir	diese alten Lieder nicht mehr an.
Du	kaufst	dir	immer nur praktische Dinge!
Sie	hören	sich	Ihre alten Jazzplatten nicht oft an, nicht wahr?
Er	kauft	sich	gerne alte Bücher.

Präpositionalpronomen (§ 26)

auf	auf wen?	auf Sabine	auf sie	worauf?	auf die Pause	darauf
für	für wen?	für Frau Manz	für sie	wofür?	für das Fernsehen	dafür
mit	mit wem?	mit Kurt	mit ihm	womit?	mit dem Werkzeug	damit
über	über wen?	über alle	über uns	worüber?	über die Sendung	darüber

Konjunktiv II (§ 43)

ich	würde … lernen	dürfte	sollte	müsste
du	würdest … lernen	dürftest	solltest	müsstest
Sie	würden … lernen	dürften	sollten	müssten
er / sie / es	würde … lernen	dürfte	sollte	müsste
wir	würden … lernen	dürften	sollten	müssten
ihr	würdet … lernen	dürftet	solltet	müsstet
Sie	würden … lernen	dürften	sollten	müssten
sie	würden … lernen	dürften	sollten	müssten

ich	wäre	hätte	wollte	könnte
du	wärest	hättest	wolltest	könntest
Sie	wären	hätten	wollten	könnten
er / sie / es	wäre	hätte	wollte	könnte
wir	wären	hätten	wollten	könnten
ihr	wäret	hättet	wolltet	könntet
Sie	wären	hätten	wollten	könnten
sie	wären	hätten	wollten	könnten

Lektion 13

Nach Übung

5

im Kursbuch

1. Wo passen die Wörter am besten?

a) Theater, Musik, Kunst, Museum, Literatur, Bilder: _____

b) Show, Film, Musik, Spiel, lustig, macht Spaß: _____

c) Zeitung (Anzeige), Fernsehen, Industrie, Produkt verkaufen: _____

d) Arzt, Medikament, krank, Apotheke, Gesundheit: _____

e) Spiel, Geld, Glück, Preis: _____

f) Kirche, glauben, Religion: _____

g) Musik machen, Gruppe, Konzert: _____

h) Nachrichten, Wetter, politisches Magazin, Reportage, Illustrierte: _____

i) fliegen, Flugzeug: _____

j) Fußball, Musik, Klavier, Karten: _____

> Unterhaltung
> Orchester
> Werbung
> Gewinn
> Medizin
> Information
> spielen
> Kultur
> Gott Pilot

Nach Übung

5

im Kursbuch

2. „-film", „-programm", „-sendung" oder „Unterhaltungs-"? Was passt?

_____	-musik	Spiel-	_____	Nachmittags-	_____
	-sendung	Kinder-		Kultur-	
	-orchester	Kriminal-		Unterhaltungs-	
	-programm	Tier-		Musik-	
	-film	Kurz-		Sport-	

Nach Übung

5

im Kursbuch

3. Was passt nicht?

a) Uhrzeit – Vormittag – Abend – Morgen – Nachmittag – Nacht – Mittag

b) Brief – Karte – Telefon – Telegramm

c) Frühstück – Mittagessen – Nachmittagsprogramm – Abendessen

d) Katze – Fisch – Tier – Hund – Schwein – Huhn

e) Zahnarzt – Tierarzt – Augenarzt – Hautarzt – Frauenarzt

f) zuerst – dann – zum Schluss – danach – zu spät

g) Pilot – Flugzeug – Passagier – Flughafen – Auto

h) tot – schwer – schwierig – nicht leicht

i) los sein – geschehen – vergleichen – passieren

Nach Übung

5

im Kursbuch

4. Beschreiben Sie den Film. Verwenden Sie die Wörter im Kasten.

> Flugzeug   fliegen   Los Angeles
> Chicago   Stewardess   Fischgericht
> kurze Zeit   Pilot   Passagiere   krank
> Ted Striker   ehemaliger Vietnam-Pilot
> noch nie Jumbo geflogen
> Bodenstation   Anweisungen

Die unglaubliche Reise in einem verrückten Flugzeug.

Ein Flugzeug _____

...

5. Ergänzen Sie.

Nach Übung

7

im Kursbuch

a) O Kommt, Kinder, wir müssen jetzt gehen.

    □ Eine halbe Stunde noch, bitte, der Film fängt gleich an. _____ freuen _____ doch immer so auf das Kinderprogramm.

b) O Warum macht ihr nicht den Fernseher aus? Interessiert _____ _____ denn wirklich für das Gesundheitsmagazin?

    □ Oh ja. Es ist immer sehr interessant.

c) O Du, ärgere _____ doch nicht über den Film!

    □ Ach, _____ habe _____ sehr auf den Kriminalfilm gefreut und jetzt ist er so schlecht.

d) O Warum sind Klaus und Jochen denn nicht gekommen?

    □ Sie sehen den Ski-Weltcup im Fernsehen. Ihr wisst doch, _____ interessieren _____ sehr für den Ski-Sport.

e) O Was macht Marianne?

    □ Sie sieht das Deutschland-Magazin. _____ interessiert _____ doch für Politik.

f) O Will dein Mann nicht mitkommen?

    □ Nein, er möchte unbedingt fernsehen. _____ freut _____ schon seit gestern auf den Spielfilm im 2. Programm.

g) O Siehst du jeden Tag die Nachrichten?

    □ Natürlich, man muss _____ doch für Politik interessieren.

6. Ergänzen Sie.

Nach Übung

7

im Kursbuch

Die Verben im Kasten kennen Sie sicher schon. Sie können oder müssen mit einem Reflexivpronomen verwendet werden.

```
vorstellen        anziehen              stellen    setzen
        bewerben            duschen
   entscheiden    waschen                  legen
```

a) Hier sind deine Kleider. _____ kannst _____ selbst _____, du bist alt genug.

b) O Willst du baden?

    □ Nein, _____ möchte _____ lieber _____. Das geht schneller.

c) O Kauft ihr das Haus?

    □ Wir wissen es noch nicht, _____ können _____ nicht _____.

d) Susanne war sehr müde. _____ hat _____ aufs Sofa _____ und schläft ein bisschen. Bitte störe sie nicht!

e) _____ _____ _____ doch, Frau Lorenz! Der Platz hier ist frei.

f) Ich möchte ein Familienfoto machen. Bitte _____ _____ alle vor die Haustür.

g) Die neuen Nachbarn kenne ich noch nicht. _____ haben _____ noch nicht _____ .

h) Bitte geht ins Bad, Kinder. _____ müsst _____ noch _____ und die Zähne putzen.

i) Bettina hat _____ bei zehn Firmen _____, aber sie hat keine Stelle bekommen.

Lektion 13

Nach Übung

7

im Kursbuch

7. Ihre Grammatik. Ergänzen Sie.

ich	du	er	sie	es	man	wir	ihr	sie	Sie
mich									

Nach Übung

7

im Kursbuch

8. Verben und Präpositionen.

Die Verben kennen Sie schon. Sie werden oft mit den folgenden Präpositionen gebraucht.

aufpassen	auf	anrufen	bei	diskutieren	über
freuen		bewerben		erzählen	
warten		arbeiten		freuen	
		informieren		lachen	
		entschuldigen		nachdenken	
denken	an			schreiben	
glauben				weinen	
		spielen	mit	wissen	
		telefonieren		ärgern	
fragen	nach	sprechen		beschweren	
suchen		vergleichen		aufregen	
		einverstanden sein		sprechen	
		aufhören		informieren	
interessieren	für				
brauchen					
entschuldigen					

Ergänzen Sie.

a) Ich kann mich nicht entscheiden. Ich muss _____ *d* _____ Sache noch einmal nach-
   denken.

b) Er sah wirklich komisch aus. Alle haben _____ _____ gelacht.

c) Ich komme in zwei Stunden wieder. Kannst du bitte _____ *d* _____ Kinder aufpassen?

d) Franz arbeitet schon zehn Jahre _____ *d* _____ gleichen Firma.

e) Ich habe gestern _____ *d* _____ Arzt gesprochen. Herbert ist bald wieder gesund.

f) Wenn Sie etwas _____ *d* _____ Fall wissen, müssen Sie es der Polizei erzählen.

g) Ich bin _____ *d* _____ Vertrag einverstanden. Er ist in Ordnung.

h) Was hat er dir _____ *d* _____ Unfall erzählt?

i) _____ *d* _____ Problem hat er mit mir nicht gesprochen.

j) Ich habe meine Kamera _____ *d* _____ Kamera von Klaus verglichen. Seine ist wirk-
   lich besser.

k) Sie hat nie Zeit. Sie interessiert sich nur _____ *ihr* _____ Beruf.

l) Bitte hör _____ *d* _____ Arbeit auf. Das Essen ist fertig.

9. Ihre Grammatik. Ergänzen Sie.

Nach Übung

7

im Kursbuch

	der Film	die Musik	das Programm	die Sendungen	
über	*den Film*				sprechen
sich über					ärgern
sich auf					freuen
sich für					interessieren

	der Plan	die Meinung	das Geschenk	die Antworten	
nach	*dem Plan*				fragen
mit					einverstanden sein

10. Ergänzen Sie.

Nach Übung

7

im Kursbuch

Sachen

wofür?	→ für…	→ dafür	womit?	→ mit…	→ damit
worauf?	→ auf…	→ darauf	worüber?	→ über…	→ darüber

a) ○ Was machst du denn für ein Gesicht? ___*Worüber*___ ärgerst du dich?

   □ Ach, _____ mein Auto. Es ist schon wieder kaputt.

   ○ _____ musst du dich nicht ärgern. Du kannst meins nehmen.

b) ○ _____ regst du dich so auf?

   □ _____ meine Arbeitszeit. Ich muss schon wieder am Wochenende arbeiten.

   ○ Warum regst du dich _____ auf? Such dir doch eine andere Stelle.

c) ○ _____ interessierst du dich im Fernsehen am meisten?

   □ _____ Sport.

   ○ _____ interessiere ich mich nicht. Das finde ich langweilig.

d) ○ _____ bist du nicht einverstanden?

   □ _____ deinem Plan.

   ○ _____ sind aber alle einverstanden, nur du nicht.

e) ○ _____ freust du dich am meisten?

   □ _____ unseren nächsten Urlaub.

   ○ _____ freue ich mich auch.

f) ○ _____ wartest du?

   □ _____ einen Anruf.

   ○ _____ kannst du noch lange warten. Das Telefon ist kaputt.

Lektion 13

Nach Übung

7

im Kursbuch

11. Ergänzen Sie.

Personen

mit wem? → mit… → mit *ihm, ihr,…*	auf wen? → auf… , → auf *ihn, sie,…*
für wen? → für… → für *ihn, sie,…*	über wen? → über… → über *ihn, sie,…*

a) ○ _Mit_ _wem_ hast du telefoniert?
   □ _____ Frau Burger.
   ○ Warum hast du mir das nicht gesagt?
     Ich wollte auch _____ _____ sprechen.

b) ○ _____ _____ brauchst du das Geschenk?
   □ _____ Paula und Bernd. Sie heiraten am Freitag.
   ○ Mensch, das habe ich ganz vergessen. Ich brauche auch noch ein Geschenk _____
     _____ .

c) ○ _____ _____ spielst du am liebsten?
   □ _____ Doris.
   ○ _____ _____ spiele ich auch sehr gerne. Sie ist eine gute Spielerin.

d) ○ _____ _____ ärgerst du dich so?
   □ _____ dich.
   ○ _____ _____ ? Warum?
   □ Du hast nicht eingekauft, obwohl du es versprochen hast.

e) ○ _____ _____ wartest du?
   □ _____ Konrad. Er wollte um 4 Uhr bei mir sein.
   ○ Das ist typisch, _____ _____ muss man immer warten. Er ist nie pünktlich.

Nach Übung

7

im Kursbuch

12. Ihre Grammatik. Ergänzen Sie.

Präposition + Artikel + Nomen Präposition + Name/Person	Fragewort	Pronomen
über den Film (sprechen) über Marion	*worüber?* *über wen?*	*darüber* *über sie*
auf die Sendung (warten) auf Frau Oller		
für die Schule (brauchen) für meinen Sohn		
nach dem Weg (fragen) nach Thomas		
mit dem Ball (spielen) mit dem Kind		

13. Ihre Grammatik. Ergänzen Sie.

Nach Übung

7

im Kursbuch

a) Wofür interessiert Bettina sich am meisten?
b) Bettina interessiert sich am meisten für Sport.
c) Für Sport interessiert Bettina sich am meisten.
d) Am meisten interessiert Bettina sich für Sport.
e) Für Sport hat Bettina sich am meisten interessiert.

	Vorfeld	Verb$_1$	Subjekt	Ergänzung	Angabe	Ergänzung	Verb$_2$
a)	_Wofür_	interessiert	Bettina	sich	am meisten?		
b)							
c)							
d)							
e)							

14. Sie ist nie zufrieden.

Nach Übung

11

im Kursbuch

a) Sie macht jedes Jahr acht Wochen Urlaub, aber _sie würde gern noch mehr Urlaub machen._

b) Sie hat zwei Autos, aber _sie hätte gern . . ._

c) Sie ist schlank, aber _sie wäre gern . . ._

d) Sie sieht jeden Tag vier Stunden fern, aber…
e) Sie verdient sehr gut, aber…
f) Sie hat drei Hunde, aber…
g) Sie schläft jeden Tag zehn Stunden, aber…
h) Sie ist sehr attraktiv, aber…
i) Sie sieht sehr gut aus, aber…
j) Sie spricht vier Sprachen, aber…
k) Sie hat viele Kleider, aber…
l) Sie ist sehr reich, aber…
m) Sie kennt viele Leute, aber…
n) Sie fährt oft Ski, aber…
o) Sie geht oft einkaufen, aber…
p) Sie weiß sehr viel über Musik, aber…

Lektion 13

Nach Übung

11

im Kursbuch

15. Was würden Sie raten?

a) Er ist immer sehr nervös. (weniger arbeiten)

Es wäre gut, wenn er
weniger arbeiten würde.

b) Ich bin zu dick. (weniger essen)

c) Petra ist immer erkältet. (wärmere Kleidung tragen)

d) Sie kommen immer zu spät zur Arbeit. (früher aufstehen)

e) Mein Auto ist oft kaputt. (ein neues Auto kaufen)

f) Meine Miete ist zu teuer. (eine andere Wohnung suchen)

g) Ich bin zu unsportlich. (jeden Tag 30 Minuten laufen)

h) Seine Arbeit ist so langweilig. (eine andere Stelle suchen)

i) Wir haben so wenig Freunde. (netter sein)

Nach Übung

11

im Kursbuch

16. Ihre Grammatik. Ergänzen Sie.

	ich	du	er/sie/es/man	wir	ihr	sie	Sie
Indikativ	*gehe*	*gehst*					
Konjunktiv	*würde gehen*	*würdest gehen*					
Indikativ	*bin*						
Konjunktiv	*wäre*						
Indikativ	*habe*						
Konjunktiv	*hätte*						

17. Was passt nicht?

a) schwer – schlimm – schlecht – wichtig

b) zufrieden sein – sauber sein – Lust haben – Spaß machen

c) Politiker – Lehrerin – Firma – Verkäufer – Arzt – Schauspielerin – Polizist – Sekretärin – Schüler – Beamter

d) Studium – Universität – Student – Schule – studieren

e) leicht – aber – denn – deshalb – trotzdem

18. Was passt?

Nach Übung
14
im Kursbuch

Kompromiss   Material   raten   Himmel   Literatur   Kunst
singen   Hut
Gedanke   Schatten   Glückwunsch   Radio   Mond   sich ärgern

a) hören : Musik / lesen : _____
b) wahr : Wissenschaft / schön : _____
c) lustig sein : sich freuen / böse sein : _____
d) hell : Sonne / dunkel : _____
e) Fuß : Schuhe / Kopf : _____
f) unten : Erde / oben : _____
g) Weihnachten : Fröhliche Weihnachten / Geburtstag : Herzlichen _____
h) keiner zufrieden : Streit / alle zufrieden : _____
i) Herz : Gefühl / Kopf : _____
j) Hammer : Werkzeug / Holz : _____
k) tun : helfen / vorschlagen : _____
l) am Tag : Sonne / in der Nacht : _____
m) Klaviermusik : spielen / Lied : _____
n) sehen und hören : Fernsehen / nur hören : _____

19. Was wissen Sie über Gabriela? Schreiben Sie einen kleinen Text.

Nach Übung
16
im Kursbuch

Sie können die folgenden Informationen verwenden.

Gabriela, 20, Straßenpantomimin
zieht von Stadt zu Stadt, spielt auf Plätzen und Straßen
Leute mögen ihr Spiel, nur wenige regen sich auf
sammelt Geld bei den Leuten, verdient ganz gut, muss regelmäßig spielen
früher mit Helmut zusammen, auch Straßenkünstler, ihr hat das freie Leben gefallen
für Helmut Geld gesammelt, auch selbst getanzt
nach einem Krach Schnellkurs für Pantomimen gemacht
findet ihr Leben unruhig, möchte keinen anderen Beruf

20. „Hat", „hatte", „hätte", „ist", „war", „wäre" oder „würde"? Ergänzen Sie.

Nach Übung
16
im Kursbuch

Gabriela _____ (a) Straßenpantomimin. Natürlich _____ (b) sie nicht
viel Geld, aber wenn sie einen anderen Beruf _____ (c), dann
_____ (d) sie nicht mehr so frei. Früher _____ (e) sie zusammen mit
ihrem Freund gespielt. Sein Name _____ (f) Helmut, und er _____ (g)
ganz nett, aber sie _____ (h) oft Streit. Manchmal _____ (i) das Leben

Lektion 13

einfacher, wenn Helmut noch da _____(j). Im Moment _____(k)
Gabriela keinen Freund. Deshalb _____(l) sie oft allein, aber trotzdem
_____(m) sie nicht wieder mit Helmut zusammen spielen. „Wir
_____(n) doch nur wieder Streit", sagt sie. Gestern _____(o) Gabriela
in Hamburg gespielt. „Da _____(p) ein Mann zu mir gesagt: ‚Wenn Sie meine
Tochter _____(q), dann _____(r) ich Ihnen diesen Beruf verbieten'",
erzählt sie. Natürlich _____(s) Gabrielas Eltern auch glücklicher, wenn ihre Toch-
ter einen „richtigen" Beruf _____(t). Es _____(u) ihnen lieber, wenn
Gabriela zu Hause wohnen _____(v) oder einen Mann und Kinder
_____(w). Aber Gabriela _____(x) schon immer ihre eigenen Ideen.

Nach Übung

16

im Kursbuch

21. Was passt?

a) auf dem Kopf : Haare / im Gesicht : _____
b) Dollar : Cent / Euro : _____
c) wegfahren : Koffer packen / nach Hause kommen : Koffer _____
d) Museum : Ausstellung / Theater : _____
e) im Film spielen : Schauspieler / den Film sehen : _____
f) in der Arbeitszeit : arbeiten / in der Pause : _____
g) Fuß : Zehe / Hand : _____
h) Woche : Tage / Stunde : _____
i) ruhig : Ruhe / laut : _____
j) sich freuen : lachen / traurig sein : _____
k) Buch : schreiben / Bild : _____
l) Erdbeere : Pflanze / Apfel : _____

Nach Übung

16

im Kursbuch

22. Was passt?

nützen	Eingang/Ausgang	Ordnung	Qualität	Kaufhaus	feucht
öffentlich	Lautsprecher	Spezialität	möglich	regelmäßig	kaum

a) vielleicht, es könnte sein: _____
b) gut/schlecht machen, gute/schlechte Ware: _____
c) großes Geschäft, man kann alles kaufen: _____
d) hat nicht jeder, besonderes Produkt: _____
e) Haus, Geschäft, Tür, Tor: _____
f) Radio, Fernsehen, hören: _____
g) für alle, nicht privat: _____
h) jede Woche, jeden Tag, jeden Sonntag: _____
i) nicht ganz trocken: _____
j) gut für eine Person/eine Sache, Vorteile bringen: _____
k) sehr selten, fast nie: _____
l) alle Dinge haben einen festen Platz: _____

23. Was passt am besten?

Nach Übung

16

im Kursbuch

verbieten	sich ausruhen	gern haben
sich beschweren legen	laut sein leihen	lachen

a) ruhig sein – _____
b) nicht mögen – _____
c) gut finden – _____
d) stellen – _____

e) kaufen – _____
f) die Erlaubnis geben – _____
g) weinen – _____
h) arbeiten – _____

24. Ergänzen Sie die Modalverben im Konjunktiv („sollt-", „müsst-", „könnt-", „dürft-").

Nach Übung

18

im Kursbuch

a) Sonja ist erst 8 Jahre alt. Eigentlich _____ sie den Kriminalfilm nicht sehen, aber sie tut es trotzdem, weil ihre Eltern nicht zu Hause sind.
b) Wenn Manfred mit der Schule aufhören würde, dann _____ er sofort arbeiten und Geld verdienen.
c) Wenn Manfred den Schulabschluss machen möchte, dann _____ er noch ein Jahr zur Schule gehen.
d) „Du _____ unbedingt deinen Schulabschluss machen", hat seine Mutter ihm geraten.
e) Manfred _____ vielleicht sogar auf das Gymnasium gehen, wenn er den Real-schulabschluss machen würde.
f) Wenn Vera nicht bei ihren Eltern wohnen _____, dann hätte sie große Pro-bleme, weil sie dann eine eigene Wohnung mieten _____.
g) Anita möchte die Stelle in Offenbach nicht nehmen, weil sie dann jeden Tag 35 Kilometer zur Arbeit fahren _____.
h) Auf dem Rathausplatz in Hamburg _____ Gabriela eigentlich nicht spielen, aber sie tut es trotzdem.

25. Ihre Grammatik. Ergänzen Sie.

Nach Übung

18

im Kursbuch

	ich	du	er/sie/es/man	wir	ihr	sie	Sie
müssen	müsste						
dürfen							
können							
sollen							

Lektion 14

Wortschatz

Verben

abholen 172
abmelden 176
anmelden 176
arbeiten 175
ausgeben 178
bedienen 176
bekommen 177
beraten 176
bezahlen 177

brauchen 171
bringen 174
einkaufen 178
erklären 176
funktionieren 171
kaufen 177
kontrollieren 176
kosten 173
leisten 177

machen 173
passen 172
passieren 171
pflegen 176
prüfen 172
reichen 178
reparieren 173
schlafen 177
schneiden 174

sorgen 177
tanken 173
überzeugen 173
verbrauchen 171
verkaufen 175
verlieren 172
versuchen 172
warnen 177
wechseln 172

Nomen

s Abendessen, - 177
e Arbeit, -en 175
r Arbeiter, - 174
r Arbeitnehmer, - 176
r Artikel, - 176
s Auto, -s 170
e Batterie, -n 176
s Benzin 170
e Bremse, -n 171
s Büro, -s 176
e Chance, -n 176
r Dank 172
r Diesel 176
r Donnerstag 172
e Eheleute (Plural) 177
s Europa 176
r Freitag 172

s Gas 176
s Geld 177
e Geschwindigkeit, -en 170
s Gewicht 170
s Haus, ̈er 177
r Haushalt 178
e Heizung 179
e Information, -en 176
s Jahr, -e 170
e Kasse, -n 176
r Kilometer, - 170
r Kofferraum, ̈e 170
e Konkurrenz 176
r Kredit, -e 179
r Kunde, -n 176
e Lampe, -n 175
r Lastwagen, - 174

e Länge 170
r Liter, - 170
r Lohn, ̈e 179
e Maschine, -n 175
r Mechaniker, - 171
r Meister, - 176
r Motor, -en 170
s Öl 171
e Panne, -n 171
r Prospekt, -e 171
s Rad, ̈er 174
r Reifen, - 171
e Reparatur, -en 170
e Situation, -en 178
r Spiegel, - 171
e Steuer, -n 170
r Strom 179
e Summe, -n 179
e Tankstelle, -n 171

r Unfall, ̈e 171
r Unterricht 176
r Urlaub 177
e Überweisung, -en 179
r Verkäufer, - 171
r Verkehr 176
e Versicherung, -en 170
e Verzeihung 173
r Vorname, -n 178
s Wasser 179
e Werkstatt, ̈en 172
e Wohnung, -en 178
e Zeitschrift, -en 176
r Zug, ̈e 174
r Zuschlag, ̈e 179

Adjektive

automatisch 174
bequem 171
billig 170
direkt 176
durchschnittlich 170
eigen 177

einfach 173
früh 174
geöffnet 176
hoch 170
kaputt 171
kompliziert 175

langsam 170
niedrig 170
normal 176
preiswert 170
schwach 170
technisch 176

teuer 170
verschieden 176
wahr 173

Adverbien

danach 174	montags 178	plus 177	zuerst 174
dienstags 178	morgen 172	vormittags 177	
links 172	nachmittags 177	vorne 172	

Funktionswörter

daraus 174	rund um 176	vor 177	wenig 170
pro 177	statt 173	was 171	wie viel 178

Ausdrücke

eine Frage stellen 178	Erfolg haben 176	frei haben 177	recht haben 173
	es geht 176	noch einmal 174	wie lange 178

Grammatik

Steigerung des Adjektivs (§ 18 und 19)

	klein	der	kleine	Wagen	der	schwache	Motor
	kleiner	der	kleinere	Wagen	der	schwächere	Motor
am	kleinsten	der	kleinste	Wagen	der	schwächste	Motor

Unregelmäßige Steigerungsformen: Kursbuch Seite 204!
Adjektivendungen: Seite 124!

Passiv (§ 42)

Man braucht mich.	Ich	werde	gebraucht.
Ich frage dich.	Du	wirst	gefragt.
Die Maschine schneidet das Blech.	Das Blech	wird	geschnitten.
Die Firma stellt uns ein.	Wir	werden	eingestellt.
Man bezahlt euch gut.	Ihr	werdet	gut bezahlt.
Arbeiter montieren die Lampen.	Die Lampen	werden	montiert.

	Vorfeld	Verb₁	Subj.	Angabe	Ergänzung	Verb₂
Aktiv:	Arbeiter (=Subjekt)	montieren			die Lampen. (=Akk.-Erg.)	
Passiv:	Die Lampen (=Subjekt)	werden		von Arbeitern		montiert.

Lektion 14

Nach Übung

1

im Kursbuch

1. Was passt wo?

Benzinverbrauch Gewicht Geschwindigkeit Leistung Kosten Länge Alter

a) Kilowatt, PS: _____
b) Euro: _____
c) Jahre: _____
d) Kilogramm, Gramm: _____

e) Meter, Zentimeter: _____
f) Kilometer in der Stunde: _____
g) Liter auf 100 Kilometer: _____

Nach Übung

1

im Kursbuch

2. Wie heißt das Gegenteil?

schwer viel preiswert/billig klein niedrig/tief leise schnell stark lang

a) langsam – _____
b) groß – _____
c) laut – _____

d) kurz – _____
e) hoch – _____
f) teuer – _____

g) wenig – _____
h) schwach – _____
i) leicht – _____

Nach Übung

2

im Kursbuch

3. Ergänzen Sie.

Der neu____ Gaudi 26: Ihr Auto für die Zukunft!

Sein stärker_____ Motor, seine höher_____ Geschwindigkeit, sein größer_____ Kofferraum (430 Liter), seine breiter_____ Türen, seine bequemer_____ Sitzplätze – das sind nur einige Argumente. Aber er hat nicht nur einen stärker_____, sondern auch einen sauberer_____ Motor durch den neu_____, besser_____ 3-Wege-Katalysator. Der niedriger_____ Benzinverbrauch bedeutet auch: niedriger_____ Kosten. Der neu_____ Gaudi 26 gibt Ihnen größer_____ Sicherheit durch Airbag, ABS und das Gaudi-Sicherheitssystem *R.E.U.S.*
Gaudi 26 – die moderner_____ Technik –
Gaudi 26 – das besser_____ Auto!

Lektion 14

4. Ihre Grammatik. Ergänzen Sie.

	a)	b)
Nominativ	Das ist… …der *höchste* Verbrauch. …die *höch*___ Geschwindigkeit. …das *höch*___ Gewicht. Das sind die *höch*___ Kosten.	Das ist… …ein *niedriger* Verbrauch. …eine *nied*___ Geschwindigkeit. …ein ___ Gewicht. Das sind ___ Kosten.
Akkusativ	Dieser Wagen hat… …den ___ Verbrauch. …die ___ Geschwindigkeit. …das ___ Gewicht. …die ___ Kosten.	Dieser Wagen hat… …einen ___ Verbrauch. …eine ___ Geschwindigkeit. …ein ___ Gewicht. …___ Kosten.
Dativ	Das ist der Wagen mit… …dem ___ Verbrauch. …der ___ Geschwindigkeit. …dem ___ Gewicht. …den ___ Kosten.	Es gibt einen Wagen mit… …einem ___ Verbrauch. …einer ___ Geschwindigkeit. …einem ___ Gewicht. …___ Kosten.

5. „Wie" oder „als"? Ergänzen Sie.

a) Den Corsa finde ich besser _____ den Renault.

b) Der Fiesta fährt fast so schnell _____ der Fiat.

c) Der Fiat hat einen genauso starken Motor _____ der Opel.

d) Der Fiesta verbraucht weniger Benzin _____ der Corsa.

e) Der Fiesta hat einen fast so großen Kofferraum _____ der Uno.

f) Es gibt keinen günstigeren Kleinwagen _____ den Uno.

g) Kennen Sie einen schnelleren Kleinwagen _____ den Renault Clio?

h) Der Renault kostet genauso viel Steuern _____ der Corsa.

6. Sagen Sie es anders.

a) Man hat mir gesagt, das neue Auto verbraucht weniger Benzin. Aber das stimmt nicht.
Das neue Auto verbraucht mehr Benzin, als man mir gesagt hat.

b) Man hat mir gesagt, das neue Auto verbraucht weniger Benzin. Das stimmt wirklich.
Das neue Auto verbraucht genauso wenig Benzin, wie man mir gesagt hat.

c) Du hast gesagt, die Kosten für einen Renault sind sehr hoch. Du hattest Recht.

d) Der Autoverkäufer hat uns gesagt, der Motor ist erst 25 000 km gelaufen. Aber das ist falsch. Der Motor ist viel älter.

e) Im Prospekt steht, der Wagen fährt 150 km/h. Aber er fährt schneller.

f) In der Anzeige schreibt Renault, der Wagen fährt 155 km/h. Das stimmt.

g) Der Autoverkäufer hat mir erzählt, den Wagen gibt es nur mit einem 65-PS-Motor. Aber es gibt ihn auch mit einem schwächeren Motor.

h) Früher habe ich gemeint, Kleinwagen sind unbequem. Aber jetzt finde ich das nicht mehr.

Nach Übung **3** im Kursbuch

Nach Übung **3** im Kursbuch

Nach Übung **4** im Kursbuch

Lektion 14

Nach Übung

6
im Kursbuch

7. Was passt nicht?

a) Auto: einsteigen, fahren, gehen, aussteigen.
b) Schiff: schwimmen, fließen, segeln, fahren.
c) Flugzeug: fahren, fliegen, einsteigen, steuern.
d) Spaziergang: gehen, wandern, laufen, fahren.
e) Fahrrad: fahren, klingeln, hinfallen, gehen.

Nach Übung

7
im Kursbuch

8. Ergänzen Sie.

> Batterie   Bremsen   Reifen   Spiegel   Panne   Lampe   Werkstatt
> Werkzeug   Unfall   Benzin

a) Wenn der Tank leer ist, braucht man _____.
b) Eine _____ ist kaputt, deshalb funktioniert das Fahrlicht nicht.
c) Ich kann die Bremsen nicht prüfen. Mir fehlt das richtige _____.
d) Ich kann hinter mir nichts sehen, der _____ ist kaputt.
e) Oh Gott! Ich kann nicht mehr anhalten! Die _____ funktionieren nicht.
f) Wir können nicht mehr weiterfahren; wir haben eine _____.
g) Der Wagen hat zu wenig Luft in den _____; das ist gefährlich.
h) Der Motor startet nicht. Vielleicht ist die _____ leer.
i) Jetzt ist mein Wagen schon seit drei Tagen in der _____ und er ist immer noch nicht fertig.
j) Die Tür vorne rechts ist kaputt, weil ich einen _____ hatte.

Nach Übung

7
im Kursbuch

9. Was kann man nicht sagen?

a) Ich muss meinen Wagen | *waschen.*
| *tanken.*
| *baden.*
| *abholen.*
| *parken.*

d) Ist der Wagen | *preiswert?*
| *blau?*
| *fertig?*
| *blond?*
| *neu?*

b) Der Tank ist | *kaputt.*
| *schwierig.*
| *leer.*
| *voll.*
| *groß.*

e) Das Auto | *verliert* | *Öl.*
| *braucht*
| *hat genug*
| *verbraucht*
| *nimmt*

c) Ich finde, der Motor läuft | *zu langsam.*
| *sehr gut.*
| *nicht richtig.*
| *zu schwierig.*
| *sehr laut.*

f) Mit diesem Auto können Sie | *gut laufen.*
| *schnell fahren.*
| *gut parken.*

10. „Gehen" hat verschiedene Bedeutungen.

Nach Übung

9

im Kursbuch

A. Als Frau alleine Straßentheater machen – das *geht* doch nicht!
   (Das soll man nicht tun. Das ist nicht normal.)
B. Das Fahrlicht *geht* nicht.
   (Etwas ist kaputt oder funktioniert nicht.)
C. Können Sie bis morgen mein Auto reparieren? *Geht* das?
   (Ist das möglich?)
D. Wie *geht* es dir?
   (Bist du gesund und zufrieden? Hast du Probleme?)
E. Warum willst du mit dem Auto fahren? Wir können doch *gehen*.
   (zu Fuß gehen, laufen, nicht fahren)
F. Inge ist acht Jahre alt. Sie *geht* seit zwei Jahren zur Schule.
   (die Schule oder die Universität oder einen Kurs besuchen)
G. Wir *gehen* oft ins Theater. / Wir *gehen* jeden Mittwoch schwimmen.
   (zu einem anderen Ort gehen oder fahren und dort etwas tun)

Welche Bedeutung hat „gehen" in den folgenden Sätzen?

1. Meiner Kollegin geht es heute nicht so gut. Sie hat Kopfschmerzen.

2. Geht ihr heute Abend ins Kino?

3. Kann ich heute bei dir fernsehen? Mein Gerät geht nicht.

4. Wenn man Chemie studieren will, muss man 5 bis 6 Jahre zur Universität gehen.

5. Geht das Radio wieder?

6. Gaby trägt im Büro immer so kurze Röcke. Ich finde, das geht nicht.

7. Ich gehe heute Nachmittag einkaufen.

8. Warum gehst du denn so langsam?

9. Wie lange gehst du schon in den Deutschkurs?

10. Max trinkt immer meine Milch. Das geht doch nicht!

11. Geht es Ihrer Mutter wieder besser?

12. Ich möchte kurz mit Ihnen sprechen. Geht das?

13. Ich gehe lieber zu Fuß. Das ist gesünder.

14. Sie wollen mit dem Chef sprechen? Das geht leider nicht.

Lektion 14

Nach Übung
9
im Kursbuch

11. Schreiben Sie einen Dialog.

Ja, da haben Sie Recht, Frau Becker. Na gut, wir versuchen es, vielleicht geht es ja heute doch noch.
Mein Name ist Becker. Ich möchte meinen Wagen bringen.
Nein, das ist alles. Wann kann ich das Auto abholen?
Morgen Nachmittag erst? Aber gestern am Telefon haben Sie mir doch gesagt, Sie können es heute noch reparieren.
Das interessiert mich nicht. Sie haben es versprochen!
Morgen Nachmittag.
Die Bremsen ziehen immer nach rechts, und der Motor braucht zu viel Benzin.
Es tut mir Leid, Frau Becker, aber wir haben so viel zu tun. Das habe ich gestern nicht gewusst.
Noch etwas?
Ach ja, Frau Becker. Sie haben gestern angerufen. Was ist denn kaputt?

○ _Mein Name ist Becker. Ich möchte meinen Wagen bringen._

□ _____

○ ...

Nach Übung
11
im Kursbuch

12. Was passt wo? (Einige Wörter passen zu mehr als zu einem Verb.)

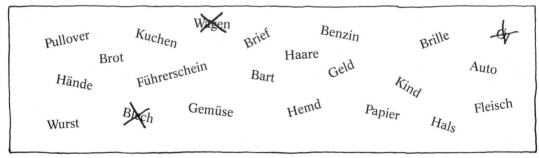

Pullover   Kuchen   ~~Wagen~~   Brief   Benzin   Brille   ~~Öl~~
Brot   Haare   Auto
Hände   Führerschein   Bart   Geld   Kind
Wurst   ~~Blech~~   Gemüse   Hemd   Papier   Hals   Fleisch

verlieren	schneiden	waschen
_Öl_	_Blech_	_Wagen_

13. Arbeiten in einer Autowerkstatt. Was passiert hier? Schreiben Sie.

Nach Übung
11
im Kursbuch

Radio montieren   Bremsen prüfen   reparieren   waschen   arbeiten   tanken

sauber machen   Rechnung bezahlen   schweißen   Öl prüfen   wechseln   ~~abholen~~

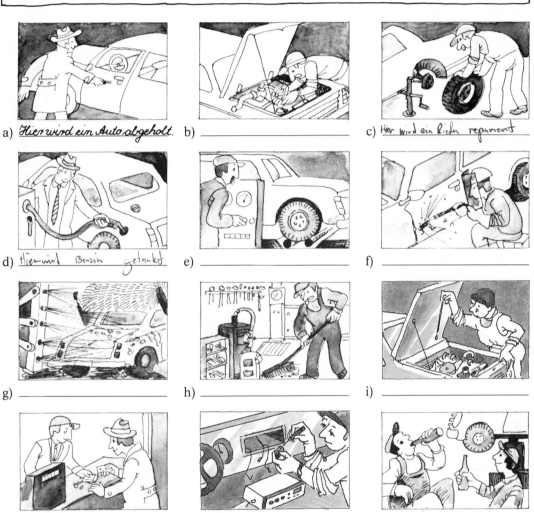

a) *Hier wird ein Auto abgeholt.*   b) _____   c) *Hier wird ein Reifen repariert*

d) *Hier wird Benzin getankt*   e) _____   f) _____

g) _____   h) _____   i) _____

j) _____   k) _____   l) _____

14. Ihre Grammatik. Ergänzen Sie.

Nach Übung
11
im Kursbuch

ich	du	Sie	er/sie/es/man	wir	ihr	sie/Sie
werde abgeholt	*w*					

Lektion 14

Nach Übung

11

im Kursbuch

15. Familie Sommer: Was wird von wem gemacht?

a) Kinder wecken (Vater)   *Die Kinder werden vom Vater geweckt.*
b) Kinder anziehen (Mutter)
c) Frühstück machen (Vater)
d) Kinder zur Schule bringen (Vater)
e) Geschirr spülen (Geschirrspüler)
f) Wäsche waschen (Waschmaschine)
g) Kinderzimmer aufräumen (Kinder)
h) Hund baden (Kinder)
i) Kinder ins Bett bringen (V. und M.)
j) Wohnung putzen (Vater)
k) Essen kochen (Vater)
l) Geld verdienen (Mutter)

Nach Übung

11

im Kursbuch

16. Ihre Grammatik. Ergänzen Sie.

a) Die Karosserien werden von Robotern geschweißt.
b) Roboter schweißen die Karosserien.
c) Morgens wird das Material mit Zügen gebracht.
d) Züge bringen morgens das Material.
e) Der Vater bringt die Kinder ins Bett.
f) Die Kinder werden vom Vater ins Bett gebracht.

	Vorfeld	Verb$_1$	Subjekt	Ergänzung	Angabe	Ergänzung	Verb$_2$
a)	*Die Karosserien*	*werden*			*von Robotern*		*geschweißt.*
b)							
c)							
d)							
e)							
f)							

Lektion 14

17. Was können Sie auch sagen?

Nach Übung **11** im Kursbuch

a) *Die schweren Arbeiten werden von Robotern gemacht.*
- Ⓐ Die Roboter machen die Arbeit schwer.
- Ⓑ Die schweren Roboter werden nicht von Menschen gemacht.
- Ⓒ Die Roboter machen die schweren Arbeiten.

b) *In unserer Familie wird viel gesungen.*
- Ⓐ In unserer Familie singen wir oft.
- Ⓑ Unsere Familie singt immer.
- Ⓒ Unsere Familie singt meistens hoch.

c) *Worüber wird morgen im Deutschkurs gesprochen?*
- Ⓐ Mit wem sprechen wir morgen im Deutschkurs?
- Ⓑ Spricht morgen jemand im Deutschkurs?
- Ⓒ Über welches Thema sprechen wir morgen im Deutschkurs?

d) *Kinder werden nicht gerne gewaschen.*
- Ⓐ Keiner wäscht die Kinder.
- Ⓑ Kinder mögen es nicht, wenn man sie wäscht.
- Ⓒ Kinder wäscht man meistens nicht.

e) *Wird der Wagen zu schnell gefahren?*
- Ⓐ Fährt der Wagen zu schnell?
- Ⓑ Ist der Wagen meistens sehr schnell?
- Ⓒ Fahren Sie den Wagen zu schnell?

f) *In Deutschland wird viel Kaffee getrunken.*
- Ⓐ Man trinkt viel Kaffee, wenn man in Deutschland ist.
- Ⓑ Wenn man viel Kaffee trinkt, ist man oft in Deutschland.
- Ⓒ Die Deutschen trinken viel Kaffee.

18. Berufe rund ums Auto.

Nach Übung **12** im Kursbuch

a) Ordnen Sie zu.

| A. | Ein Autoverkäufer | B. | Ein Tankwart | C. | Eine Berufskraftfahrerin |

1	bekommt Provisionen
2	fährt täglich 500 bis 700 Kilometer.
3	hat keine leichte Arbeit.
4	hat oft unregelmäßige Arbeitszeiten.
5	ist meistens an der Kasse.
6	kann Kredite und Versicherungen besorgen.
7	ist oft von der Familie getrennt.
8	muss auch Büroarbeit machen.
9	muss auch technische Arbeiten machen.
10	muss immer pünktlich ankommen.
11	verkauft Autos.
12	verkauft Benzin, Autozubehörteile und andere Artikel.

b) Schreiben Sie drei Texte im Konjunktiv II.

A. *Wenn ich Autoverkäufer wäre, würde ich Pr...   Ich ... und ...*
B. *Wenn ich Tank...*
C. *Wenn ...*

Lektion 14

19. Setzen Sie die Partizipformen ein.

a) (anrufen)
   ○ Hast du schon die Werkstatt _____?
   □ Ich werde von der Werkstatt _____.

b) (reparieren)
   ○ Hat der Mechaniker das Auto _____?
   □ Nein, das Auto wird später _____.

c) (aufmachen)
   ○ Hat die Tankstelle schon _____?
   □ Nein, sie wird erst um 9 Uhr _____.

d) (versorgen)
   ○ Hat Thomas die Kinder _____?
   □ Die Kinder werden von Brigitte _____.

e) (bedienen)
   ○ Hat man dich schon _____?
   □ Nein, hier wird man nicht gut _____.

f) (verkaufen)
   ○ Hast du dein Auto _____?
   □ Nein, das wird nicht _____.

g) (wechseln)
   ○ Hat Martin die Reifen _____?
   □ Nein, die Reifen werden von der Werkstatt _____.

h (beraten)
   ○ Hat man dich hier gut _____?
   □ Ja, hier wird man gut _____.

i) (anmelden)
   ○ Hast du deinen neuen Wagen _____?
   □ Der wird von der Autofirma _____.

j) (besorgen)
   ○ Hast du dir einen Kredit _____?
   □ Der wird mir vom Autoverkäufer _____.

k) (pflegen)
   ○ Hast du dein Auto immer gut _____?
   □ Das wird von meinem Bruder _____.

l) (montieren)
   ○ Hast du das Autoradio _____?
   □ Nein, das wird vom Mechaniker _____.

m) (kontrollieren)
   ○ Hat Herr Meyer die Kasse _____?
   □ Die wird von Herrn Müller _____.

n) (vorbereiten)
   ○ Haben Sie die Reparatur _____?
   □ Die wird vom Meister _____.

o) (zurückgeben)
   ○ Hat man dir das Geld _____?
   □ Nein, das wird nicht _____.

p) (einschalten)
   ○ Haben Sie das Fahrlicht _____?
   □ Nein, das wird noch nicht _____.

q) (bezahlen)
   ○ Hast du die Rechnung schon _____?
   □ Nein, die wird auch nicht _____.

r) (kündigen)
   ○ Hast du die Versicherung _____?
   □ Nein, die wird auch nicht _____.

s) (schreiben)
   ○ Haben Sie die Rechnung _____?
   □ Die wird doch vom Computer _____.

t) (liefern)
   ○ Hat man schon die neuen Teile _____?
   □ Nein, die werden morgen mit der Bahn _____.

20. Wo arbeiten diese Leute?

Nach Übung
13
im Kursbuch

> Sekretär(in)   Roboter   Tankwart(in)   Autoverkäufer(in)   Meister(in)
> Mechaniker(in)   Schichtarbeiter(in)   Buchhalter(in)
> Facharbeiter(in)
> Fahrlehrer(in)   Taxifahrer(in)   Berufskraftfahrer(in)

a) im Auto:

_____ , _____ , _____

b) im Autogeschäft:

_____ , _____ , _____

c) an der Tankstelle / in der Werkstatt:

_____ , _____ , _____

d) in der Autofabrik:

_____ , _____ , _____

21. Ergänzen Sie.

Nach Übung
14
im Kursbuch

a) Franziska ist _____ Jürgen verheiratet.
b) Jürgen arbeitet seit 11 Jahren _____ einer Autoreifenfabrik.
c) Er sorgt _____ die Kinder und macht das Abendessen.
d) Die Arbeit ist nicht gut _____ das Familienleben.
e) Jürgen ist _____ seinem Gehalt zufrieden.
f) _____ Überstunden bekommt er 25% extra.
g) Arbeitspsychologen warnen _____ Schichtarbeit.
h) Da bleibt wenig Zeit _____ Gespräche.
i) Hier findet man Informationen _____ die wichtigsten Berufe.
j) Berufskraftfahrer sind oft mehrere Tage _____ ihrer Familie getrennt.
k) Der Beruf des Automechanikers ist _____ Jungen sehr beliebt.
l) Fahrlehrer bereiten die Fahrschüler _____ die Führerscheinprüfung vor.
m) _____ Selbständiger verdient man mehr.

> mit   vor   von   für   über   als   auf   bei

22. Was passt nicht?

Nach Übung
15
im Kursbuch

a) Job – Beruf – Hobby – Arbeit
b) Frühschicht – Feierabend – Nachtschicht – Überstunden
c) Industrie – Arbeitgeber – Arbeitnehmer – Angestellter
d) Feierabend – Wochenende – Urlaub – Arbeitszeit
e) Urlaubsgeld – Gehalt – Haushalt – Stundenlohn
f) Firma – Kredit – Betrieb – Fabrik

Lektion 14

23. Ein Interview mit Norbert Behrens.
   Schreiben Sie die Fragen.

○ *Herr Behrens, was sind ...*
_____

☐ Ich bin Taxifahrer.
○ _____

☐ Nein, ich arbeite für ein Taxiunternehmen.
○ _____
_____

☐ Ich bin jetzt 27.
○ _____

☐ Ich habe eigentlich immer Nachtschicht,
   das heißt ich arbeite von 20 bis 7 Uhr.
○ _____
_____

☐ Naja, nach dem Frühstück, also zwischen
   8 und 14 Uhr.
○ _____

☐ Nein, das finde ich nicht so schlimm. Wenn ich nur am Tag besser schlafen könnte.
○ _____

☐ Weil der Straßenlärm mich stört.
○ _____

☐ Sie ist Krankenschwester.
○ _____

☐ Einen Sohn, er ist 4 Jahre alt.
○ _____

☐ Sie arbeitet nur morgens, zwischen 8 und 13 Uhr.
○ _____

☐ Da sind wir beide zu Hause. Dann machen wir gemeinsam den Haushalt, spielen mit dem
   Kind oder wir gehen einkaufen.
○ _____

☐ Weil wir sonst nicht genug Geld haben. Außerdem möchte ich ein eigenes Taxi kaufen und
   mich selbständig machen.

24. Wie heißt das Gegenteil?

| wach | allein | gleich | leer | sauber | mehr | selten | zusammen | ruhig |

a) nervös – _____   d) oft – _____   g) weniger – _____
b) getrennt – _____   e) müde – _____   h) gemeinsam – _____
c) schmutzig – _____   f) voll – _____   i) unterschiedlich – _____

25. Was passt?

Nach Übung
17
im Kursbuch

Kredit	Haushaltsgeld	Rentenversicherung	Schichtarbeit	Steuern
			Lohn	
Arbeitslosenversicherung		Krankenversicherung	Überstunden	Gehalt

a) Wenn man mehr Stunden am Tag arbeitet, als man sonst muss, macht man
   _____.

b) Wenn man krank ist, möchte man Medikamente und Arztkosten nicht selbst bezahlen.
   Deshalb hat man eine _____.

c) Wenn man nicht regelmäßig arbeitet, also mal am Tag und mal nachts, macht man
   _____.

d) Ein Arbeiter bekommt für seine Arbeit einen _____.

e) Ein Angestellter bekommt für seine Arbeit ein _____.

f) Wenn man seine Arbeit verloren hat, bekommt man Geld von der _____.

g) Für die Kosten im Haushalt und in der Familie braucht man _____.

h) Wenn man sich Geld leiht, hat man einen _____.

i) Herr Meier arbeitet nicht mehr. Deshalb bekommt er jetzt Geld von der _____.

j) Der Bruttolohn ist der Nettolohn plus Versicherungen und _____.

26. Was sehen Sie?

Nach Übung
17
im Kursbuch

a) Autobahn _____
b) Autounfall _____
c) Autozug _____
d) Unfallauto _____

e) Automechaniker _____
f) Autowerkstatt _____
g) Lastwagen _____
h) Werkstattauto _____

Lektion 15

Wortschatz

Verben

anrufen 184
aufpassen 193
aufräumen 184
aufstehen 193
ausmachen 184
berichten 188
denken über 186
duschen 184
einladen 183
entschuldigen 183
erziehen 189

essen 182
fernsehen 187
fühlen 191
glauben 186
hängen 184
hassen 183
heiraten 185
heißen 186
hoffen 185
kochen 183
kümmern 189

langweilen 191
leben 185
lieben 185
meinen 186
putzen 193
rauchen 182
sagen 185
schimpfen 187
schlagen 189
schmecken 182
schwimmen 193

setzen 187
sparen 184
spazieren gehen 187
sterben 190
streiten 184
telefonieren 184
töten 186
trinken 188
unterhalten 183
wecken 184

Nomen

r Alkohol 183
e Angst, ̈e 184
s Baby, -s 185
e Beamtin, -nen 185
e/r Bekannte, -n (ein
   Bekannter) 183
r Besuch, -e 188
r Chef, -s 183
e Diskothek, -en 186
e Ehe, -n 185
e Ehefrau, -en 186
s Ehepaar, -e 185
e Eltern (Plural) 185
e Erziehung 191
s Essen 187
e Familie, -n 189
r Fehler, - 187

r Fernseher, - 184
e Flasche, -n 187
e Frau, -en 185
r Freund, -e 186
e Freundin, -nen
   186
r Geburtstag, -e 184
s Gesetz, -e 191
s Gespräch, -e 184
e Großeltern (Plural)
   189
e Großmutter, ̈ 193
r Großvater, ̈ 193
r Herr, -en 189
r Ingenieur, -e 186
e Jugend 191
s Kind, -er 184

e Kleider (Plural)
   184
e Küche, -n 184
r Kühlschrank, ̈e
   187
e Laune, -n 183
s Leben 185
s Mädchen, - 192
s Menü, -s 188
e Mutter, ̈ 184
r Nachbar, -n 183
r Neffe, -n 193
e Nichte, -n 193
r Onkel, - 193
s Paar, -e 185
e Pause, -n 183
s Prozent, -e 185

e Ruhe 187
r Salat, -e 187
e Soße, -n 187
e Laune, -n 183
r Schrank, ̈e 184
e Schwester, -n 183
r Sohn, ̈e 193
e Tante, -n 193
e U-Bahn, -en 186
r Unsinn 186
e Untersuchung, -en
   185
s Urteil, -e 186
r Vater, ̈ 187
s Viertel, - 188
r Wunsch ̈e 192

Adjektive

aktiv 182
allein 188
ärgerlich 188
beruflich 185
besetzt 184
dauernd 183

deutlich 191
doof 183
frei 192
früher 189
glücklich 186
höflich 183

kritisch 192
ledig 188
neugierig 183
spät 182
still 187
überzeugt 186

unbedingt 190
unfreundlich 182
unmöglich 191
verheiratet 188

Adverbien

damals 192	jetzt 185	schließlich 190	weg- 187
gern 186	manchmal 183	sofort 185	zurück- 190

Funktionswörter

auf 186	entweder ... oder ...	für 182	über 183
dass 185	187	mit- 183	um 185

Ausdrücke

dagegen sein 1	klar sein 185	schlechte Laune	Sport treiben 193
frei sein 185	na ja 186	haben 183	zu Hause 192
immer nur 187	nach Hause 184	sich wohl fühlen 187	

Grammatik

Infinitivsatz mit „zu" (§ 56)

Ich habe keine Zeit	für Sabine.	Ich habe keine Zeit	Sabine zu helfen.
Ich habe keine Zeit	für sie.	Ich habe keine Zeit	dafür.

Ich möchte ihm helfen	eine Frau zu finden.
Wir haben keine Lust	täglich acht Stunden zu arbeiten.
Er hat vergessen	anzurufen.
Warum versucht ihr nicht	abzunehmen?
Hast du Zeit	mir diesen Satz zu erklären?

Nebensatz mit „dass" (§ 57)

Ich finde,	dass junge Eltern ihre Kinder besser erziehen können.
Mein Vater sagt,	dass er das nicht glaubt.
Wir hoffen,	dass wir noch Karten für das Konzert bekommen.

Präteritum (§ 41)

Schwache und unregelmäßige Verben		*Starke Verben*	
ich sagte	ich wartete	ich ging	ich fand
du sagtest	du wartetest	du gingst	du fandest
er sagte	er wartete	er ging	er fand
wir sagten	wir warteten	wir gingen	wir fanden
ihr sagtet	ihr wartetet	ihr gingt	ihr fandet
sie sagten	sie warteten	sie gingen	sie fanden
Sie sagte	Sie warteten	Sie gingen	Sie fanden

Lektion 15

Nach Übung

1

im Kursbuch

1. Herr X ist unzufrieden. Er will anfangen besser zu leben. Was sagt Herr X?

Obst essen	Eltern besuchen	spazieren gehen	Blumen gießen
schlafen gehen	Rechnungen bezahlen	eine Krawatte anziehen	kochen
Sport treiben	täglich duschen	arbeiten	eine Fremdsprache lernen
fernsehen	Schuhe putzen	ein Gartenhaus bauen	Zeitung lesen
Bier trinken	zum Zahnarzt gehen	billiger einkaufen	Maria Blumen mitbringen
Geld ausgeben	lügen	Fahrrad fahren	Briefe schreiben
Wohnung aufräumen	aufstehen	frühstücken	telefonieren

mehr	besser		nicht mehr		früher
weniger	immer	regelmäßig		schneller	öfter

Morgen fange ich an mehr Obst zu essen.
Morgen fange ich an früher ...

Nach Übung

1

im Kursbuch

2. Ihre Grammatik. Ordnen Sie.

anfangen	bleiben	fragen	lesen	studieren
anrufen	buchstabieren	frühstücken	malen	tanken
antworten	denken	gehen	nachdenken	tanzen
arbeiten	diskutieren	gewinnen	packen	telefonieren
aufhören	duschen	heiraten	parken	überlegen
aufpassen	einkaufen	helfen	putzen	verlieren
aufräumen	einpacken	kämpfen	reden	vergleichen
aufstehen	einschlafen	klingeln	reisen	vorbeikommen
auspacken	einsteigen	kochen	schlafen	wandern
ausruhen	erzählen	kontrollieren	schreiben	waschen
aussteigen	essen	korrigieren	schwimmen	wählen
ausziehen	fahren	kritisieren	schwitzen	wegfahren
baden	feiern	lachen	sitzen	weinen
bestellen	fernsehen	laufen	singen	zeichnen
bezahlen	fliegen	leben	spielen	zuhören
bitten	fotografieren	lernen	sterben	zurückgeben

untrennbare Verben	trennbare Verben
Ich habe keine Lust...	Ich habe keine Lust...
zu antworten	*anzufangen*
zu ...	*anzurufen*
	...

3. Was findet man gewöhnlich bei anderen Menschen positiv oder negativ? Ordnen Sie die Wörter und schreiben Sie das Gegenteil daneben.

Nach Übung

2

im Kursbuch

a) attraktiv	d) schmutzig	g) laut	j) freundlich	m) pünktlich	p) verrückt
b) treu	e) langweilig	h) sportlich	k) hässlich	n) dumm	q) zufrieden
c) ehrlich	f) höflich	i) sympathisch	l) traurig	o) nervös	

	+	−		+	−
a)	*attraktiv*	*unattraktiv*	j)		
b)			k)		
c)			l)		
d)			m)		
e)			n)		
f)			o)		
g)			p)		
h)			q)		
i)					

4. Ergänzen Sie.

Nach Übung

2

im Kursbuch

Ich mag…

a) dick_____ Leute.

b) meine neu_____ Kollegin.

c) meinen neugierig_____ Nachbarn nicht.

d) sein jüngst_____ Kind am liebsten.

e) Leute mit verrückt_____ Ideen.

f) Leute mit einem klug_____ Kopf.

g) Leute mit einer lustig_____ Frisur.

h) Leute mit einem hübsch_____ Gesicht.

i) den neu_____ Freund meiner Kollegin.

j) die neu_____ Chefin lieber als die alt_____.

k) das ältest_____ Kind meiner Schwester nicht sehr gerne.

l) die sympathisch_____ Gesichter der beiden Schauspieler.

m) das Mädchen mit den rot_____ Haaren.

n) den Mann mit dem lang_____ Bart nicht.

o) die Frau mit dem kurz_____ Kleid.

p) den Mann mit dem sportlich_____ Anzug.

5. Ordnen Sie.

Nach Übung

3

im Kursbuch

Nachbar	Pilot	Verkäufer	Tante	Zahnärztin	Schwester	Musikerin
Bruder	Ehemann	Kaufmann	Eltern	Kellnerin	Kollege	Künstler
Tochter	Lehrerin	Bekannte	Ministerin	Sohn	Politiker	Ehefrau
Polizist	Schauspielerin	Schriftsteller	Soldat	Kind	Fotografin	
Freund	Friseurin	Journalistin	Bäcker	Vater	Mutter	

Berufe	Familie / Menschen, die man gut kennt
Pilot	*Nachbar*
…	…

Lektion 15

Nach Übung

3

im Kursbuch

6. Sie können es auch anders sagen.

a) Ich wollte dich anrufen. Leider hatte ich keine Zeit.
   Leider hatte ich keine Zeit dich anzurufen.

b) Immer muss ich die Wohnung alleine aufräumen. Nie hilfst du mir.
c) Kannst du nicht pünktlich sein? Hast du das nicht gelernt?
d) Hast du Gaby nicht eingeladen? Hast du das vergessen?
e) Ich lerne jetzt Französisch. Morgen fange ich an.
f) Ich wollte letzte Woche mit Jochen ins Kino gehen, aber er hatte keine Lust.
g) Meine Kollegin konnte mir gestern nicht helfen, weil sie keine Zeit hatte.
h) Mein Bruder wollte mein Auto reparieren. Er hat es versucht, aber es hat nicht geklappt.
i) Der Tankwart sollte den Wagen waschen, aber er hat es vergessen.

Nach Übung

3

im Kursbuch

7. Ordnen Sie.

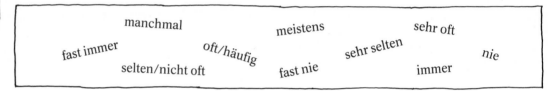

a) *nie* _____ → b) _____ → c) _____ → d) _____ → e) _____ →
f) _____ → g) _____ → h) _____ → i) _____ → j) _____

Nach Übung

3

im Kursbuch

8. Was passt zusammen?

A. Mit den folgenden Sätzen kann man einen Infinitivsatz beginnen.

Ich habe Lust	Ich habe vergessen	Ich versuche	Ich höre auf
Es macht mir Spaß	Ich habe Zeit	Ich helfe dir	Ich habe nie gelernt
Ich habe die Erlaubnis	Ich habe vor	Ich habe Angst	Ich verbiete dir
Ich habe Probleme			

Bilden Sie Infinitivsätze. Welche der Sätze oben passen mit den folgenden Sätzen zusammen?

a) Heute habe ich nichts zu tun. Da kann ich endlich mein Buch lesen.
b) Mein Fahrrad ist kaputt. Vielleicht kann ich es selbst reparieren.
c) Ich spiele gern mit kleinen Kindern.
d) Dein Koffer ist sehr schwer. Komm, wir tragen ihn zusammen!
e) Im August habe ich Urlaub. Dann fahre ich nach Spanien.
f) Ich darf heute eine Stunde früher Feierabend machen.
g) Ich kann abends sehr schlecht einschlafen.
h) Nachts gehe ich nicht gern durch den Park. (Das ist mir zu gefährlich.)
i) Ab morgen rauche ich keine Zigaretten mehr.
j) Du sollst nicht in die Stadt gehen; ich will das nicht!

k) Ich wollte gestern den Brief zur Post bringen. (Er liegt noch auf meinem Schreibtisch.)
l) Ich bin schon 50 Jahre alt, aber ich kann nicht Auto fahren.
m) Ich möchte gerne spazieren gehen.

a) *Ich habe Zeit mein Buch zu lesen.*
b) *Ich versuche...*

...

B. Auch mit den folgenden Sätzen beginnt man Infinitivsätze.

Es ist		Es ist	
	wichtig		richtig
	langweilig		furchtbar
	gefährlich		unmöglich
	interessant		leicht
	lustig		schwer
	falsch		...

neue Freunde finden   das Auto reparieren

allein sein   zu viel Fisch essen

andere Leute treffen   alles wissen   im Meer baden

einen Freund verlieren   ...   mit Kindern spielen

Bilden Sie Infinitivsätze.

a) *Es ist wichtig das Auto zu reparieren.*
b) *Es ...*

...

9. Ergänzen Sie.

Nach Übung
5
im Kursbuch

telefonieren	duschen	erzählen	hängen	vergessen
entschuldigen	anmachen	ausmachen	anrufen	wecken	reden

a) Ich habe in meiner neuen Wohnung kein Bad. Kann ich bei dir _____ ?
b) Dein Mantel liegt im Wohnzimmer auf dem Sofa, oder er _____ im Schrank.
c) Du hörst jetzt schon seit zwei Stunden diese schreckliche Musik. Kannst du das Radio nicht mal _____ ?
d) _____ doch mal das Licht _____ . Man sieht ja nichts mehr.
e) Du stehst doch immer ziemlich früh auf. Kannst du mich morgen um 7.00 Uhr _____ ?
f) Vielleicht kann ich doch morgen kommen. _____ mich doch morgen Mittag zu Hause oder im Büro _____ . Dann weiß ich es genau. Meine Nummer kennst du ja.
g) Du musst dich bei Monika _____ . Du hast ihren Geburtstag _____ .
h) Mit wem hast du gestern so lange _____ ? Ich wollte dich anrufen, aber es war immer besetzt.
i) Klaus ist so langweilig. Ich glaube, der kann nur über das Wetter _____ .
j) Sie hat mir viel von ihrem Urlaub _____ . Das war sehr interessant.

Lektion 15

Nach Übung

5

im Kursbuch

10. Welches Verb passt wo? (Sie können selbst weitere Beispiele finden.)

entschuldigen unterhalten reden ausmachen telefonieren kritisieren anrufen

a) den Arzt
   aus der Telefonzelle
   bei der Auskunft
   Frau Cordes
_____

e) den Film
   die Politik
   den Freund
   das Essen
_____

b) sich | bei den Nachbarn
        | für den Lärm
        | für den Fehler
        | bei den Eltern
_____

f) sich | mit einem Freund
        | über den Urlaub
        | auf der Feier
        | in der U-Bahn
_____

c) mit der Freundin
   am Schreibtisch
   in der Post
   in der Mittagspause
_____

g) über | die Operation
        | das Theaterstück
        | Politik
        | den Chef
_____

d) den Fernsehapparat
   die Waschmaschine
   das Licht
   das Radio
_____

Nach Übung

5

im Kursbuch

11. Was passt?

a) ausmachen: den Fernseher, den Schrank, das Licht, das Radio
b) anrufen: Frau Keller, Ludwig, meinen Chef, das Gespräch
c) telefonieren: mit meinem Kind, mit dem Ehepaar Klausen, mit der Ehe, mit seiner
                   Schwester
d) aufräumen: den Geburtstag, die Küche, das Haus, das Büro
e) hoffen: auf eine bessere Zukunft, auf ein besseres Leben, auf der besseren Straße,
                   auf besseres Wetter

Nach Übung

7

im Kursbuch

12. Sagen Sie es anders.

a) Meine Freundin glaubt, alle Männer sind schlecht.
   Meine Freundin glaubt, dass alle Männer schlecht sind.

b) Ich habe gehört, Inge hat einen neuen Freund.
c) Peter hofft, seine Freundin will ihn bald heiraten.
d) Wir wissen, Peters Eltern haben oft Streit.
e) Helga hat erzählt, sie hat eine neue Wohnung gefunden.
f) Ich bin überzeugt, es ist besser, wenn man jung heiratet.
g) Frank hat gesagt, er will heute abend eine Kollegin besuchen.
h) Ich meine, man soll viel mit seinen Kindern spielen.
i) Du hast mich zu deinem Geburtstag eingeladen. Darüber habe ich mich gefreut.

13. Welcher Satz ist sinnvoll?

Nach Übung

8

im Kursbuch

a) Ⓐ *Ich finde,*
   Ⓑ *Ich glaube,*
   Ⓒ *Ich verlange,*

   dass es morgen regnet.

b) Ⓐ *Ich bin der Meinung,*
   Ⓑ *Ich passe auf,*
   Ⓒ *Ich verspreche,*

   dass meine Schwester sehr
   intelligent ist.

c) Ⓐ *Ich denke,*
   Ⓑ *Ich meine,*
   Ⓐ *Ich weiß,*

   dass die Erde rund ist.

d) Ⓐ *Ich bin dafür,*
   Ⓑ *Ich bin überzeugt,*
   Ⓒ *Ich kritisiere,*

   dass der Präsident ein guter Politiker
   ist.

e) Ⓐ *Ich bin einverstanden,*
   Ⓑ *Ich verspreche,*
   Ⓒ *Ich bin traurig,*

   dass du nie Zeit für mich hast.

f) Ⓐ *Ich hasse es,*
   Ⓑ *Ich bin glücklich,*
   Ⓒ *Ich möchte,*

   dass meine Nachbarn mich immer
   durch laute Musik stören.

14. Nebensätze mit „dass" beginnen auch oft mit den folgenden Sätzen.
Lernen Sie die Sätze.

Nach Übung

8

im Kursbuch

Ich habe geantwortet,	dass…	Es ist falsch,	dass…	Es ist möglich,	dass…
Ich habe erklärt,		richtig,		wunderbar,	
Ich habe gesagt,		wahr,		interessant,	
Ich habe entschieden,		klar,		toll,	
Ich habe gehört,		lustig,		nett,	
Ich habe geschrieben,		schlimm,		klug,	
Ich habe vergessen,		wichtig,		verrückt,	
Ich habe mich beschwert,		schlecht,		selten,	
		gut,			

15. Was ist Ihre Meinung? Schreiben Sie.

Nach Übung

8

im Kursbuch

a) Geld macht nicht glücklich.   Ich bin auch/nicht überzeugt, …

   Ich bin auch überzeugt, dass Geld nicht glücklich macht.

b) Es gibt sehr viele schlechte Ehen.   Ich glaube auch/nicht, …
c) Ohne Kinder ist man freier.   Ich finde auch/nicht, …
d) Die meisten Männer heiraten nicht gern.   Ich bin auch/nicht der Meinung, …
e) Die Liebe ist das Wichtigste im Leben.   Es stimmt/stimmt nicht, …
f) Reiche Männer sind immer interessant.   Es ist wahr/falsch, …
g) Schöne Frauen sind meistens dumm.   Ich meine auch/nicht, …
h) Frauen mögen harte Männer.   Ich denke auch/nicht, …
i) Man muss nicht heiraten, wenn man Kinder will. Ich bin dafür/dagegen, …

Lektion 15

16. Ihre Grammatik. Ergänzen Sie den Infinitiv und das Partizip II.

Starke und unregelmäßige Verben

Infinitiv	Präteritum (3. Person Singular)	Partizip II
anfangen	fing an	*angefangen*
	begann	
	bekam	
	brachte	
	dachte	
	lud ein	
	aß	
	fuhr	
	fand	
	flog	
	gab	
	ging	
	hielt	
	hieß	
	kannte	
	kam	
	lief	
	las	
	lag	
	nahm	
	rief	
	schlief	
	schnitt	
	schrieb	
	schwamm	
	sah	
	sang	
	saß	
	sprach	
	stand	
	trug	
	traf	
	tat	
	vergaß	
	verlor	
	wusch	
	wusste	

Schwache Verben

Infinitiv	Präteritum (3. Person Singular)	Partizip II
abholen	holte ab	*abgeholt*
	stellte ab	
	antwortete	
	arbeitete	
	hörte auf	
	badete	
	baute	
	besichtigte	
	bestellte	
	besuchte	
	bezahlte	
	brauchte	
	kaufte ein	
	erzählte	
	feierte	
	glaubte	
	heiratete	
	holte	
	hörte	
	kaufte	
	kochte	
	lachte	
	lebte	
	lernte	
	liebte	
	machte	
	parkte	
	putzte	
	rechnete	
	reiste	
	sagte	
	schenkte	
	spielte	
	suchte	
	tanzte	
	zeigte	

Lektion 15

Nach Übung

13

im Kursbuch

17. „Nach", „vor", „in", „während", „bei" oder „an"? Was passt? Ergänzen Sie auch die Artikel.

a) _____ Sommer sitzen wir abends oft im Garten und grillen.

b) _____ _____ Abendessen dürfen die Kinder nicht mehr spielen. Sie müssen dann sofort ins Bett gehen.

c) Meine Mutter passt genau auf, dass ich mir _____ _____ Essen immer die Hände wasche. Sonst darf ich mich nicht an den Tisch setzen.

d) _____ _____ Arbeit fahre ich sofort nach Hause.

e) _____ Abend sehen meine Eltern meistens fern.

f) _____ nächsten Jahr bekommen wir eine größere Wohnung. Dann wollen wir auch Kinder haben.

g) Mein Vater sieht sehr gerne Fußball. _____ _____ Sportsendungen darf ich ihn deshalb nicht stören.

h) Meine Frau und ich haben uns 4 Jahre _____ _____ Hochzeit kennengelernt.

i) _____ Wochenende gehe ich mit meiner Freundin oft ins Kino.

j) _____ _____ ersten Ehejahren wollen die meisten Paare noch keine Kinder haben.

k) _____ Dienstag gehe ich in die Sauna.

l) _____ _____ Schulzeit bekam Sandra ein Kind.

m) _____ Abendessen dürfen die Kinder nicht sprechen. Die Eltern möchten, dass sie still am Tisch sitzen.

n) _____ Anfang konnten die Eltern nicht verstehen, dass Ulrike schon mit 17 Jahren eine eigene Wohnung haben wollte.

Nach Übung

13

im Kursbuch

18. Ihre Grammatik. Ergänzen Sie.

	der Besuch	die Arbeit	das Abendessen	die Sportsendungen
vor	vor dem Besuch	vor d		
nach	nach d	nach d		
bei	bei d	bei d		
während	während dem / während des Besuchs	während d / während d		

	der Abend		das Wochenende	die Sonntage
an	am Abend			

	der letzte Sommer	die letzte Woche	das letzte Jahr	die letzten Jahre
in	im letzten Sommer	in d		

19. Im Gespräch verwendet man im Deutschen meistens das Perfekt und nicht das Präteritum. Erzählen Sie deshalb in dieser Übung von Adele, Ingeborg und Ulrike im Perfekt. Verwenden Sie das Präteritum nur für die Verben „sein", „haben", „dürfen", „sollen", „müssen", „wollen" und „können".

Nach Übung

13

im Kursbuch

a) Maria: *Marias Jugendzeit war sehr hart. Eigentlich hatte sie nie richtige Eltern. Als sie zwei Jahre alt war, ist ihr Vater gestorben. Ihre Mutter hat ihren Mann nie vergessen und hat mehr an ihn ...*

b) Adele: *Adele hat als Kind ...*

c) Ingeborg: ...

d) Ulrike: ...

20. Erinnerungen an die Großmutter. Ergänzen Sie die Verbformen im Präteritum.

Nach Übung

13

im Kursbuch

fand (finden)	arbeitete (arbeiten)	half (helfen)	las (lesen)	verdiente (verdienen)	
hieß (heißen)	hatte (haben)	nannte (nennen)	besuchte (besuchen)	ging (gehen)	
erzählte (erzählen)	heiratete (heiraten)	war (sein)	sah (sehen)	trug (tragen)	
wohnte (wohnen)	liebte (lieben)	gab (geben)	wollte (wollen)	schlief (schlafen)	

Meine Großmutter _____(a) Elisabeth, aber ich _____(b) sie immer Oma Lili. Ich _____(c) sie oft, und dann _____(d) sie mir von früher. Sie _____(e) schon mit 18 Jahren. Meine Mutter _____(f) ihr einziges Kind, weil ihr Mann bald nach der Hochzeit in den Krieg _____(g); und dann _____(h) sie ihn nie wieder. Sie _____(i) mit dem Kind bei ihren Eltern. Nachts _____(j) sie auf dem Sofa, weil es nicht genug Betten _____(k). Heiraten _____(l) sie nicht mehr, weil sie ihren Mann immer noch _____(m). Später _____(n) sie eine Arbeitsstelle in einem Gasthaus. Sie _____(o) dem Koch in der Küche. Obwohl sie täglich zehn Stunden _____(p), _____(q) sie wenig Geld. Meine Großmutter _____(r) damals nur ein schönes Kleid und das _____(s) sie am Sonntag. Sie _____(t) gerne Bücher, am liebsten Liebesromane.

21. Sagen Sie es anders.

Nach Übung

13

im Kursbuch

a) Meine Eltern haben in Paris geheiratet. Da waren sie noch sehr jung.
   Als meine Eltern in Paris geheiratet haben, waren sie noch sehr jung.

b) Ich war sieben Jahre alt. Da hat mir mein Vater einen Hund geschenkt.

c) Vor fünf Jahren hat meine Schwester ein Kind bekommen. Da war sie 30 Jahre alt.

d) Sandra hat die Erwachsenen gestört. Trotzdem durfte sie im Zimmer bleiben.

e) Früher hatten seine Eltern oft Streit. Da war er noch ein Kind.

f) Früher war es zu Hause nicht so langweilig. Da haben meine Großeltern noch gelebt.

g) Wir waren im Sommer in Spanien. Das Wetter war sehr schön.

Lektion 15

Nach Übung

13

im Kursbuch

22. Ein Vater erzählt von seinem Sohn. Was sagt er?

jeden Tag drei Stunden telefonieren (14 J.)   schwimmen lernen (5 J.)   laufen lernen (1 J.)

sich sehr für Politik interessieren (18 J.)   sich ein Fahrrad wünschen (4 J.)

sich nicht gerne waschen (8 J.)   immer nur Unsinn machen (3 J.)

heiraten (24 J.)   Briefmarken sammeln (15 J.)   vom Fahrrad fallen (7 J.)   viel lesen (10 J.)

Als er ein Jahr alt war, hat er laufen gelernt.
Als er drei Jahre alt war, ...

Nach Übung

13

im Kursbuch

23. „Als" oder „wenn"? Was passt?

a) _____ das Wetter im Sommer schön ist, sitzen wir oft im Garten und grillen.
b) _____ Ulrike 17 Jahre alt war, bekam sie ein Kind.
c) _____ meine Mutter abends ins Kino gehen möchte, ist mein Vater meistens zu müde.
d) _____ meine Mutter gestern allein ins Kino gehen wollte, war mein Vater sehr böse.
e) _____ Ingeborg ein Kind war, war das Wort ihrer Eltern Gesetz.
f) Früher mussten die Kinder ruhig sein, _____ die Eltern sich unterhielten.
g) _____ Sandra sich bei unserem Besuch langweilte und uns störte, lachten die Erwachsenen und sie durfte im Zimmer bleiben.
h) _____ ich nächstes Wochenende Zeit habe, dann gehe ich mit meinen Kindern ins Schwimmbad.
i) _____ wir im Kinderzimmer zu laut sind, müssen wir sofort ins Bett.
j) _____ mein Vater gestern meine Hausaufgaben kontrollierte, schimpfte er über meine Fehler.

Nach Übung

13

im Kursbuch

24. Ergänzen Sie.

mit	an	um	für	auf	über

a) Meine Mutter schimpfte immer _____ *d* _____ Unordnung in unserem Zimmer.
b) Mein Vater regt sich oft _____ *d* _____ Fehler in meinen Hausaufgaben auf.
c) Wenn ich mich _____ *mei* _____ Vater unterhalten möchte, hat er meistens keine Zeit.
d) Ich möchte abends immer gern _____ *mei* _____ Eltern spielen.
e) Meine Mutter interessiert sich abends nur _____ *d* _____ Fernsehprogramm.
f) Früher kümmerte sich meistens nur die Mutter _____ *d* _____ Kinder.
g) Weil Adele sich sehr _____ Kinder freute, wollte sie lieber heiraten als einen Beruf lernen.
h) Marias Vater starb sehr früh. Ihre Mutter liebte ihn sehr. Deshalb dachte sie mehr _____ *ihr* _____ Mann als _____ *ihr* _____ Tochter.

Nach Übung

13

im Kursbuch

25. Ergänzen Sie.

ausziehen	damals	schließlich	unbedingt	Sorgen	anziehen
verschieden	früh	deutlich	hart	aufpassen	Wunsch allein Besuch

a) Obwohl sie Schwestern sind, sehen beide sehr _____ aus.

b) Wir warten schon vier Stunden auf dich. Wir haben uns _____ gemacht.

c) Was kann ich Holger und Renate zur Hochzeit schenken? Haben sie einen besonderen _____ ?

d) Rainer und Nils sind Brüder. Das sieht man sehr _____ .

e) Vor hundert Jahren waren die Familien noch größer. _____ hatte man mehr Kinder.

f) Wenn ihre Mutter nicht zu Hause ist, muss Andrea auf ihren kleinen Bruder _____ .

g) Michael ist erst vier Jahre alt, aber er kann sich schon alleine _____ und _____ .

h) Weil viele alte Leute wenig _____ bekommen, fühlen sie sich oft _____ .

i) Ulrike bekam sehr _____ ein Kind, schon mit 17 Jahren. Zuerst konnten ihre Eltern das nicht verstehen, aber _____ haben sie ihr doch geholfen. Denn für Ulrike war die Zeit mit dem kleinen Kind am Anfang sehr _____ .

j) Ulrike wollte schon als Schülerin _____ anders leben als ihre Eltern.

Nach Übung

15

im Kursbuch

26. Sagen Sie es anders.

a) Mein ältester Bruder hat ein neues Auto. Es ist schon kaputt.
Das neue Auto meines ältesten Bruders ist schon kaputt.

b) Mein zweiter Mann hat eine sehr nette Mutter.

c) Meine neue Freundin hat eine Schwester. Die hat geheiratet.

d) Mein jüngstes Kind hat einen Freund. Leider ist er sehr laut.

e) Meine neuen Freunde haben zwei Kinder. Sie gehen schon zur Schule.

f) Ich habe den alten Wagen verkauft, aber der Verkauf war sehr schwierig.

g) Das kleine Kind hat keine Mutter mehr. Sie ist vor zwei Jahren gestorben.

h) In der Hauptstraße ist eine neue Autowerkstatt. Der Chef ist mein Freund.

i) Die schwarzen Schuhe waren kaputt. Die Reparatur hat sehr lange gedauert.

der zweite Mann	die neue Freundin	das jüngste Kind	die neuen Freunde
die Mutter *meines zweiten Mannes*	die Schwester *meiner*	der Freund *m*	die Kinder *m*

der alte Wagen	die neue Werkstatt	das kleine Kind	die blauen Schuhe
der Verkauf *des alten Wagens*	der Chef *d*	die Mutter *d*	die Reparatur *d*

Lektion 15

Nach Übung

15

im Kursbuch

27. Was passt nicht?

a) glücklich sein – sich wohl fühlen – zufrieden sein – sich langweilen
b) erziehen – Schule – Eltern – Jugend – Erziehung – Besuch
c) schlagen – töten – sterben – tot sein
d) möchten – Wunsch – Bitte – bitten – Gesetz – wollen
e) wecken – leben – aufstehen – aufwachen
f) kümmern – fühlen – sorgen – helfen
g) putzen – sich waschen – schwimmen – sich duschen – sauber machen – spülen

Nach Übung

15

im Kursbuch

28. Die Familie Vogel. Ergänzen Sie.

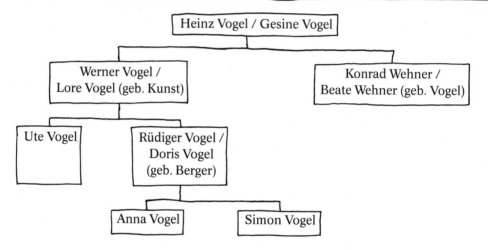

| Urgroßmutter | Tochter | Großmutter | Sohn | Onkel | Tante | Nichte | Enkelin |
| Urgroßvater | Mutter | Großvater | Eltern | Enkel | Neffe | Vater | |

a) Heinz Vogel ist der _____ von Werner Vogel.
b) Werner Vogel ist der _____ von Heinz und Gesine Vogel.
c) Beate Wehner ist die _____ von Heinz und Gesine Vogel.
d) Werner Vogel und Lore Vogel sind die _____ von Rüdiger Vogel.
e) Anna Vogel ist die _____ von Heinz und Gesine Vogel.
f) Lore Vogel ist die _____ von Anna Vogel.
g) Ute Vogel ist die _____ von Konrad Wehner und Beate Wehner.
h) Rüdiger Vogel ist der _____ von Konrad und Beate Wehner.
i) Ute Vogel ist die _____ von Heinz Vogel.
j) Konrad Wehner ist der _____ von Ute Vogel.
k) Werner Vogel ist der _____ von Simon Vogel.
l) Lore Vogel ist die _____ von Ute Vogel.
m) Gesine Vogel ist die _____ von Anna Vogel.
n) Heinz Vogel ist der _____ von Simon Vogel.
o) Simon Vogel ist der _____ von Lore Vogel.

Schlüssel

Lektion 1

1. **a)** *heißen · heiße* **b)** heißt · ist **c)** ist · bin **d)** Sind · bin **e)** bist · heiße **f)** sind

2. **b)** Das bin ich. **c)** Mein Name ist Mahler. / Ich heiße Mahler. **d)** Nein, mein Name ist Beier. / Nein, ich heiße Beier. **e)** Ich heiße Paul. / Mein Name ist Paul.

3. **a)** *ist · bin · sind · ist* **b)** t · e · ist **c)** en · e · ist **d)** e · bist · ist

4.

	ich	du	Sie	mein Name/wer?
sein	*bin*	bist	sind	ist
heißen	heiße	heißt	heißen	

5. Situation A: Dialog c); Situation B: Dialog e); Situation C: Dialog a); Situation D: Dialog b); Situation E: Dialog d)

6. **a)** *Wie heißen Sie?* Mein Name ist Müller. **b)** Wer ist Frau Beier? · Das bin ich. **c)** Sind Sie Herr Lüders? · Nein, ich heiße Röder. **d)** Wie heißt du? · Ich heiße Lea. **e)** Wie geht es Ihnen? · Es geht. **f)** Wie geht es dir? · Danke, gut! Und dir? · Danke, auch gut!

7. **b)** dein Name **c)** Wie geht es Ihnen? **d)** wo? **e)** Herr Farahani **f)** Familienname **g)** Ihre Telefonnummer **h)** Danke schön!

8. **a)** *Wie* heißen Sie? · Wie ist Ihr Vorname? · Wo wohnen Sie? · Wie ist Ihre Adresse? · Wie ist Ihre Telefonnummer? / Und wie ist Ihre Telefonnummer?
b) *Wie* heißt du? · Wie ist dein Familienname? · Wo wohnst du? · Wie ist deine Adresse? · Wie ist deine Telefonnummer? / Und wie ist deine Telefonnummer?

9. 1 Familienname 2 Vorname 3 Straße 4 Wohnort 5 Adresse 6 Telefonnummer

10. **a)** Wie **b)** Wo **c)** Wie **d)** Wie **e)** Wie **f)** Wer **g)** Wie **h)** Wer

11. **a)** siebenundvierzig **b)** achtundachtzig **c)** einunddreißig **d)** neunzehn **e)** dreiunddreißig **f)** zweiundfünfzig **g)** dreizehn **h)** einundzwanzig **i)** fünfundfünfzig **j)** dreiundneunzig **k)** vierundzwanzig **l)** sechsundsechzig **m)** siebzehn **n)** fünfundneunzig

12. **a)** We Ee eS – Ka eN zweiundfünfzig **b)** Ce eL Pe – Jot Ypsilon vierunddreißig **c)** Zet We – Aa eS siebenundzwanzig **d)** eF u-Umlaut – iX Te achtundvierzig **e)** eS Ha Ge – Ii Ce einundsiebzig **f)** Te Be Be – Ka eM dreiundachtzig **g)** Be Oo eR – Qu Uu fünfundneunzig **h)** eM Te Ka – Ka eR siebzehn **i)** Aa Uu eR – Vau Ypsilon neunundsechzig **j)** eL o-Umlaut – Ka Ge zwölf **k)** eF eF Be – Oo Te acht **l)** eR Oo We – eS Ypsilon neunzehn

13. **a)** Kersten **b)** Kersch **c)** Kersting **d)** Kerting **e)** Kersen **f)** Kertelge **g)** Kerski

14. **b)** *Bitte* buchstabieren Sie langsam! **c)** Bitte spielen Sie Dialoge! **d)** Bitte lesen Sie! **e)** Bitte hören Sie noch einmal! **f)** Bitte ergänzen Sie! **g)** Bitte schreiben Sie Dialoge!

15. ○ *Lehmann.*
□ Hallo? Wer ist da, bitte?
○ Lehmann.
□ Lehmann? Ist da nicht 77 65 43?
○ Nein, meine Nummer ist 77 35 43.
□ Oh, Entschuldigung.
○ Bitte, bitte. Macht nichts.

16. **a)** *Das ist Klaus-Maria Brandauer. Er wohnt in Wien.* **b)** Das ist Christa Wolf. Sie wohnt in Berlin. **c)** Das sind Hannelore und Helmut Kohl. Sie wohnen in Oggersheim. **d)** Das ist Kurt Masur. Er wohnt in Leipzig. **e)** Das ist Katharina Witt. Sie wohnt in Chemnitz. **f)** Das ist Friedensreich Hundertwasser. Er wohnt in Wien.

17. **a)** ○ *Guten Tag. Mein Name ist Varga.*
□ *Und ich heiße Tendera.*
○ *Woher sind Sie?*
□ *Ich bin aus Italien. Und Sie?*
○ *Ich bin aus Ungarn.*
b) ○ Guten Tag. Mein Name ist Farahani.
□ Und ich heiße Biro.
○ Woher kommen Sie?
□ Ich komme aus Frankreich. Und Sie?
○ Ich komme aus dem Iran. / ... aus Iran.
c) ○ Guten Tag. Ich bin die Sabine. / Ich heiße Sabine. / Mein Name ist Sabine.
□ Und ich heiße Juan. / Und ich bin der Juan.
○ Woher bist du?
□ Ich bin aus Brasilien. Und du?
○ Ich bin aus Österreich.

Schlüssel

18. a) kommen / sein **b)** sein **c)** leben / studieren / wohnen / arbeiten / sein **d)** studieren **e)** spielen **f)** lernen / sprechen **g)** lernen **h)** heißen

19. a) ist · t · ist · t · t · ist · ist · t **b)** ist · sind · en · sind (kommen) · en **c)** ist · ist · Ist · t · et · t · ist · t **d)** sind · e · en · te · ist · bin

20.

	sie (Sabine)	er (Imre)	sie (Juao und Luiza)	Sie
sein	*ist*	ist	*sind*	sind
heißen	heißt	heißt	heißen	heißen
kommen	kommt	kommt	kommen	kommen
wohnen	wohnt	wohnt	wohnen	wohnen

21. b) Beruf **c)** Mädchen **d)** studieren **e)** Land **f)** Herr Röder **g)** schreiben **h)** aus **i)** Hobby **j)** Kind **k)** lesen

22. a) B **b)** B **c)** C **d)** A **e)** C **f)** A **g)** C **h)** A

23. a)

	Frau Wiechert	Herr Matter	Herr Baumer	Und Sie?
Vorname/Alter	*Angelika*	Gottfried	Klaus-Otto	…
Wohnort	Hamburg	Brienz	Vaduz	…
Beruf	Ingenieurin	Landwirt	Automechaniker	…
Familienstand	verheiratet	verheiratet	verwitwet	…
Kinder	zwei	vier	keine (?)	…
Hobbys	Lesen, Surfen	keine (?)	Reisen	…

b) *Das ist Angelika Wiechert. Sie ist* 34 Jahre alt und wohnt in Hamburg. *Frau Wiechert* ist Ingenieurin. *Sie ist* verheiratet *und hat* zwei Kinder. *Ihre Hobbys sind* Lesen und Surfen.
Das ist Gottfried Matter. Er ist 44 Jahre alt und wohnt in Brienz. Herr Matter ist Landwirt. Er ist verheiratet und hat vier Kinder.
Das ist Klaus-Otto Baumer. Er ist 53 Jahre alt und wohnt in Vaduz. Er ist Automechaniker und verwitwet. Sein Hobby ist Reisen.
Ich heiße … (individuelle Lösung)

24. a) *Ich heiße Klaus-Otto Baumer und* bin Automechaniker. Ich wohne in Vaduz. Ich habe dort eine Autofirma. Ich bin 53 Jahre alt und verwitwet. Ich bin oft in Österreich und in der Schweiz. Dort kaufe und verkaufe ich Autos. Mein Hobby ist Reisen.
b) *Ich heiße Ewald Hoppe und* komme aus Polen. Ich wohne in Rostock. Ich bin 60 Jahre alt. Ich bin Elektrotechniker. Ich bin verheiratet, meine Frau heißt Irena. Ich habe zwei Kinder. Sie sind 24 und 20 Jahre alt.

25. a) schon · erst **b)** erst · schon **c)** erst · schon **d)** schon · schon **e)** schon · erst **f)** erst · schon **g)** schon · erst

26. a) *Wie bitte? Wer ist das?* **b)** *Wie bitte? Wie ist* ihr Vorname? **c)** *Wie bitte? Woher* kommt sie? **d)** *Wie bitte? Wo wohnt sie?* **e)** *Wie bitte? Was studiert sie?* **f)** Wie bitte? Was ist ihr Hobby?

27. a) Ist *(Herr Roberts) (Automechaniker)*? **b)** Heißt sie Heinemann? / Ist ihr Name Heinemann? **c)** Kommt *(Herr Roberts)* aus *(England)*? **d)** Ist er neu hier? **e)** Sind Sie Frau Röder? / Heißen Sie Röder? **f)** Ist hier noch frei? **g)** Reist *(Herr Baumer)* gern? **h)** Studiert *(Monika) (Chemie)*? **i)** Ist *(Herr Hoppe)* verheiratet? **j)** Woher kommt *(John Roberts)*? **k)** Was studiert *(Monika)*? **l)** Surfst du gern? / Surfen Sie gern? **m)** Ist *(Margot Schulz) (Sekretärin)*? **n)** Ist hier frei? / Ist hier noch frei? **o)** Wie ist Ihr Vorname? **p)** Wo wohnt Abdollah? **q)** Heißt er *(Juan)*? **r)** Wer ist das?

Schlüssel

28. ○ *Guten Morgen, ist hier noch frei?*
  □ *Ja,* bitte schön. – Sind Sie neu hier?
  ○ Ja, ich arbeite erst drei Tage hier.
  □ Sind Sie aus England?
  ○ Nein, aus Neuseeland.
  □ Und was machen Sie hier?
  ○ Ich bin Programmierer. Ich heiße John Roberts.
  (auch andere Lösungen sind möglich!)

29. **a)** noch **b)** noch **c)** schon **d)** noch · schon **e)** noch · schon **f)** schon · noch **g)** noch · schon **h)** noch

30. **a)** st · est · est · bist (kommst) · e · st · bin (komme) · st · est · e
  b) t · et · et · seid (kommt) · en · Seid · sind · t · et · en

31.

	ich	du	wir	ihr
studieren	*studiere*	studierst	studieren	studiert
arbeiten	arbeite	arbeitest	*arbeiten*	arbeitet
sein	bin	bist	sind	seid
heißen	heiße	heißt	heißen	heißt

32. **a)** Danke **b)** Bitte **c)** bitte · Danke **d)** Bitte · Danke · Bitte **e)** bitte **f)** bitte · Danke

33. **a)** C **b)** C **c)** A **d)** B **e)** B **f)** A **g)** C **h)** B **i)** A **j)** C **k)** B

34. ○ *Hallo! Habt ihr Feuer?*
  □ *Ja* hier, bitte!
  ○ Danke! Wartet ihr schon lange?
  □ Ja.
  ○ Woher seid ihr?
  □ Wir sind aus Berlin. Und woher kommst du?
  □ Ich? Aus Stade.
  ○ Wo ist das denn?
  □ Bei Hamburg. Wohin möchtet ihr?
  ○ Nach Frankfurt. Und du?
  □ Nach Wien.

Lektion 2

1. **a)** *Elektroherd,* Stuhl, Topf, Mine, Kamera, Wasserhahn, Glühbirne
  b) Kugelschreiber, Lampe, Waschbecken, Stecker, Batterie, Zahl
  c) Steckdose, Taschenlampe, Tisch, Foto, Taschenrechner

2. **a)** der **b)** die **c)** der **d)** die **e)** der **f)** der **g)** der **h)** das **i)** die **j)** die **k)** die **l)** die **m)** der **n)** der **o)** das **p)** der

3. **a)** *der* Küchenschrank **b)** die Spüle **c)** das Küchenregal **d)** der Küchenstuhl/der Stuhl **e)** die Küchenlampe/die Lampe **f)** der Stecker **g)** der Elektroherd **h)** das Waschbecken **i)** die Steckdose **j)** die Mikrowelle **k)** der Wasserhahn **l)** der Küchentisch/der Tisch **m)** die Glühbirne **n)** der Geschirrspüler

4. **a)** sie **b)** Er **c)** Er **d)** Sie **e)** Sie **f)** Es **g)** Sie **h)** Sie **i)** Er

5. **a)** ein **b)** Das **c)** eine **d)** Die **e)** Der · ein · ein **f)** Der · der **g)** Die · – · die · eine **h)** Die · die

6. **a)** *Das ist ein Küchenschrank. Der Schrank hat acht Schubladen. Er kostet € 698,–.*
  b) *Das ist* eine Spüle. Die Spüle hat zwei Becken. Sie kostet € 199,–.
  c) Das ist ein Kochfeld. Das Kochfeld ist aus Glaskeramik. Es kostet € 498,–.
  d) Das sind Küchenstühle. Die Stühle sind sehr bequem. Sie kosten € 185,–.
  e) Das ist ein Elektroherd. Der Herd ist sehr modern. Er kostet € 987,–.
  f) Das ist eine Mikrowelle. Die Mikrowelle hat 1000 Watt. Sie kostet € 568,–.
  g) Das ist ein Geschirrspüler. Der Geschirrspüler hat fünf Programme. Er kostet € 894,–.
  h) Das ist eine Küchenlampe. Die Lampe hat eine 75-Watt-Glühbirne. Sie kostet € 157,–.
  i) Das ist ein Küchenregal. Das Regal ist sehr praktisch. Es kostet € 108,–.

7. **a)** Spüle **b)** Bild **c)** Abfalleimer **d)** Regal **e)** Uhr

Schlüssel

8. 1 *Ein Elektroherd* 2 *Eine* Lampe 3 Ein Tisch 4 Ein Waschbecken 5 Batterien 6 Ein Wasserhahn 7 Ein Foto 8 Eine Taschenlampe 9 Ein Topf 10 Eine Mine 11 Ein Kugelschreiber 12 Ein Taschenrechner 13 Eine Uhr 14 Ein Stuhl 15 Ein Fernsehapparat 16 Zahlen 17 Eine Steckdose 18 Ein Stecker 19 Ein Radio 20 Eine Kamera 21 Ein Telefon 22 Ein Bild 23 Ein Abfalleimer 24 Ein Kühlschrank 25 Eine Glühbirne

9. **a)** *Wer ist das?* **b)** Was ist das? **c)** Was ist das? **d)** Wer ist das? **e)** Was **f)** Wer **g)** Wer **h)** Was

10. **a)** *Da ist kein* Elektroherd. **b)** Da ist kein Tisch. **c)** Da ist keine Lampe. **d)** Da ist kein Regal. **e)** Da sind keine Stühle. **f)** Da ist keine Waschmaschine.

11. **a)** Elektroherd, Fernsehapparat, Abfalleimer, Kühlschrank, Kugelschreiber, Stecker, Stuhl, Taschenrechner, Geschirrspüler, Schrank, Tisch
   b) Taschenlampe, Mine, Lampe, Glühbirne, Uhr, Steckdose, Spüle, Mikrowelle
   c) Foto, Bild, Radio, Regal

12. -e *das Telefon, die Telefone;* der Elektroherd, die Elektroherde; der Tisch, die Tische; der Beruf, die Berufe; das Regal, die Regale; der Fernsehapparat, die Fernsehapparate
   ¨e *der Stuhl, die Stühle;* der Wasserhahn, die Wasserhähne; der Topf, die Töpfe; der Arzt, die Ärzte
   -n *die Lampe, die Lampen;* die Spüle, die Spülen; der Name, die Namen; die Glühbirne, die Glühbirnen; die Spülmaschine, die Spülmaschinen; die Batterie, die Batterien; die Mikrowelle, die Mikrowellen; die Mine, die Minen
   -en *die Uhr, die Uhren;* die Zahl, die Zahlen; die Frau, die Frauen
   - *der Stecker, die Stecker;* der Kugelschreiber, die Kugelschreiber; der Abfalleimer, die Abfalleimer; das Waschbecken, die Waschbecken; der Ausländer, die Ausländer; das Mädchen, die Mädchen; der Taschenrechner, die Taschenrechner
   ¨ *die Mutter, die Mütter*
   -er *das Bild, die Bilder;* das Kochfeld, die Kochfelder; das Kind, die Kinder
   ¨er *der Mann, die Männer;* das Land, die Länder
   -s *das Foto, die Fotos;* die Kamera, die Kameras; das Radio, die Radios; das Hobby, die Hobbys; das Auto, die Autos

13. **a)** *264* **b)** 192 **c)** 581 **d)** 712 **e)** 655 **f)** 963 **g)** 128 **h)** 313 **i)** 731 **j)** 547 **k)** 886 **l)** 675 **m)** 238 **n)** 493 **o)** 922 **p)** 109 **q)** 816 **r)** 201

14. **a)** achthundertzwei **b)** einhundertneun **c)** zweihundertvierunddreißig **d)** dreihundertsechsundfünfzig **e)** siebenhundertachtundachtzig **f)** dreihundertdreiundsiebzig **g)** neunhundertzwölf **h)** vierhunderteins **i)** sechshundertzweiundneunzig **j)** fünfhundertdreiundvierzig **k)** vierhundertachtundzwanzig **l)** siebenhundertneunundsiebzig **m)** zweihundertvierundachtzig **n)** neunhundertsiebenundneunzig **o)** zweihundertachtunddreißig **p)** fünfhundertdreizehn **q)** neunhundertvierundfünfzig **r)** siebenhundertsechsundachtzig

15. **a)** Ihre **b)** dein **c)** Ihre **d)** Ihre **e)** deine **f)** deine

16. **a)** Benzin **b)** Foto **c)** frei **d)** waschen **e)** hören und sprechen **f)** spülen **g)** bequem

17. **a)** sie **b)** es **c)** sie **d)** er **e)** sie **f)** sie **g)** sie **h)** es

18. **a)** fährt gut **b)** ist ehrlich **c)** spült nicht **d)** antwortet nicht **e)** ist kaputt **f)** wäscht nicht **g)** ist leer **h)** ist praktisch **i)** wäscht gut **j)** ist ledig **k)** ist klein **l)** ist ehrlich

19. **b)** *Nein, das* sind ihre Fotos. **c)** Nein, das ist sein Kugelschreiber. **d)** Nein, das ist ihr Radio. **e)** Nein, das ist ihre Lampe. **f)** Nein, das ist ihr Fernsehapparat. **g)** Nein, das sind seine Batterien. **h)** Nein, das ist ihre Kamera **i)** Nein, das ist ihr Auto. **j)** Nein, das ist seine Taschenlampe. **k)** Nein, das ist ihr Taschenrechner.

Lektion 3

1. ESSEN: REIS, GEMÜSE, KÄSE, FLEISCH, HÄHNCHEN
TRINKEN: SAFT, BIER, MILCH, SCHNAPS, KAFFEE, WASSER, WEIN
SONSTIGES: FLASCHE, DOSE, ABEND, TASSE, TELLER, MITTAG, GABEL, LÖFFEL, MESSER

2. a) *... Der Sohn* isst ein Hähnchen mit Pommes frites und trinkt eine Limonade.
  b) *Der Vater isst* Bratwurst mit Brötchen und trinkt ein Bier. Die Tochter isst einen Hamburger und trinkt eine Cola.
  c) Sie trinkt ein Glas Wein. Er trinkt auch ein Glas Wein.
  d) Die Frau isst ein Stück Kuchen / einen Kuchen und trinkt ein Glas Tee / einen Tee.

3. a) *Er isst gern* Hamburger, Pizza, Pommes frites und Eis, *und er trinkt gern* Cola. *Aber er mag keinen Salat,* keinen Käse, kein Bier, keinen Wein und keinen Schnaps.
  b) Sie isst gern Obst, Fisch und Marmeladebrot, und sie trinkt gern Wein. Aber sie mag kein Eis, keinen Kuchen, keine Wurst, keine Pommes frites und kein Bier.
  c) Er isst gern Fleisch, Wurst und Kartoffeln, und er trinkt gern Bier und Wein. Aber er mag keinen Fisch, keinen Reis und kein Wasser.

4. a) A, B, D   **b)** B, C, D   **c)** A, B, C   **d)** B, C, D   **e)** B, C, D   **f)** A, C, D

5. a) immer   **b)** meistens   **c)** oft   **d)** manchmal   **e)** *selten*   **f)** *nie*

6. a) *Herr Meinen möchte eine Gemüsesuppe,* einen Kartoffelsalat und ein Bier.
  b) Frau Meinen möchte einen Kuchen / ein Stück Kuchen und einen Kaffee.
  c) Michael möchte einen Hamburger, eine Cola und ein Eis.
  d) Sonja möchte Pommes frites und einen Orangensaft.

7. a) Suppe **b)** Gemüse **c)** Kaffee **d)** Tasse **e)** Gabel **f)** Bier **g)** Hauptgericht **h)** Eis **i)** immer
  j) mittags

8. *Fleisch, kalt:* Wurst, Kalter Braten; *warm:* Bratwurst, Schweinebraten, Rindersteak, Hähnchen, Rindfleischsuppe
kein Fleisch, kalt: Eis, Salatteller, Apfelkuchen, Obst, Fischplatte, Schwarzbrot, Weißbrot, Früchtebecher;
warm: Fischplatte, Gemüsesuppe, Zwiebelsuppe

9. a) Glas **b)** essen **c)** Kalb / Schwein **d)** trinken **e)** Ketschup **f)** Fleisch **g)** dein **h)** abends **i)** Gasthof/Restaurant   **j)** Hauptgericht

10. b) das Hauptgericht **c)** das Schwarzbrot **d)** die Bratwurst **e)** der Apfelkuchen **f)** der Schweinebraten
  g) das Rindersteak **h)** der Nachtisch **i)** der Rotwein **j)** der Kartoffelsalat **k)** die Zwiebelsuppe

11. Kellner: e), g), j), m)   **Gast:** *a)*, b), c), f), l)   **Text:** d), h), i), k)

12. a)
  ○ *Was bekommen Sie?*
  □ Ein Rindersteak, bitte.
  ○ Mit Reis oder Kartoffeln?
  □ Mit Kartoffeln.
  ○ Und was bekommen Sie?
  △ Gibt es eine Gemüsesuppe?
  ○ Ja, die ist sehr gut.
  △ Dann bitte eine Gemüsesuppe und ein Glas Wein.
  ○ Und was möchten Sie trinken?
  △ Eine Flasche Mineralwasser.

b)
  □ *Bezahlen bitte!*
  ○ Zusammen?
  □ Nein, getrennt.
  ○ Was bezahlen Sie?
  □ Das Rindersteak und das Mineralwasser.
  ○ Das macht 17 Euro 60. – Und Sie bezahlen den Wein und die Gemüsesuppe?
  △ Ja, richtig.
  ○ Sechs Euro 90, bitte.

13. b) ... den Obstsalat? · ... das Eis mit Sahne.   **c)** ... den Wein? · ... das Bier.   **d)** ... das Eis? · ... den Kuchen.   **e)** ... die Suppe? · ... das Käsebrot.   **f)** ... den Fisch? · ... das Kotelett.   **g)** ... den Kaffee? · ... den Tee.   **h)** ... die Kartoffeln? · ... den Reis.   **i)** den Hamburger? · ... die Fischplatte.

14. b) ein · nicht · keinen   **c)** keinen   **d)** kein   **e)** ein · nicht   **f)** einen · keine   **g)** einen · keinen · ein   **h)** nicht

15. a) B, C   **b)** A, B   **c)** B   **d)** C   **e)** C   **f)** B, C   **g)** A, C   **h)** A, B

Schlüssel

16.

	antworten	fahren	essen	nehmen	mögen
ich	antworte	*fahre*	esse	nehme	mag
du	antwortest	fährst	*isst*	nimmst	magst
Sie	antworten	fahren	essen	*nehmen*	mögen
er / sie / es	antwortet	fährt	isst	nimmt	*mag*
wir	antworten	fahren	essen	*nehmen*	mögen
ihr	antwortet	fahrt	*esst*	nehmt	mögt
Sie	antworten	*fahren*	essen	nehmen	mögen
sie	*antworten*	fahren	essen	nehmen	mögen

17. a) *nimmst* **b)** nehme / esse **c)** ist **d)** schmeckt / ist **e)** nimmst / isst **f)** nehme / esse **g)** magst / isst
h) Nimm / Iss **i)** ist **j)** esse **k)** trinkst **l)** nehme / trinke **m)** nehme / trinke

18. A 3 **B** 9 (10) **C** 11 **D** 1 **E** 4 **F** 2 **G** 5 **H** 7 **I** 10 **J** 6 **K** 8

19. a)
○ *Guten Appetit!*
□ *Danke.*
○ *Wie schmeckt's?*
□ Danke, sehr gut. Wie heißt das?
○ Pichelsteiner Eintopf. Das ist Schweinefleisch mit Kartoffeln und Gemüse.
□ Der Eintopf schmeckt wirklich gut.
○ Möchten Sie noch mehr?
□ Ja, noch etwas Fleisch und Gemüse, bitte!

b)
○ *Guten Appetit.*
□ *Danke. Ihnen auch.*
○ *Schmeckt's?*
□ *Ja*, fantastisch. Wie heißt das?
○ Strammer Max. Brot mit Schinken und Ei.
□ Das schmeckt wirklich gut.
○ Nehmen Sie doch noch einen.
□ Danke. Ein Strammer Max ist genug.

20. a) *Er · er* **b)** Er **c)** Sie **d)** Es · es **e)** Sie · sie **f)** Es · es **g)** Sie **h)** Er

21. a) C **b)** B **c)** C **d)** A **e)** B **f)** A

22. A: a, f, g, h **B:** a, b, f, m **C:** f, o **D:** e, o, p **E:** c, e, i, j, k, n, o, p **F:** e, i, j, k, n, o, p **G:** a, f, g, h **H:** d, j, l

23. a) achtundneunzig **b)** 36 **c)** dreiundzwanzig **d)** hundertneunundvierzig **e)** siebenhundertsiebenundsiebzig **f)** neunhunderteinundfünfzig **g)** 382 **h)** fünfhundertfünfundsechzig **i)** zweihundertfünfzig **j)** fünfhundert

24.

	Vorfeld	Verb$_1$	Subj.	Angabe	Ergänzung	Verb$_2$
a)	Ich	*trinke*		*abends meistens*	*eine Tasse Tee.*	
b)	Abends	trinke	ich	meistens	Tee.	
c)	Tee	trinke	ich	nur abends.		
d)	Meine Kinder	möchten			Landwirte	werden.
e)	Markus	möchte		für Inge	ein Essen	kochen.
f)	Was	möchten	Sie?			
g)	Das Brot	ist			alt und hart.	
h)	Ich	bin		jetzt	satt.	

25. *waagerecht:* MARMELADE, KAFFEE, BOHNEN, SAFT, GABEL, WASSER, EI, HÄHNCHEN, SUPPE, KOTELETT, PILS, NACHT, NACHTISCH, EXPORT, EIS, MEHL, WURST, RINDFLEISCH, ZUCKER, ALTBIER, WEISSBIER

senkrecht: BROT, BUTTER, MILCH, *REIS, MESSER*, BIER, LÖFFEL, GEMÜSE, FISCH, APFEL, KUCHEN, KÄSE, NUDELN, WEIN, OBST, DOSE, KÖLSCH

Lektion 4

1. a) Bäcker   **b)** Bibliothek   **c)** Café   **d)** Schwimmbad   **e)** Kino   **f)** Friseur   **g)** Bank   **h)** Bar   **i)** Geschäft

2. a) *Musik hören*   **b)** tanzen   **c)** fernsehen   **d)** schlafen   **e)** aufstehen   **f)** Fleisch schneiden   **g)** ein Bier trinken/Bier trinken   **h)** Geld wechseln   **i)** ein Foto machen / Fotos machen   **j)** frühstücken   **k)** einen Spaziergang machen   **l)** schwimmen

3. a) Hier darf Eva nicht rauchen.   **b)** Hier darf Eva rauchen.   **c)** Eva möchte nicht rauchen.   **d)** Hier darf Eva kein Eis essen.   **e)** Eva kann hier ein Eis essen.   **f)** Eva muss hier warten.   **g)** Eva darf hier nicht fotografieren.   **h)** Eva möchte fotografieren.   **i)** Eva muss aufstehen.

4. a) schlafen   **b)** Arbeit   **c)** Maschine   **d)** zeichnen   **e)** essen   **f)** stören   **g)** Musik

5. a) schläft   **b)** liest   **c)** Siehst   **d)** Siehst · fern   **e)** spricht   **f)** Sprichst   **g)** fährt / fahren   **h)** Schläfst   **i)** fährt   **j)** Isst · nimmst

6.

	lesen	essen	schlafen	sprechen	sehen
ich	*lese*	esse	schlafe	spreche	sehe
du	liest	isst	schläfst	sprichst	siehst
er, sie, es, man	liest	isst	schläft	spricht	sieht
wir	lesen	essen	schlafen	sprechen	sehen
ihr	lest	esst	schlaft	sprecht	seht
sie, Sie	lesen	essen	schlafen	sprechen	sehen

7. a) *stehe · auf*   **b)** *Hören · –*   **c)** sehe fern   **d)** kaufe · –   **e)** Machst · auf   **f)** Machst · –   **g)** Kaufst · ein   **h)** Hören · auf   **i)** hören · zu   **j)** Siehst · –   **k)** gibt · aus   **l)** Stehen · auf

8. a) darf · musst   **b)** möchten   **c)** dürfen / können · müsst · könnt / dürft   **d)** möchte · Darf · kannst   **e)** darf · musst

9. A.

	möchten	können	dürfen	müssen
ich	möchte	kann	darf	muss
du	möchtest	kannst	darfst	musst
er, sie, es, man	möchte	kann	darf	muss
wir	möchten	können	dürfen	müssen
ihr	möchtet	könnt	dürft	müsst
sie, Sie	möchten	können	dürfen	müssen

B.

	Vorfeld	Verb₁	Subj.	Angabe	Ergänzung	Verb₂
a)	*Nils*	*macht*			die Flasche	auf.
b)	Nils	möchte			die Flasche	aufmachen.
c)		Macht	Nils		die Flasche	auf?
d)		Möchte	Nils		die Flasche	aufmachen?
e)	Wer	macht			die Flasche	auf?
f)	Wer	möchte			die Flasche	aufmachen?

10. A 5   B 2   C 4   D 6   E 1   F 3   G 7

Schlüssel

11. *einen Verband,* Musik, einen Spaziergang, einen Film, Betten, einen Kaffee, das Abendessen, einen Fehler, eine Reise, ein Kotelett, die Arbeit, einen Schrank, Käse, eine Torte, Pause, Kartoffelsalat, das Frühstück

12. b) ○ Jochen steht um sieben Uhr auf. Möchtest du auch um sieben Uhr aufstehen? □ Nein, ich stehe lieber erst um halb acht auf.
  c) ○ Klaus und Bernd spielen Tennis. Möchtest du auch Tennis spielen? □ Nein, ich spiele lieber Fußball.
  d) ○ Renate macht einen Spaziergang. Möchtest du auch einen Spaziergang machen? □ Nein, ich sehe lieber fern.
  e) ○ Wir hören Radio. Möchtest du auch Radio hören? □ Nein, ich mache lieber einen Spaziergang.
  f) ○ Müllers nehmen ein Sonnenbad. Möchtest du auch ein Sonnenbad nehmen? □ Nein, ich räume lieber die Küche auf.
  g) ○ Maria sieht fern. Möchtest du auch fernsehen? □ Nein, ich spiele lieber Klavier.

13. a) noch · schon · erst **b)** schon · noch **c)** erst **d)** noch · schon

14. a) Achtung **b)** Mannschaft **c)** Pause **d)** Frauen **e)** Film **f)** anfangen **g)** geöffnet

15. *Wann?:* um 20.00 Uhr, abends, heute, morgens, morgen, mittags, zwischen 5.00 und 6.00 Uhr, am Mittwoch, morgen um halb acht
  Wie lange?: bis 1.00 Uhr, vier Tage, zwei Monate, zwei Jahre, bis Mittwoch, von 9.00 bis 17.00 Uhr, bis 3.00 Uhr

16. b) *Der D 355 fährt um* acht Uhr einunddreißig in Frankfurt ab und ist um sechzehn Uhr achtundfünfzig in Dresden. **c)** *Der D 331 fährt um* acht Uhr neun in Hamburg ab und ist um zwölf Uhr zwei in Berlin. **d)** Der IC 785 fährt um elf Uhr siebenundzwanzig in Hamburg ab und ist um sechzehn Uhr einundvierzig in Berlin. **e)** Der IC 591 fährt um zehn Uhr zwölf in Stuttgart ab und ist um zwölf Uhr zwanzig in München. **f)** Der D 285 fährt um zehn Uhr sechsundzwanzig in Stuttgart ab und ist um dreizehn Uhr eins in München. **g)** Der D 1033 fährt um neun Uhr vierzig in Lübeck ab und ist um elf Uhr fünfunddreißig in Rostock. **h)** Der D 1037 fährt um siebzehn Uhr vier in Lübeck ab und ist um einundzwanzig Uhr achtundvierzig in Rostock. **i)** Der E 3385 fährt um neunzehn Uhr fünf in Münster ab und ist um einundzwanzig Uhr sieben in Bremen. **j)** Der IC 112 fährt um einundzwanzig Uhr siebenundfünfzig in Münster ab und ist um dreiundzwanzig Uhr zwölf in Bremen. **k)** Der E 4270 fährt um siebzehn Uhr zweiundvierzig in Kiel ab und ist um achtzehn Uhr zweiundfünfzig in Flensburg. **l)** Der E 4276 fährt um einundzwanzig Uhr vier in Kiel ab und ist um zweiundzwanzig Uhr neunzehn in Flensburg.

17. a) Komm, wir müssen gehen! Die Gymnastik fängt um Viertel vor acht an. · Wir haben noch Zeit. Es ist erst Viertel nach vier.
  b) ... Der Vortrag fängt um halb neun an. · ... erst fünf nach sieben.
  c) ... Der Fotokurs fängt um elf Uhr an. · ... erst fünf vor halb elf.
  d) ... Das Tennisspiel fängt um Viertel nach vier an. · ... erst fünf nach halb vier.
  e) ... Die Tanzveranstaltung fängt um halb zehn an. · ... erst Viertel vor neun.
  f) ... Die Diskothek fängt um elf Uhr an. · ... erst zwanzig nach zehn.

18. *ja:* In Ordnung!, Gern!, Na klar!, Na gut!, Die Idee ist gut!, Gut!
  nicht ja und nicht nein: Vielleicht!, Ich weiß noch nicht!, Kann sein!
  nein: Ich habe keine Lust!, Tut mir Leid, das geht nicht!, Leider nicht!, Ich kann nicht!, Ich habe keine Zeit!, Ich mag nicht!

19. a) Wann? **b)** Wie viele (Tassen)? **c)** Wie oft? **d)** Wie viel **e)** Wie lange? **f)** Wie spät? **g)** Wie lange? **h)** Wann? **i)** Wie lange?/Wann? **j)** Wie oft? **k)** Wie viele?

20. ○ *Sag mal,* Hans, hast du heute Nachmittag Zeit?
  □ Warum fragst du?
  ○ Ich möchte gern schwimmen gehen. Kommst du mit?
  □ Tut mir Leid, ich muss heute arbeiten.
  ○ Schade. Und morgen Nachmittag?
  □ Ja, gern. Da kann ich.

21. a) Morgen Abend **b)** morgens **c)** Morgen Nachmittag **d)** nachmittags, abends **e)** abends **f)** Morgen früh **g)** Mittags **h)** Morgen Mittag

22. „da" = Ort: Sätze a), c), d); „da" = Zeitpunkt: Sätze b), e), f)

23. a) muss **b)** kann · muss **c)** kann · kann **d)** muss **e)** muss · kann **f)** kann · muss **g)** kann

24. a) Sonntag **b)** Situation **c)** hören **d)** abfahren **e)** heute **f)** groß **g)** wo?

25. kann (1): b, d **kann (2):** a, c, f **darf:** e

26. A. b) *Um halb zwölf spielt sie* Tischtennis. – *Ich gehe* morgens spazieren. **c)** Um halb eins schwimmt sie. – Man kann hier nicht schwimmen. **d)** Um 13 Uhr isst sie (sehr viel). – Ich esse hier sehr wenig, denn das Essen schmeckt nicht gut. **e)** Um 14 Uhr trifft sie Männer (und flirtet). – Man trifft keine Leute. **f)** Um 17 Uhr ist sie im Kino / … sieht sie einen Film. – Es gibt auch kein Kino. **g)** Um 23 Uhr tanzt sie. – Abends sehe ich meistens fern. **h)** Um ein Uhr (nachts) trinkt sie Sekt. Ich gehe schon um neun Uhr schlafen.
B. Individuelle Lösung.

Lektion 5

1. b) wohnen + das Zimmer **c)** schreiben + der Tisch **d)** waschen + die Maschine **e)** fernsehen + der Apparat **f)** das Waschbecken **g)** die Bratwurst **h)** die Steckdose **i)** der Kleiderschrank **j)** der Fußball **k)** die Hausfrau **l)** die Taschenlampe **m)** der Taschenrechner

2. b) Das Waschmittel ist nicht für die Waschmaschine, sondern für den Geschirrspüler. **c)** Der Spiegel ist nicht für das Bad, sondern für die Garderobe. **d)** Das Radio ist nicht für das Wohnzimmer, sondern für die Küche. **e)** Die Stühle sind nicht für die Küche, sondern für den Balkon. **f)** Der Topf ist nicht für die Mikrowelle, sondern für den Elektroherd. **g)** Die Batterien sind nicht für die Taschenlampe, sondern für das Radio.

3. a) Teppich **b)** Spiegel **c)** Fenster **d)** Lampe **e)** zufrieden **f)** fernsehen

4. a) ○ *Gibt es hier eine Post?*
□ *Nein, hier* gibt es keine.
○ *Wo* gibt es denn eine?
□ *Das weiß* ich nicht.
b) ○ *Gibt* es hier eine Bibliothek?
□ *Nein,* hier gibt es keine.
○ *Wo* gibt es denn eine?
□ *Das* weiß ich nicht.
c) ○ Gibt es hier ein Café?
□ Nein, hier gibt es keins.
○ Wo gibt es denn eins?
□ Das weiß ich nicht.
d) ○ Gibt es hier ein Telefon?
□ Nein, hier gibt es keins.
○ Wo gibt es denn eins?
□ Das weiß ich nicht.
e) ○ Gibt es hier einen Automechaniker?
□ Nein, hier gibt es keinen.
○ Wo gibt es denn einen?
□ Das weiß ich nicht.
f) ○ Gibt es hier eine Bäckerei?
□ Nein, hier gibt es keine.
○ Wo gibt es denn eine?
□ Das weiß ich nicht.
g) ○ Gibt es hier einen Gasthof?
□ Nein, hier gibt es keinen.
○ Wo gibt es denn einen?
□ Das weiß ich nicht.
h) ○ Gibt es hier einen Supermarkt?
□ Nein, hier gibt es keinen.
○ Wo gibt es denn einen?
□ Das weiß ich nicht.

5. a) ○ *Ich brauche noch Äpfel. Haben* wir noch welche? □ *Nein,* es sind keine mehr da.
b) ○ *Ich möchte noch Soße. Haben* wir noch welche? □ *Nein,* es ist keine mehr da.
c) ○ Ich brauche noch Zitronen. Haben wir noch welche? □ Nein, es sind keine mehr da.
d) ○ Ich möchte noch Eis. Haben wir noch welches? □ Nein, es ist keins mehr da.
e) ○ Ich möchte noch Saft. Haben wir noch welchen? □ Nein, es ist keiner mehr da.
f) ○ Ich brauche (möchte) noch Tomaten. Haben wir noch welche? □ Nein, es sind keine mehr da.
g) ○ Ich möchte (brauche) noch Kartoffeln. Haben wir noch welche? □ Nein, es sind keine mehr da.
h) ○ Ich möchte noch Gemüse. Haben wir noch welches? □ Nein, es ist keins mehr da.
i) ○ Ich möchte noch Fleisch. Haben wir noch welches? □ Nein, es ist keins mehr da.
j) ○ Ich möchte noch Tee. Haben wir noch welchen? □ Nein, es ist keiner mehr da.
k) ○ Ich möchte noch Marmelade. Haben wir noch welche? □ Nein, es ist keine mehr da.
l) ○ Ich möchte noch Früchte. Haben wir noch welche? □ Nein, es sind keine mehr da.
m) ○ Ich brauche noch Gewürze. Haben wir noch welche? □ Nein, es sind keine mehr da.

Schlüssel

n) ○ Ich brauche noch Öl. Haben wir noch welches? □ Nein, es ist keins mehr da.

o) ○ Ich möchte noch Salat. Haben wir noch welchen? □ Nein, es ist keiner mehr da.

p) ○ Ich möchte noch Suppe. Haben wir noch welche? □ Nein, es ist keine mehr da.

q) ○ Ich möchte noch Obst. Haben wir noch welches? □ Nein, es ist keins mehr da.

6. a) Eine · eine **b)** Eine · keine **c)** – · keine **d)** – · welches **e)** – · keinen **f)** – · welchen **g)** – · welche
h) Ein · keins

7.

ein Herd:	*einer*	einen		ein Bett:	*eins*	eins
kein Herd:	*keiner*	keinen		kein Bett:	keins	keins
Wein:	*welcher*	welchen		Öl:	welches	*welches*
eine Lampe:	eine	eine		Eier:	welche	welche
keine Lampe:	keine	*keine*		keine Eier:	keine	keine
Butter:	welche	welche				

8. a) ○ *Sind die Sessel neu?*
  □ *Nein, die sind alt.*
  ○ Und die Stühle?
  □ Die sind neu.
b) ○ Ist das Regal neu?
  □ Nein, das ist alt.
  ○ Und der Schrank?
  □ Der ist neu.
c) ○ Ist die Waschmaschine neu?
  □ Nein, die ist alt.
  ○ Und der Kühlschrank?
  □ Der ist neu.
d) ○ Ist der Schreibtisch neu?
  □ Nein, der ist alt.

  ○ Und der Stuhl?
  □ Der ist neu.
e) ○ Ist die Garderobe neu?
  □ Nein, die ist alt.
  ○ Und der Spiegel?
  □ Der ist neu.
f) ○ Ist die Kommode neu?
  □ Nein, die ist alt.
  ○ Und die Regale?
  □ Die sind neu.
g) ○ Ist das Bett neu?
  □ Nein, das ist alt.
  ○ Und die Lampen?
  □ Die sind neu.

9. a) *Das* **b)** Den **c)** Das **d)** Die **e)** Die **f)** Das **g)** Die **h)** Die **i)** Das **j)** Den **k)** Den **l)** Das
m) Die

10. a) *Der,* die, das, die
b) den, die, das, die

11. ○ *Du, ich habe jetzt eine Wohnung.*
  □ *Toll! Wie* ist sie denn?
  ○ Sehr schön. Ziemlich groß und nicht zu teuer.
  □ Und wie viele Zimmer hat sie?
  ○ Zwei Zimmer, eine Küche und ein Bad.
  □ Hast du auch schon Möbel?
  ○ Ja, ich habe schon viele Sachen.
  □ Ich habe noch einen Küchentisch. Den
    kannst du haben.
  ○ Fantastisch! Den nehme ich gern.

12.   *(Rottweil), den … 19 …*

  Liebe(r) …,
  ich habe jetzt eine Wohnung in Rottweil. *Sie hat* drei Zimmer, eine Küche und ein Bad. *Sie ist* hell und schön,
  aber klein und ziemlich teuer. *Ich habe* schon einen Herd, *aber ich brauche noch* einen Schrank für die
  Garderobe. Hast du einen? Oder hast du vielleicht eine Lampe? Schreib bitte bald!
  Viele liebe Grüße …
  (Andere Lösungen sind möglich.)

13. a) *Adresse* **b)** Wohnung (Haus) **c)** Haus **d)** Zeit **e)** Familie

14. a) bauen **b)** kontrollieren **c)** suchen **d)** verdienen **e)** anrufen **f)** werden

15. **b)** Eigentlich möchte Veronika / Veronika möchte eigentlich einen Freund anrufen, aber ihr Telefon ist kaputt.   **c)** Eigentlich möchte Veronika / Veronika möchte eigentlich ein Haus kaufen, aber sie findet keins.   **d)** Eigentlich möchte Veronika / Veronika möchte eigentlich nicht einkaufen gehen, aber ihr Kühlschrank ist leer.   **e)** Eigentlich möchte Veronika / Veronika möchte eigentlich nicht umziehen, aber ihre Wohnung ist zu klein.

16. **a)** unter   **b)** etwa (über, unter)   **c)** von · bis   **d)** Unter   **e)** zwischen   **f)** etwa   **g)** Über

17.

	Vorfeld	Verb₁	Subj.	Angabe	Ergänzung	Verb₂
a)	*Sie*	*möchten*		gern		bauen.
b)	Sie	möchten		gern	ein Haus	bauen.
c)	Sie	möchten		gern in Frankfurt	ein Haus	bauen.
d)	In Frankfurt	möchten	sie	gern	ein Haus	bauen.
e)	Eigentlich	möchten	sie	gern in Frankfurt	ein Haus	bauen.
f)	Warum	bauen	sie	nicht in Frankfurt	ein Haus?	

18. **a)** A, C   **b)** B, C   **c)** A, B   **d)** B   **e)** A, B   **f)** A, C   **g)** A   **h)** A

19. **A.** *Familie Höpke* wohnt in *Steinheim. Ihre Wohnung* hat *nur drei Zimmer. Das ist zu* wenig, *denn die* Kinder *möchten beide ein* Zimmer. *Die Wohnung ist nicht* schlecht *und auch* nicht (sehr) *teuer. Aber Herr Höpke* arbeitet *in Frankfurt. Er muss morgens und* abends *immer über eine* Stunde *fahren. Herr Höpke* möchte *in Frankfurt wohnen, aber dort* sind *die* Wohnungen *zu teuer. So viel Geld kann er für die Miete nicht* bezahlen. *Aber Höpkes* suchen *weiter.* Vielleicht *haben sie ja Glück.*
B. Individuelle Lösung.

20. **1** *das Dach*   **2** der erste Stock   **3** das Erdgeschoss   **4** der Keller   **5** die Garage   **6** der Garten   **7** die Terrasse   **8** der Balkon   **9** der Hof   **10** die Wand   **11** der Aufzug   **12** die Heizung   **13** das Fenster

21. **a)** haben   **b)** machen   **c)** machen   **d)** haben   **e)** haben   **f)** haben / machen   **g)** haben/machen   **h)** haben

22. **a)** Erlaubnis   **b)** Dach   **c)** Minuten   **d)** Hochhaus · Appartement   **e)** Hof   **f)** Streit   **g)** Vermieter   **h)** Nachbarn   **i)** Vögel   **j)** Wände   **k)** Platz   **l)** Komfort   **m)** Miete   **n)** Krach · Lärm

23. **a)** in der · auf der   **b)** in seinem · am   **c)** in der · auf seinem   **d)** in der · in ihrem · auf ihrer   **e)** auf dem · am   **f)** in einem   **g)** auf dem   **h)** am

24. **a)** C   **b)** C   **c)** A   **d)** A   **e)** B   **f)** B   **g)** C   **h)** B   **i)** B   **j)** A

25. ○ *Sie* können *doch jetzt nicht mehr feiern!*
□ *Und warum nicht? Ich* muss *morgen nicht arbeiten und* kann *lange schlafen.*
○ *Aber es ist 22 Uhr. Wir* möchten *schlafen, wir* müssen *um sechs Uhr aufstehen.*
□ *Und wann* darf / kann *ich dann feiern? Vielleicht mittags um zwölf? Da hat doch niemand Zeit, da* kann *doch niemand kommen.*
○ *Das ist Ihr Problem. Jetzt* müssen *Sie leise sein, sonst holen wir die Polizei.*

26. **A** 8   **B** 4   **C** 7   **D** 6   **E** 1 (8)   **F** 2   **G** 5   **H** 3

27. **a)** Natur   **b)** Industrie   **c)** Urlaub   **d)** Hotel

28. **b)** *Hotel laut, nicht* sauber, kein Komfort. Zimmer *hässlich und teuer, Essen nicht so gut. Diskothek und Hallenbad geschlossen. Nur spazieren gehen: nicht schön, ziemlich viele Autos, keine Erholung.*
c) *Liebe Margret,*
viele Grüße von der Insel Rügen. Ich bin jetzt schon zwei Wochen hier, und der Urlaub ist fantastisch. Das Hotel ist ruhig und sauber, und wir haben viel Komfort. Die Zimmer sind schön und nicht sehr teuer, und das Essen schmeckt wirklich herrlich. Das Hallenbad ist immer geöffnet, und die Diskothek jeden Abend.
Ich kann hier auch spazieren gehen, und das ist sehr schön, denn hier fahren nur wenig Autos, und die stören nicht.
Am Dienstag bin ich wieder zu Hause.
Viele Grüße, Hanne
(Andere Lösungen sind möglich.)

Schlüssel

Lektion 6

1. **a)** Bein **b)** Zahn **c)** Fuß **d)** Ohr **e)** Bauch **f)** Hand

2. **1:** *seine Nase* **2:** sein Bauch **3:** *ihr Arm* **4:** ihr Gesicht **5:** ihr Auge **6:** sein Ohr **7:** sein Kopf **8:** sein Fuß **9:** sein Bein **10:** ihr Bein **11:** sein Hals **12:** ihr Mund **13:** ihre Nase **14:** sein Rücken **15:** sein Auge **16:** ihre Hand

3. **a)** die, Hände **b)** der, Arme **c)** die, Nasen **d)** der, Finger **e)** das, Gesichter **f)** der, Füße **g)** das, Augen **h)** der, Rücken **i)** das, Beine **j)** das, Ohren **k)** der, Köpfe **l)** der, Zähne

4. **a)** haben **b)** verstehen **c)** nehmen (brauchen) **d)** beantworten (verstehen) **e)** sein **f)** brauchen

5. **b)** Herr Kleimeyer ist nervös. Er darf nicht rauchen. Er muss Gymnastik machen. Er muss viel spazierengehen. **c)** Herr Kleimeyer hat Kopfschmerzen. Er darf nicht viel rauchen. Er muss spazierengehen. Er darf keinen Alkohol trinken. **d)** Herr Kleimeyer hat Magenschmerzen. Er muss Tee trinken. Er darf keinen Wein trinken. Er darf nicht fett essen. **e)** Herr Kleimeyer ist zu dick. Er muss viel Sport treiben. Er darf keine Schokolade essen. Er muss eine Diät machen. **f)** Herr Kleimeyer kann nicht schlafen. Er muss abends schwimmen gehen. Er darf abends nicht viel essen. Er darf keinen Kaffee trinken. **g)** Herr Kleimeyer hat ein Magengeschwür. Er darf nicht viel arbeiten. Er muss den Arzt fragen. Er muss vorsichtig leben.

6. **a)** muss · soll / darf · will / muss · möchte · darf
   b) soll · möchte / will · soll · kann · soll · muss
   c) kann · soll · muss
   d) will · will · soll · möchte / will

7. **b)** müssen · ich soll viel Obst essen. **c)** dürfen · ich soll nicht Fußball spielen. **d)** müssen · ich soll Tabletten nehmen. **e)** dürfen · ich soll keinen Kuchen essen. **f)** dürfen · ich soll nicht so viel rauchen. **g)** müssen · ich soll oft schwimmen gehen. **h)** dürfen · ich soll keinen Wein trinken. **i)** dürfen · ich soll nicht fett essen.

8. **b)** Besuch doch eine Freundin!
   c) Lade doch Freunde ein!
   d) Geh doch spazieren!
   e) Lies doch etwas!
   f) Schlaf doch eine Stunde!
   g) Räum doch das Kinderzimmer auf!
   h) Schreib doch einen Brief!
   i) Geh doch einkaufen!
   j) Spül doch das Geschirr!
   k) Bereite doch das Abendessen vor!
   l) Sieh doch fern!
   m) Sei doch endlich zufrieden!

9. **a)** neu **b)** ungefährlich **c)** unglücklich **d)** unbequem **e)** schlecht **f)** unmodern **g)** unvorsichtig **h)** unzufrieden **i)** schwer **j)** kalt **k)** ruhig **l)** sauer **m)** unehrlich **n)** krank (ungesund) **o)** dick **p)** gleich **q)** hässlich **r)** ungünstig **s)** unwichtig **t)** leise **u)** klein **v)** hell **w)** geschlossen **x)** zusammen

10. **a)** *Um halb neun ist* sie aufgestanden. **b)** *Dann* hat sie gefrühstückt. **c)** *Danach* hat sie ein Buch gelesen. **d)** *Sie hat* Tennis gespielt **e)** *und* Radio gehört. **f)** *Um ein Uhr* hat sie zu Mittag gegessen. **g)** *Von drei bis vier Uhr* hat sie geschlafen. **h)** *Dann* ist sie schwimmen gegangen. / … hat/ ist sie geschwommen. **i)** *Um fünf Uhr* hat sie Kaffee getrunken. **j)** *Danach* hat sie ferngesehen. **k)** *Um sechs Uhr* hat sie zu Abend gegessen. **l)** *Abends* hat sie getanzt.

11. *anfangen*, anrufen, antworten, arbeiten, aufhören, aufmachen, aufräumen, aufstehen, ausgeben, aussehen
    baden, bauen, beantworten, bedeuten, bekommen, beschreiben, bestellen, besuchen, bezahlen, bleiben,
    brauchen, bringen
    diskutieren, duschen
    einkaufen, einladen, einschlafen, entscheiden, erzählen, essen
    fahren, feiern, fernsehen, finden, fotografieren, fragen, frühstücken, funktionieren
    geben, gehen, glauben, gucken
    haben, heißen, helfen, herstellen, holen, hören
    informieren
    kaufen, kennen, klingeln, kochen, kommen, kontrollieren, korrigieren, kosten
    leben, leihen, lernen, lesen, liegen
    machen, meinen, messen, mitbringen
    nehmen
    passen, passieren
    rauchen
    sagen, schauen, schlafen, schmecken, schneiden, schreiben, schwimmen, sehen, sein, spazieren gehen,
    spielen, sprechen, spülen, stattfinden, stehen, stimmen, stören, studieren, suchen
    tanzen, telefonieren, treffen, trinken, tun
    umziehen
    verbieten, verdienen, vergessen, vergleichen, verkaufen, verstehen, vorbereiten, vorhaben
    warten, waschen, weitersuchen, wissen, wohnen
    zeichnen, zuhören

12. Individuelle Lösung.

13. **a)** C **b)** B **c)** B **d)** D **e)** C **f)** C **g)** A **h)** D

14. **a)** unbedingt **b)** plötzlich **c)** bloß/nur **d)** bloß/nur **e)** zu viel · höchstens **f)** Wie oft · häufig
    g) bestimmt **h)** ein bisschen **i)** unbedingt **j)** höchstens/bloß/nur **k)** wirklich

15. **b)** Hört doch Musik!
    c) Besucht doch Freunde!
    d) Ladet doch Freunde ein!
    e) Spielt doch Fußball!
    f) Geht doch einkaufen!
    g) Arbeitet doch für die Schule!
    h) Seht doch fern!
    i) Räumt doch ein bisschen auf!
    j) Lest doch ein Buch!
    k) Geht doch spazieren!
    l) Macht doch Musik!
    m) Seid doch endlich zufrieden!

16.

	du	ihr	Sie
kommen	komm	*kommt*	kommen Sie
geben	gib	gebt	geben Sie
essen	*iss*	esst	essen Sie
lesen	lies	lest	lesen Sie
nehmen	nimm	nehmt	nehmen Sie
sprechen	sprich	sprecht	*sprechen Sie*
vergessen	vergiss	vergesst	vergessen Sie
einkaufen	kauf... ein	kauft... ein	kaufen Sie... ein
(ruhig) sein	sei	seid	seien Sie

Schlüssel

17.

	Vorfeld	Verb₁	Subj.	Angabe	Ergänzung	Verb₂
a)		*Nehmen*	*Sie*	*abends*	*ein Bad!*	
b)	Ich	soll		abends	ein Bad	nehmen.
c)	Sibylle	hat		abends	ein Bad	genommen.
d)		Trink		nicht	so viel Kaffee!	

18. Individuelle Lösung.

Lektion 7

1. a) schreiben **b)** trinken **c)** waschen **d)** machen **e)** kochen **f)** lernen **g)** fahren **h)** gehen **i)** treffen **j)** einkaufen

2. a) *Am Morgen hat sie lange geschlafen und dann* geduscht. *Am Mittag hat sie* das Essen gekocht. *Am Nachmittag* hat sie Briefe geschrieben und Radio gehört. *Am* Abend hat sie das Abendessen gemacht und die Kinder ins Bett gebracht.
  b) Am Morgen hat er mit den Kindern gefrühstückt. Dann hat er das Auto gewaschen. Am Mittag hat er das Geschirr gespült. Am Nachmittag hat er im Garten gearbeitet und mit dem Nachbarn gesprochen. Am Abend hat er einen Film im Fernsehen gesehen. Um halb elf ist er ins Bett gegangen.
  c) Am Morgen haben sie im Kinderzimmer gespielt und Bilder gemalt. Am Mittag um halb eins haben sie gegessen. Am Nachmittag haben sie Freunde getroffen. Dann sind sie zu Oma und Opa gefahren. Am Abend haben sie gebadet. Dann haben sie im Bett gelesen.

3. a) *hat gehört*, gebadet, gearbeitet, gebaut, geduscht, gefeiert, gefragt, gefrühstückt, geheiratet, geholt, gekauft, gekocht, gelebt, gelernt, gemacht, gepackt, geraucht, geschmeckt, gespült, gespielt, getanzt, gewartet, geweint, gewohnt
  b) *hat getroffen*, gesehen, gestanden, getrunken, gefunden, gegeben, gelesen, gemessen, geschlafen, geschrieben, gewaschen, geschwommen
  ist geschwommen, geblieben, gegangen, (gestanden), gefahren, gekommen, gewesen, gefallen

4. a) 7.30: *gekommen*, 7.32: gekauft, 7.34: gewartet, gelesen, 7.50: gefahren, 8.05: geparkt, 8.10: gegangen getrunken, 8.20: gesprochen, bis 9.02: gewesen, bis 9.30: spazieren gegangen, 9.30: eingekauft, 9.40: gebracht, 9.45: angerufen
  b) *Um 7.30 Uhr ist Herr A. aus dem Haus gekommen.* Er hat an einem Kiosk eine Zeitung gekauft. *Dann* hat er im Auto gewartet und Zeitung gelesen. *Um 7.50 Uhr* ist A. zum City-Parkplatz gefahren. Dort hat er um 8.05 Uhr geparkt. Um 8.10 Uhr ist er in ein Café gegangen und hat einen Kaffee getrunken. Um 8.20 Uhr hat er mit einer Frau gesprochen. Er ist bis 9.02 Uhr im Café geblieben. Bis 9.30 Uhr ist er dann im Stadtpark spazieren gegangen. Dann hat er im HL-Supermarkt Lebensmittel eingekauft. Um 9.40 Uhr hat er die Lebensmittel zum Auto gebracht. Um 9.45 Uhr hat A. in einer Telefonzelle jemanden angerufen.

5. a) -ge—(e)t   *zugehört*, mitgebracht, aufgemacht, aufgeräumt, hergestellt, kennen gelernt, weitergesucht
  ge—t   *gehört*, geglaubt, geantwortet, geklingelt, gesucht, gewusst
  —(e)t   *verkauft*, überlegt, vorbereitet
  b) -ge—en   (hat ...) *ferngesehen*, angerufen, stattgefunden
  (ist ...) *aufgestanden*, spazieren gegangen, umgezogen, eingeschlafen, weggefahren
  ge—en   (hat ...) *gesehen*, geliehen, gefallen
  (ist ...) *geblieben*, gekommen, gefallen

6. a) hatte **b)** wart – waren · hatten **c)** hatte – war **d)** hatten · waren **e)** Hattet (Habt) **f)** Hattest · warst – hatte · war **g)** Hatten – war

7. *sein:* war, warst, war, waren, wart, waren
  haben: hatte, hattest, hatte, hatten, hattet, hatten

8. **a)** wegfahren **b)** Pech **c)** Chef **d)** mitnehmen **e)** Sache **f)** auch **g)** gewinnen **h)** grüßen **i)** verabredet sein **j)** fallen

9. **a)** fotografiert **b)** bestellt **c)** verkauft **d)** bekommen **e)** besucht · operiert **f)** gesagt · verstanden **g)** bezahlt · vergessen **h)** erzählt

10. **a)** Tu den Pullover bitte in die Kommode! **b)** Tu die Bücher bitte ins Regal! **c)** Bring das Geschirr bitte in die Küche! **d)** Bring den Fußball bitte ins Kinderzimmer! **e)** Tu das Geschirr bitte in die Spülmaschine! **f)** Bring die Flaschen bitte in den Keller! **g)** Tu den Film bitte in die Kamera! **h)** Tu das Papier bitte in / auf den Schreibtisch! **i)** Tu die Butter bitte in den Kühlschrank! **j)** Tu die Wäsche bitte in die Waschmaschine! **k)** Bring das Kissen bitte ins Wohnzimmer!

11. **a)** *Im Schrank.* **b)** Im Garten. **c)** In der Kommode. **d)** Im Regal. **e)** Im Schreibtisch. **f)** Im Flur. **g)** Im Keller.

12. **a)** in der · im · im **b)** in der · im · im **c)** in die · ins · in die **d)** im · im · in der **e)** in der · im · im **f)** in der · im · im **g)** in die · in die · ins **h)** in der · im · im **i)** ins · in den · in die **j)** in den · in die · ins

13. **a)** putzen **b)** ausmachen (ausschalten) **c)** Schuhe / Strümpfe **d)** Schule **e)** gießen **f)** vermieten **g)** wecken **h)** anstellen / anmachen / einschalten **i)** Telefon **j)** schlecht

14. **a)** ihn **b)** ihn **c)** sie **d)** sie **e)** es **f)** sie **g)** sie · sie

15. **b)** Vergiss bitte die Küche nicht! Du musst sie jeden Abend aufräumen.
    c) Vergiss bitte den Hund nicht! Du musst ihn jeden Morgen füttern.
    d) Vergiss bitte die Blumen nicht! Du musst sie jede Woche gießen.
    e) Vergiss bitte den Brief von Frau Berger nicht! Du musst ihn unbedingt beantworten.
    f) Vergiss bitte das Geschirr nicht! Du musst es jeden Abend spülen.
    g) Vergiss bitte die Hausaufgaben nicht! Du musst sie unbedingt kontrollieren.
    h) Vergiss bitte meinen Pullover nicht! Du musst ihn heute noch waschen.
    i) Vergiss bitte meinen Krankenschein nicht! Du musst ihn zu Dr. Simon bringen.
    j) Vergiss bitte den Fernsehapparat nicht! Du musst ihn abends abstellen.

16. ○ Hast · gewaschen □ habe · gepackt – Hast · geholt ○ habe · gekauft – aufgeräumt – hast · gemacht □ habe · gebracht – bin · gefahren – habe · gekauft – Hast · gesprochen ○ habe · hingebracht – Hast · geholt □ habe · vergessen

17. **a)** aufwachen **b)** weg sein **c)** sitzen **d)** zurückkommen **e)** rufen **f)** parken **g)** anstellen **h)** abholen **i)** weggehen **j)** aufhören **k)** weiterfahren **l)** suchen **m)** aussteigen

18. **a)** 1. jetzt 2. sofort 3. gleich 4. bald 5. später
    b) 1. gegen elf Uhr 2. um elf Uhr 3. nach elf Uhr
    c) 1. gestern früh 2. gestern Abend 3. heute Morgen 4. heute Mittag 5. morgen früh 6. morgen Nachmittag 7. morgen Abend
    d) 1. zuerst 2. dann 3. danach 4. später
    e) 1. immer 2. oft 3. manchmal 4. nie
    f) 1. alles 2. viel 3. etwas 4. ein bisschen

19. **a)** noch nicht · erst **b)** nicht mehr **c)** erst **d)** noch **e)** schon **f)** noch **g)** erst · schon (schon · noch nicht) **h)** nicht mehr **i)** nicht mehr

20. **a)** Herzliche Grüße, Hallo Bernd, Lieber Christian, Liebe Grüße, Sehr geehrte Frau Wenzel, Lieber Herr Heick
    b) Hallo Bernd, Guten Tag, Auf Wiedersehen, Guten Abend, Guten Morgen, Tschüs

Schlüssel

Lektion 8

1. **b)** *Paul repariert die* Dusche nicht selbst. *Er lässt* die Dusche reparieren.
   c) Er lässt das Auto in die Garage fahren.
   d) Ich mache den Kaffee nicht selbst. Ich lasse den Kaffee machen.
   e) Er beantwortet den Brief nicht selbst. Er lässt den Brief beantworten.
   f) Ihr holt den Koffer nicht selbst am Bahnhof ab. Ihr lasst den Koffer abholen.
   g) Sie waschen / wäscht die Wäsche nicht selbst. Sie lassen / lässt die Wäsche waschen.
   h) Ich mache die Hausarbeiten nicht selbst. Ich lasse die Hausarbeiten machen.
   i) Paula putzt die Wohnung nicht selbst. Sie lässt die Wohnung putzen.
   j) Du räumst den Schreibtisch nicht selbst auf. Du lässt den Schreibtisch aufräumen.
   k) Ich bestelle das Essen und die Getränke nicht selbst. Ich lasse das Essen und die Getränke bestellen.
   l) Paul und Paula machen das Frühstück nicht selbst. Sie lassen das Frühstück machen.

2. **b)** in die VW-Werkstatt   **c)** in die Sprachschule Berger   **d)** auf die Post   **e)** auf den Bahnhof   **f)** ins Ufa-Kino   **g)** in die Tourist-Information   **h)** ins Parkcafé   **i)** ins Schwimmbad   **j)** in die Metzgerei Koch / in den Supermarkt König   **k)** in den Supermarkt König   **l)** in die Bibliothek

3. **b)** *Um neun Uhr war er* auf der Bank.   **c)** Um halb zehn war er auf dem Bahnhof.   **d)** Um zehn Uhr war er in der Bibliothek.   **e)** Um halb elf war er im Supermarkt.   **f)** Um elf Uhr war er in der Reinigung.   **g)** Um halb zwölf war er in der Apotheke.   **h)** Um zwölf Uhr war er in der Metzgerei.   **i)** Um halb drei war er im Reisebüro.   **j)** Um drei Uhr war er auf der Post.   **k)** Um vier Uhr war er in der Telefonzelle.   **l)** Um halb fünf war er wieder zu Hause.

4. **b)** *Um neun Uhr war ich* auf der Bank.   **c)** *Um halb zehn* war ich auf dem Bahnhof.   **d)** *Um* zehn Uhr war ich in der Bibliothek.   **e)** Um halb elf war ich im Supermarkt.   **f)** Um elf Uhr war ich in der Reinigung.   **g)** Um halb zwölf war ich in der Apotheke.   **h)** Um zwölf Uhr war ich in der Metzgerei.   **i)** Um halb drei war ich im Reisebüro.   **j)** Um drei Uhr war ich auf der Post.   **k)** Um vier Uhr war ich in der Telefonzelle.   **l)** Um halb fünf war ich wieder zu Hause.

5. **c)** ○ Wo kann man hier Kuchen essen?   □ Im Markt-Café. Das ist am Marktplatz.
   d) ○ Wo kann man hier Gemüse kaufen?   □ Im Supermarkt König. Der ist in der Obernstraße.
   e) ○ Wo kann man hier parken?   □ Auf dem City-Parkplatz. Der ist in der Schlossstraße.
   f) ○ Wo kann man hier übernachten?   □ Im Bahnhofshotel. Das ist in der Bahnhofstraße.
   g) ○ Wo kann man hier essen?   □ Im Schloss-Restaurant. Das ist an der Wapel.
   h) ○ Wo kann man hier einen Tee trinken?   □ Im Parkcafé. Das ist am Parksee.
   i) ○ Wo kann man hier schwimmen?   □ Im Schwimmbad. Das ist an der Bahnhofsstraße.
   j) ○ Wo kann man hier Bücher leihen?   □ In der Bücherei. Die ist in der Kantstraße.

6. **c)** An der Volksbank rechts bis zur Telefonzelle.   **d)** Am Restaurant links bis zum Maxplatz.   **e)** An der Diskothek links bis zu den Parkplätzen.   **f)** Am Stadtcafé rechts bis zur Haltestelle.   **g)** An der Buchhandlung links bis zum Rathaus.   **h)** An der Telefonzelle rechts in die Berner Straße.   **i)** Am Fotostudio rechts in den Lindenweg.   **j)** Am Stadtpark geradeaus bis zu den Spielwiesen.

7. **c)** Neben dem · ein   **d)** Das · neben einem   **e)** Das · an der   **f)** Zwischen der · dem · ein · das   **g)** Neben dem · das   **h)** Die · in der · neben dem   **i)** Das · am   **j)** Der · zwischen dem · einem / dem

8. **a)** *Zuerst hier geradeaus bis zum* St.-Anna-Platz. *Dort an der* St.-Anna-Kirche *vorbei in die* Mannstraße. *Da ist dann rechts die* Volkshochschule.
   b) *Zuerst hier geradeaus bis zur* Berliner Straße, *dort rechts. Am* Stadtmuseum *vorbei und dann links in die* Münchner Straße. *Da sehen Sie dann links den* Baalweg, *und da an der Ecke liegt auch die* „Bücherecke".
   c) *Hier die* Hauptstraße *entlang bis zum* St.-Anna-Platz. *Dort bei der* Telefonzelle *rechts in die* Brechtstraße. *Gehen Sie die* Brechtstraße *entlang bis zur* Münchner Straße. *Dort sehen Sie dann die* Videothek. *Sie liegt direkt neben dem* Hotel Rose.
   d) bis g): Individuelle Lösungen.

9. **a)** *zum · zum · am / beim · am · zur · an / bei der · zur · neben dem*
   b) zur · über die · an der · an der · zur · Dort bei der Diskothek gehen Sie links in die Obernstraße bis zum Supermarkt. Die Stadtbücherei ist beim Supermarkt, in der Kantstraße.

c) Gehen Sie hier die Bahnhofstraße geradeaus bis zur Tourist-Information. Dort rechts in die Hauptstraße bis zur Schillerstraße. Da wieder rechts in die Schillerstraße und zum Marktplatz. Das Hotel Lamm liegt hinter dem Stadttheater, in der Kantstraße.

10. *Pünktlich um 14 Uhr hat uns Herr Leutze begrüßt. Zuerst hat er uns etwas* über das alte Berlin erzählt. Danach sind wir zum Kurfürstendamm gefahren. Da kann man die Gedächtniskirche sehen. Sie ist eine Ruine und soll an den Krieg erinnern.
Dann sind wir zum ICC gefahren. Dort haben wir Pause gemacht. Nach einer Stunde sind wir weitergefahren. Dann haben wir endlich die Berliner Mauer gesehen. Bis 1989 hat die Mauer Berlin und Deutschland in zwei Teile geteilt. Sie war 46 km lang.
Dann sind wir nach Ostberlin gefahren. Wir haben die Staatsbibliothek, den Dom und die Humboldt-Universität gesehen. Dann war die Stadtrundfahrt leider schon zu Ende.

11. a) vor dem Radio **b)** zwischen den Büchern **c)** auf dem Schrank **d)** hinter dem Schrank **e)** neben der Schreibmaschine **f)** unter der Zeitung **g)** hinter der Vase **h)** auf dem Bett / im Bett **i)** auf der Nase

12. a) *Familie Meier* **b)** Kasper (der Hund) **c)** Familie Reiter **d)** Familie Hansen **e)** Emmily (die Katze) **f)** Familie Berger **g)** Familie Müller **h)** Familie Schmidt **i)** Familie Schulz

13. *Vor der Tür* liegen Kassetten. Neben der Toilette ist eine Milchflasche. Unter dem Tisch liegt ein Kugelschreiber. Auf dem Stuhl liegt ein Brot. Auf der Vase liegt ein Buch. Auf dem Schrank liegt Käse. Im Waschbecken liegen Schallplatten. Im (auf dem) Bett liegt ein Aschenbecher. In der Dusche sind Weingläser. Unter dem Bett liegt ein Feuerzeug. Vor dem Kühlschrank liegt eine Kamera. Unter dem Stuhl sind Zigaretten. Hinter dem Schrank ist ein Bild. Auf dem Regal steht eine Flasche. Auf der Couch ist ein Teller. Neben dem Bett ist eine Dusche. Neben der Couch ist eine Toilette. Vor dem Bett steht ein Kühlschrank.

14. a) *auf den Tisch* **b)** neben die Couch **c)** vor die Couch **d)** hinter den Sessel **e)** neben den Schrank **f)** zwischen den Sessel und die Couch **g)** neben das Waschbecken

15. *Dativ:* dem · (dem) im · der · den
Akkusativ: den · (das) ins · die · die

16. (a) zwischen **(b)** in **(c)** auf **(d)** nach **(e)** Mit **(f)** in **(g)** in **(h)** aus **(i)** auf **(j)** Aus **(k)** zum **(l)** zu **(m)** in **(n)** mit **(o)** in **(p)** auf **(q)** nach **(r)** nach **(s)** zum **(t)** zur **(u)** an

17. a) Menschen **b)** Autobahn **c)** Haushalt **d)** Bahn **e)** Museen **f)** Verbindung **g)** Nummer **h)** Aufzug **i)** Wiesen

18. a) *vom* **b)** am **c)** *im* **d)** in der **e)** am **f)** auf der **g)** nach **h)** auf der **i)** ins **j)** neben der **k)** nach **l)** vor dem **m)** auf dem **n)** hinter dem **o)** in der **p)** in den **q)** unter dem **r)** in der **s)** von zu **t)** zwischen der · dem

19.

	Vorfeld	Verb₁	Subj.	Ergänzung	Angabe	Ergänzung	Verb₂
a)	*Berlin*	*liegt*				*an der Spree.*	
b)	Wie	kommt	man		schnell	nach Berlin?	
c)	Nach Berlin	kann	man		auch mit dem Zug		fahren.
d)	Wir	treffen		uns	um zehn	an der Gedächtnis-kirche.	
e)	Der Fernseh-turm	steht				am Alexanderplatz.	
f)	Er	hat		das Bett	wirklich	in den Flur	gestellt.
g)	Du	kannst		den Mantel	ruhig	auf den Stuhl	legen.
h)	Zum Schluss	hat	er	die Sätze		an die Wand	geschrieben.
i)	Der Bär	sitzt				unter dem Funkturm.	

Schlüssel

20. **a)** Bahnfahrt, Eisenbahn, Intercity, Bahnhof, umsteigen, Zugverbindungen
   b) Autobahn, Autofahrt, Parkplatz, Raststätte
   c) Flughafen

21. **A.** **(a)** in **(b)** in **(c)** nach **(d)** Ins **(e)** in der **(f)** in den **(g)** im **(h)** im **(i)** auf der **(j)** ins **(k)** ins **(l)** in **(m)** In **(n)** auf **(o)** im **(p)** nach **(q)** an den **(r)** im **(s)** in der / an der **(t)** im **(u)** nach
   B. Individuelle Lösung.

Lektion 9

1. **a)** Mikrowelle – *Musik* **b)** Waschbecken – Haushaltsgeräte **c)** Halskette – Reise **d)** Geschirr spülen – Sport, Freizeit **e)** Pause – Gesundheit **f)** Messer – Schmuck **g)** Elektroherd – Möbel **h)** Typisch – Sprachen **i)** Reiseleiter – Bücher **j)** Hähnchen – Tiere **k)** aufpassen – Haushalt

2. **a)** Pflanze **b)** Schlafsack **c)** Kette **d)** Wörterbuch **e)** Feuerzeug **f)** Fernsehfilm **g)** Schallplatten **h)** Geschirrspüler **i)** Blumen **j)** Reiseführer

3. **b)** Er hat ihr das Auto geliehen. **c)** Er hat ihnen ein Haus gebaut. **d)** Er hat ihnen Geschichten erzählt. **e)** Er hat mir ein Fahrrad gekauft. **f)** Er hat dir Briefe geschrieben. **g)** Er hat uns Pakete geschickt. **h)** Er hat Ihnen den Weg gezeigt.

4.
b)	*Der* Lehrer Er	erklärt	Yvonne der Frau / dem Mädchen ihr	den Dativ.
c)	Der Vater Er	will	Elmar dem Jungen ihm	helfen.
d)	Jochen Er	schenkt	Lisa der Freundin ihr	eine Halskette
e)	Die Mutter Sie	kauft	Astrid dem Kind ihm	ein Fahrrad.

5. **a)** ... *Ihr kann man* ein Feuerzeug schenken, *denn* sie raucht viel.
      Ihr kann man eine Reisetasche schenken, denn sie reist gern.
   b) *Ihm kann man* einen Fußball schenken, denn er spielt Fußball.
      Ihm kann man ein Kochbuch schenken, denn er kocht gern.
      Ihm kann man eine Kamera schenken, denn er ist Hobby-Fotograf.
   c) *Ihr kann man* Briefpapier schenken, denn sie schreibt gern Briefe.
      Ihr kann man ein Wörterbuch schenken, denn sie lernt Spanisch.
      Ihr kann man eine Skibrille schenken, denn sie fährt gern Ski.

6. **b)** *wann?* morgen *was?* Dienstjubiläum *bei wem?* bei Ewald

   1 Zigaretten · *raucht gern – das* ist zu unpersönlich
   2 *Kochbuch* · kocht gern – *hat schon* so viele
   3 Kaffeemaschine · *seine* ist kaputt – *Idee ist* gut

   Morgen feiert Ewald sein Dienstjubiläum. Die Gäste möchten ein Geschenk mitbringen. *Der Mann will* ihm Zigaretten schenken, denn Ewald raucht gern. Aber das ist zu unpersönlich. Ein Kochbuch können die Gäste auch nicht mitbringen, denn Ewald hat schon so viele. Aber seine Kaffeemaschine ist kaputt. Deshalb schenken die Gäste ihm eine Kafffeemaschine.

7. **Bild 2:** ich **Bild 3:** ich **Bild 4:** ihr · sie · ich **Bild 6:** Sie · ihn/den · Sie **Bild 7:** Ich **Bild 8:** Ich · du · ihn

8. Individuelle Lösung.

Schlüssel

9. **a)** *Bettina hat* ihre Prüfung bestanden. Das möchte sie mit Sonja, Dirk und ihren anderen Freunden feiern. Die Party ist am Samstag, 4. 5., um 20 Uhr. Sonja und Dirk sollen ihr bis Donnerstag antworten oder sie anrufen.

b) *Herr und Frau Halster* sind 20 Jahre verheiratet. Das möchten sie mit Herrn und Frau Gohlke und ihren anderen Bekannten und Freunden feiern. Die Feier ist am Montag, 16. 6., um 19 Uhr. Herr und Frau Gohlke sollen ihnen bis Mittwoch antworten oder sie anrufen.

10.

Nom.	*Dat.*	*Akk.*	*Nom.*	*Dat.*	*Akk.*
ich	mir	mich	*wir*	uns	uns
du	dir	dich	*ihr*	euch	euch
Sie	Ihnen	Sie	*Sie*	Ihnen	Sie
er	ihm	*ihn*			
es	ihm	*es*	*sie*	ihnen	*sie*
sie	ihr	*sie*			

11. **a)** zufrieden **b)** gesund **c)** breit **d)** niedrig **e)** langsam **f)** kalt

12. **a)** groß **b)** nett **c)** schnell **d)** klein **e)** dick **f)** hoch

13.

klein	*kleiner*	*am kleinsten*	*lang*	*länger*	*am längsten*
billig	billiger	*am billigsten*	groß	*größer*	am größten
schnell	*schneller*	am schnellsten	schmal	schmaler	*am schmalsten*
neu	neuer	am neuesten	gut	besser	*am besten*
laut	*lauter*	am lautesten	*gern*	lieber	am liebsten
leicht	leichter	*am leichtesten*	viel	*mehr*	am meisten

14. **a)** kleiner **b)** schmaler **c)** breiter **d)** höher **e)** niedriger **f)** länger **g)** kürzer **h)** leichter **i)** schwerer **j)** schöner **k)** kaputt

15. **b)** Der Münchner Olympiaturm ist höher als der Big Ben in London. Am höchsten ist der Eiffelturm in Paris. **c)** Die Universität Straßburg ist älter als die Humboldt-Universität in Berlin. Am ältesten ist die Karls-Universität in Prag. **d)** Dresden ist größer als Münster. Am größten ist Berlin. **e)** Die Elbe ist länger als die Weser. Am längsten ist der Rhein. **f)** Boris spielt lieber Golf als Fußball. Am liebsten spielt er Tennis. **g)** Monique spricht besser Deutsch als George. Am besten spricht Nathalie. **h)** Linda schwimmt schneller als Paula. Am schnellsten schwimmt Yasmin. **i)** Thomas wohnt schöner als Bernd. Am schönsten wohnt Jochen.

16. **b)** ○ *Nimm doch* den Tisch da!
□ *Der gefällt* mir ganz gut, aber ich finde ihn zu niedrig.
○ Dann nimm doch den da links, der ist höher.
c) ○ Nimm doch den Teppich da!
□ Der gefällt mir ganz gut, aber ich finde ihn zu breit.
○ Dann nimm doch den da links, der ist schmaler.
d) ○ Nimm doch das Regal da!
□ Das gefällt mir ganz gut, aber ich finde es zu groß.
○ Dann nimm doch das da links, das ist kleiner.
e) ○ Nimm doch die Uhr da!
□ Die gefällt mir ganz gut, aber ich finde sie zu teuer.
○ Dann nimm doch die da links, die ist billiger.
f) ○ Nimm doch die Sessel da!
□ Die gefallen mir ganz gut, aber ich finde sie zu unbequem.
○ Dann nimm doch die da links, die sind bequemer.
g) ○ Nimm doch die Teller da!
□ Die gefallen mir ganz gut, aber ich finde sie zu klein.
○ Dann nimm doch die da links, die sind größer.

17. (a) *Ihnen* (b) mir (c) welche / eine (d) eine (e) Die (f) Ihnen (g) Sie / Die (h) die / sie (i) sie / die (j) mir (k) die (l) Ihnen die / sie Ihnen (m) die / sie (n) mir (o) eine (p) Die (q) Die (r) sie / die

18. **a)** C **b)** B **c)** A **d)** A

Schlüssel

19. A. Musik hören: a), b), c), e), g), h), i)
Musik aufnehmen: b), g), h), i)
Nachrichten hören: a), b)
Nachrichten hören und sehen: e)
die Kinder filmen: f)
Videokassetten abspielen: g), h)
Filme aufnehmen: g), h)
fotografieren: d)
Filme ansehen: e), h)
Interviews aufnehmen: b), g), h)
Sprachkassetten abspielen: b), i)
fernsehen: e), h)

B. b) *Mit einem Radio kann man Nachrichten hören,* Musik und Interviews hören und aufnehmen und Sprachkassetten abspielen.
c) Mit einem CD-Player kann man Musik hören.
d) Mit einer Kamera kann man fotografieren.
e) Mit einem Fernsehgerät kann man (Musik hören), Nachrichten hören und sehen, Filme ansehen, fernsehen.
f) Mit einer Videokamera kann man die Kinder filmen, Videokassetten abspielen und Interviews aufnehmen.
g) Mit einem Videorekorder kann man (Musik hören und aufnehmen), Videokassetten abspielen, (Fernseh-)Filme und Interviews aufnehmen und Filme ansehen.
h) Mit einem Video-Walkman kann man (Musik hören und aufnehmen), Nachrichten hören und sehen, Fernsehfilme aufnehmen und ansehen, Videokassetten abspielen und fernsehen.
i) Mit einem Walkman kann man Musik hören (und aufnehmen) und Sprachkassetten abspielen.

20. b) Den Walkman hat er ihr auf der Messe erklärt.
c) Dort hat er ihr den Walkman erklärt.
d) Er hat ihr früher oft geholfen.
e) Seine Tante hat ihm deshalb später das Bauernhaus vererbt.
f) Das Bauernhaus hat sie ihm deshalb vererbt.
g) Die Großstadt hat ihm zuerst ein bisschen gefehlt.
h) Später hat sie ihm nicht mehr gefehlt.

	Vorfeld	*Verb₁*	*Subj.*	*Erg.*	*Angabe*	*Ergänzung*	*Verb₂*
a)	*Der Verkäufer*	*hat*		*ihr*	*auf der Messe*	*den Walkman*	*erklärt.*
b)	Den Walkman	hat	er	ihr	auf der Messe		erklärt.
c)	Dort	hat	er	ihr		den Walkman	erklärt.
d)	Er	hat		ihr	früher oft		geholfen.
e)	Seine Tante	hat		ihm	deshalb später	das Bauernhaus	vererbt.
f)	Das Bauernhaus	hat	sie	ihm	deshalb		vererbt.
g)	Die Großstadt	hat		ihm	zuerst ein bisschen		gefehlt.
h)	Später	hat	sie	ihm	nicht mehr		gefehlt.

Schlüssel

Lektion 10

1. **a)** B **b)** B **c)** A **d)** C **e)** C **f)** A (B)

2. **a)** *Arzt*, Friseur, Bäcker, Schauspieler, Verkäufer, Lehrer, (Hausfrau), (Minister), (Politiker), Schriftsteller, Polizist, Maler (Soldat)
   b) *Student*, Theater, Passagier, Person, Deutscher, Bruder, Mann, Eltern Schweizer, Beamter, Doktor, Tante, Herr, Kollege, Schüler, Österreicher, Freund, Chef, Tourist, Junge, Nachbar, Sohn, (Soldat), Ausländer, Tochter

3. **a)** erste **b)** zweite **c)** dritte **d)** vierte **e)** fünfte **f)** sechste **g)** siebte **h)** achte **i)** neunte **j)** zehnte
   k) elfte **l)** zwölfte **m)** dreizehnte **n)** vierzehnte

4. **a)** einen Brief, ein Lied, ein Buch, eine Insel, ein Land, ein Bild **b)** einen Brief, ein Lied, ein Buch **c)** ein Lied **d)** eine Maschine, ein Gerät **e)** ein Bild **f)** Fußball, ein Lied, Tennis

5. **b)** von neunzehnhundertelf bis neunzehnhunderteinundneunzig
   c) von achtzehnhundertneunundsiebzig bis neunzehnhundertfünfundfünfzig
   d) von achtzehnhundertfünfzehn bis neunzehnhundertfünf
   e) von siebzehnhundertsiebenundneunzig bis achtzehnhundertsechsundfünfzig
   f) von siebzehnhundertneunundfünfzig bis achtzehnhundertfünf
   g) von sechzehnhundertfünfundachtzig bis siebzehnhundertfünfzig
   h) von vierzehnhundertdreiundachtzig bis fünfzehnhundertsechsundvierzig
   i) von zwölfhundertsechzig bis dreizehnhundertachtundzwanzig
   j) von elfhundertfünfundzwanzig bis elfhundertneunzig
   k) von siebenhundertzweiundvierzig bis achthundertvierzehn

6. Individuelle Lösung.

7. **(a)** am **(b)** Bis **(c)** Von · bis **(d)** Nach dem **(e)** im **(f)** von · bis **(g)** In den / In diesen **(h)** Im
   (i) bis **(j)** nach der / nach dieser **(k)** seit **(l)** In der / In dieser / In seiner **(m)** seit der / seit seiner
   (n) bis **(o)** nach **(p)** In den **(q)** vor seinem **(r)** im

8. **b)** Sie ist Japanerin. Sie kommt aus Japan. Sie spricht Japanisch.
   c) Er ist Amerikaner. Er kommt aus USA (aus den USA, aus Amerika). Er spricht Englisch.
   d) Er ist Grieche. Er kommt aus Griechenland. Er spricht Griechisch.

9. **a)** Brasilien, *Brasilianerin*, Portugiesisch **b)** *Frankreich*, Französin, Französisch **c)** Indien, Indierin, *Hindi* **d)** *Japan*, Japaner, Japanisch **e)** Schweden, Schwede, *Schwedisch* **f)** Polen, *Pole*, Polnisch **g)** Neuseeland, Neuseeländer, *Englisch* **h)** *Deutschland*, Deutsche, Deutsch

10. **a)** und · aber **b)** aber **c)** Deshalb **d)** Trotzdem · aber **e)** Dann **f)** Deshalb · Dann **g)** oder **h)** sonst

11. **b)** der Lieder **c)** des Jahrhunderts **d)** der Stadt **e)** des Stadtparlaments **f)** des Orchesters **g)** des Landes **h)** der Firmen **i)** des Turms / des Turmes **j)** der Geschäfte

12. **b)** *von* seinem Vater **c)** von unserer Schule **d)** von ihrem Chef **e)** von deinem Kollegen **f)** von der Reinigung **g)** vom Rathaus **h)** von unseren Nachbarn **i)** *der Bibliothek* **j)** meines Vermieters **k)** des Gasthauses Schmidt **l)** eines Restaurants **m)** des Cafés Fischer **n)** unseres Arztes **o)** eurer Nachbarn **p)** des Nationalmuseums **q)** *Barbaras Telefonnummer* **r)** Werners Telefonnummer **s)** Hannes Telefonnummer **t)** Jürgens Telefonnummer **u)** Ulrikes Telefonnummer

13. richtig: 3, 4, 6, 8

14. **a)** gehören **b)** raten **c)** gestorben sein **d)** wählen **e)** besichtigen **f)** bestehen **g)** geboren sein

15. **a)** mit einem Freund **b)** dem Freund ein Buch **c)** bei einem Freund **d)** zu einem Freund **e)** einem Freund **f)** für einen Freund **g)** einen Freund **h)** ein Freund

16. **A.** ja: c), f), h), j)
    B. ja: b), e), g), i)

Schlüssel

17. a) Bodensee · Länder / Staaten **b)** Österreich und die **c)** Grenzen · Ländern / Staaten **d)** ohne · von · in · fahren / gehen / reisen **e)** des · die **f)** Ufers · zur **g)** Schweiz · Kilometer lang · länger **h)** Von · bis · Schiffe · Fähren **i)** Flüsse · Bäche **j)** Er / Der See · lang · breit **k)** Touristen an · machen **l)** um · wandern / spazieren

18. a) nach **b)** Im **c)** an der · auf den **d)** auf den · auf den / über den **e)** um den **f)** durch den (in den) **g)** über die · auf die **h)** durch den · in die **i)** in der **j)** Auf den (Auf die) **k)** in die · in den (auf den)

19. a) Buch **b)** Ausland **c)** Meer **d)** Schiff **e)** Tasse **f)** rund **g)** Denkmal **h)** Bad **i)** Fahrrad **j)** Natur **k)** Hafen **l)** Parlament **m)** Klima **n)** Museum **o)** mit dem Fuß

20. a) Meistens **b)** Natürlich **c)** ganz **d)** fast **e)** Vor allem **f)** Vielleicht **g)** selten **h)** etwas **i)** oft **j)** plötzlich **k)** manchmal

21. a) A **b)** B **c)** C **d)** B **e)** B **f)** C **g)** A **h)** B **i)** B **j)** C **k)** B

22. *Lieber Johannes,*
seit einer Woche bin ich nun schon mit meinem
Zelt am Bodensee. Ich finde es hier fantastisch.
Den ganzen Tag haben wir Sonne, und ich kann
stundenlang wandern. Die Berge sind herrlich.
Nur du fehlst mir, sonst ist alles prima. Bis nächste
Woche!
Ganz herzliche Grüße
Katrin

Lektion 11

1. positiv: nett, lustig, sympathisch, intelligent, freundlich, attraktiv, ruhig, hübsch, schön, schlank, gemütlich
negativ: dumm, langweilig, unsympathisch, hässlich, dick, komisch, nervös, unfreundlich

2. a) hübsch **b)** intelligent **c)** alt **d)** attraktiv **e)** hässlich **f)** jung **g)** nett

3. a) finde · – **b)** ist · – / sieht · aus **c)** ist · – **d)** finde · – **e)** ist · – / sieht · aus **f)** ist · – **g)** ist · – **h)** ist · – / sieht · aus **i)** finde · –

4. a) ein bisschen / etwas **b)** über (etwa / ungefähr) **c)** nur / bloß (genau) **d)** viel **e)** mehr **f)** über **g)** fast **h)** genau

5. a) Die kleine Nase · Die schwarzen Haare · Das hübsche Gesicht · Die braune Haut
b) Die gefährlichen Augen · Das schmale Gesicht · Die dünnen Haare · Die helle Haut
c) Das lustige Gesicht · Die starken Arme · Der dicke Bauch · Der große Appetit
d) Die langen Beine · Die dicken Lippen · Der dünne Bauch · Die große Nase

6. a) stark **b)** schlank **c)** rund **d)** groß **e)** kurz

7. a) Den billigen Fotoapparat hat Bernd ihm geschenkt. **b)** Die komische Uhr hat Petra ihm geschenkt.
c) Das langweilige Buch hat Udo ihm geschenkt. **d)** Den hässlichen Pullover hat Inge ihm geschenkt.
e) Den alten Kuchen hat Carla ihm geschenkt. **f)** Den sauren Wein hat Dagmar ihm geschenkt.
g) Die unmoderne Jacke hat Horst ihm geschenkt. **h)** Den kaputten Kugelschreiber hat Holger ihm geschenkt. **i)** Das billige Radio hat Rolf ihm geschenkt.

8. a) gelb **b)** rot (gelb) **c)** weiß **d)** blau (grün) **e)** schwarz **f)** grün **g)** braun

9. a) Welches Kleid findest du besser, das lange oder das kurze? **b)** Welchen Mantel findest du besser, den gelben oder den braunen? **c)** Welche Jacke findest du besser, die grüne oder die weiße?
d) Welchen Pullover findest du besser, den dicken oder den dünnen? **e)** Welche Mütze findest du besser, die kleine oder die große? **f)** Welche Hose findest du besser, die blaue oder die rote?
g) Welche Handschuhe findest du besser, die weißen oder die schwarzen?

10. nie → fast nie / sehr selten → selten → manchmal → oft → sehr oft → meistens / fast immer → immer

11. **a)** Wie hässlich! So ein dicker Hals gefällt mir nicht. **b)** ... So eine lange Nase gefällt mir nicht. **c)** ... So ein trauriges Gesicht gefällt mir nicht. **d)** ... So ein dicker Bauch gefällt mir nicht. **e)** ... So kurze Beine gefallen mir nicht. **f)** ... So dünne Arme gefallen mir nicht. **g)** ... So ein großer Mund gefällt mir nicht. **h)** ... So eine schmale Brust gefällt mir nicht.

12. **a)** die Jacke **b)** das Kleid **c)** die Schuhe **d)** die Bluse **e)** der Rock **f)** die Strümpfe **g)** die Mütze **h)** der Mantel **i)** der Pullover **j)** die Handschuhe **k)** die Hose

13. **a)** Haare **b)** Kleidung **c)** Mensch / Charakter **d)** Aussehen

14. **a)** ... einen dicken Bauch. ... kurze Beine. ... große Füße. ... kurze Haare. ... eine runde Brille. ... ein schmales Gesicht. ... eine lange (große) Nase. ... einen kleinen Mund. **b)** Sein Bauch ist dick. ... kurz. ... groß. ... kurz. ... rund. ... schmal. ... lang (groß). ... klein. **c)** Sie hat große Ohren. ... lange Haare. ... eine kleine Nase. ... einen schmalen Mund. ... lange Beine. ... ein rundes Gesicht. ... kleine Füße. ... einen dicken Hals. **d)** Ihre Ohren sind groß. ... lang. ... klein. ... schmal. ... lang. ... rund. ... klein. ... dick.

15. **a)** schwarzen · weißen **b)** blauen · gelben **c)** schwere · dicken **d)** dunklen · roten **e)** weißes · blauen **f)** braune · braunen

16.
ein roter Mantel	einen roten Mantel	einem roten Mantel
eine braune Hose	eine braune Hose	einer braunen Hose
ein blaues Kleid	ein blaues Kleid	einem blauen Kleid
neue Schuhe	neue Schuhe	neuen Schuhen

17. **a)** schwarzen · weißen **b)** blaue · roten **c)** braunen · grünen **d)** helle · gelben **e)** rote · schwarzen

18.
der rote Mantel	den roten Mantel	dem roten Mantel
die braune Hose	die braune Hose	der braunen Hose
das blaue Kleid	das blaue Kleid	dem blauen Kleid
die neuen Schuhe	die neuen Schuhe	den neuen Schuhen

19. **a)** ○ Du suchst doch eine Bluse. Wie findest du die hier?
❑ Welche meinst du?
○ Die weiße.
❑ Die gefällt mir nicht.
○ Was für eine möchtest du denn?
❑ Eine blaue.

b) ○ Du suchst doch eine Hose. Wie findest du die hier?
❑ Welche meinst du?
○ Die braune.
❑ Die gefällt mir nicht.
○ Was für eine möchtest du denn?
❑ Eine schwarze.

c) ○ Du suchst doch ein Kleid. Wie findest du das hier?
❑ Welches meinst du?
○ Das kurze.
❑ Das gefällt mir nicht.
○ Was für eins möchtest du denn?
❑ Ein langes.

d) ○ Du suchst doch einen Rock. Wie findest du den hier?
❑ Welchen meinst du?
○ Den roten.
❑ Der gefällt mir nicht.
○ Was für einen möchtest du denn?
❑ Einen gelben.

e) ○ Du suchst doch Schuhe. Wie findest du die hier?
❑ Welche meinst du?
○ Die blauen.
❑ Die gefallen mir nicht.
○ Was für welche möchtest du denn?
❑ Weiße.

20.
Was für ein Mantel?	Was für einen Mantel?	Mit was für einem Mantel?
Welcher Mantel?	Welchen Mantel?	Mit welchem Mantel?
Was für eine Hose?	Was für eine Hose?	Mit was für einer Hose?
Welche Hose?	Welche Hose?	Mit welcher Hose?
Was für ein Kleid?	Was für ein Kleid?	Mit was für einem Kleid?
Welches Kleid?	Welches Kleid?	Mit welchem Kleid?
Was für Schuhe?	Was für Schuhe?	Mit was für Schuhen?
Welche Schuhe?	Welche Schuhe?	Mit welchen Schuhen?

Schlüssel

21. a) Musiker **b)** Onkel **c)** Tochter **d)** Meter (m) **e)** Ehemann **f)** Kollege **g)** Hemd **h)** Hochzeitsfeier **i)** Brille **j)** voll **k)** keine Probleme

22. a) Welcher Dieser **b)** Welchen Diesen **c)** welchem diesem
Welche Diese Welches Dieses welcher dieser
Welche Diese Welche Diese welchen diesem
Welches Dieses Welche Diese welchen diesen

23. a) Arbeitgeberin · Angestellte **b)** Arbeitsamt **c)** pünktlich **d)** verrückt **e)** angenehme **f)** Prozess **g)** Stelle **h)** Ergebnis **i)** kritisieren **j)** Typ **k)** Wagen **l)** Test

24. a) Alle · manche **b)** jeden · manche **c)** allen · jedem **d)** alle · manche

25. jeder jede jedes alle manche
jeden jede jedes alle manche
jedem jeder jedem allen manchen

26. pro: Du hast recht. Das stimmt. Das ist richtig. Das ist auch meine Meinung. Das finde ich auch. Ich glaube das auch. Einverstanden! Das ist wahr.
contra: Ich bin anderer Meinung. Das finde ich nicht. Das ist falsch. Das ist Unsinn. So ein Quatsch! Das stimmt nicht. Das ist nicht wahr.

27. a) lügen **b)** verlangen **c)** zahlen **d)** tragen **e)** kritisieren **f)** kündigen

Lektion 12

1. a) Peter möchte Zoodirektor werden, weil er Tiere mag. · Weil Peter Tiere mag, möchte er Zoodirektor werden. **b)** Gabi will Sportlerin werden, weil sie eine Goldmedaille gewinnen möchte. · Weil Gabi eine Goldmedaille gewinnen möchte, will sie Sportlerin werden. **c)** Sabine will Fotomodell werden, weil sie schöne Kleider mag. · Weil Sabine schöne Kleider mag, will sie Fotomodell werden. **d)** Paul möchte Nachtwächter werden, weil er abends nicht früh ins Bett gehen mag. · Weil Paul abends nicht früh ins Bett gehen mag, möchte er Nachtwächter werden. **e)** Sabine will Fotomodell werden, weil sie viel Geld verdienen möchte. · Weil Sabine viel Geld verdienen möchte, will sie Fotomodell werden. **f)** Paul will Nachtwächter werden, weil er nachts arbeiten möchte. · Weil Paul nachts arbeiten möchte, will er Nachtwächter werden. **g)** Julia will Dolmetscherin werden, weil sie dann oft ins Ausland fahren kann. · Weil Julia dann oft ins Ausland fahren kann, will sie Dolmetscherin werden. **h)** Julia möchte Dolmetscherin werden, weil sie gern viele Sprachen verstehen möchte. · Weil Julia gern viele Sprachen verstehen möchte, möchte sie Dolmetscherin werden. **i)** Gabi will Sportlerin werden, weil sie die Schnellste in ihrer Klasse ist. · Weil Gabi die Schnellste in ihrer Klasse ist, will sie Sportlerin werden.

Ihre Grammatik. Ergänzen Sie.

	Junktor	Vorfeld	Verb$_1$	Subj.	Erg.	Ang.	Ergänzung	Verb$_2$	Verb$_1$ im Nebensatz
a)		Peter	möchte				Zoodirektor	werden,	
	denn	er	mag				Tiere.		
		Peter	möchte				Zoodirektor	werden,	
	weil			er			Tiere		mag.
b)		Gabi	will				Sportlerin	werden,	
	denn	sie	möchte				eine Goldmedaille	gewinnen.	
		Gabi	will				Sportlerin	werden,	
	weil			sie			eine Goldmedaille	gewinnen	möchte.

c)

	Sabine	will			Fotomodell	werden,	
denn	sie	mag			schöne Kleider.		
	Sabine	will			Fotomodell	werden,	
weil			sie		schöne Kleider		mag.

2. **a)** wollte **b)** will **c)** wollten **d)** wolltest **e)** wollt **f)** wollten **g)** willst **h)** wolltet **i)** wollte **j)** wollen

3.

will	willst	will	wollen	wollt	wollen	wollen
wollte	wolltest	wollte	wollten	wolltet	wollten	wollten

4. **a)** Verkäufer **b)** Ausbildung **c)** verdienen **d)** Schauspielerin **e)** Zahnarzt **f)** Zukunft **g)** Maurer **h)** kennen lernen **i)** Klasse

5. **a)** klein · jung **b)** bekannt · schlank **c)** frisch · einfach **d)** zufrieden · freundlich

6.

konnte	durfte	sollte	musste
konntest	durftest	solltest	musstest
konnte	durfte	sollte	musste
konnten	durften	sollten	mussten
konntet	durftet	solltet	musstet
konnten	durften	sollten	mussten
konnten	durften	sollten	mussten

7. **a)** weil **b)** obwohl **c)** obwohl **d)** weil **e)** weil **f)** obwohl **g)** obwohl

	Junktor	Vorfeld	Verb₁	Subj.	Erg. Ang.	Ergänzung	Verb₂	Verb₁ im Nebensatz
d)		Herr Schmidt	konnte		nicht mehr	als Maurer	arbeiten,	
	weil			er		einen Unfall		hatte.
e)		Frau Voller	sucht			eine neue Stelle,		
	weil			sie		nicht genug		verdient.
f)		Frau Mars	liebt			ihren Beruf,		
	obwohl			die Arbeit	manchmal	sehr anstrengend		ist
g)		Herr Gansel	musste			Landwirt	werden,	
	obwohl			er	es	gar nicht		wollte.

8. **a)** Wenn du Bankkaufmann werden willst, dann musst du jetzt eine Lehrstelle suchen. · …, dann such jetzt schnell eine Lehrstelle. **b)** Wenn du studieren willst, dann musst du aufs Gymnasium gehen. · …, dann geh aufs Gymnasium. **c)** Wenn du sofort Geld verdienen willst, dann musst du die Stellenanzeigen in der Zeitung lesen. · …, dann lies die Stellenanzeigen in der Zeitung. **d)** Wenn du nicht mehr zur Schule gehen willst, dann musst du einen Beruf lernen. · …, dann lern einen Beruf. **e)** Wenn du noch nicht arbeiten willst, dann musst du weiter zur Schule gehen. · …, dann geh weiter zur Schule. **f)** Wenn du später zur Fachhochschule gehen willst, dann musst du jetzt zur Fachoberschule gehen. · …, dann geh jetzt zur Fachoberschule. **g)** Wenn du einen Beruf lernen willst, dann musst du die Leute beim Arbeitsamt fragen. · …, dann frag die Leute beim Arbeitsamt.

Schlüssel

9. a) Kurt sucht eine andere Stelle, weil er mehr Geld verdienen will. · Weil Kurt mehr Geld verdienen will, sucht er eine andere Stelle.   **b)** Herr Bauer ist unzufrieden, weil er eine anstrengende Arbeit hat.· Weil Herr Bauer eine anstrengende Arbeit hat, ist er unzufrieden.   **c)** Eva ist zufrieden, obwohl sie wenig Freizeit hat. · Obwohl Eva wenig Freizeit hat, ist sie zufrieden.   **d)** Hans kann nicht studieren, wenn er ein schlechtes Zeugnis bekommt. · Wenn Hans ein schlechtes Zeugnis bekommt, (dann) kann er nicht studieren.   **e)** Herbert ist arbeitslos, weil er einen Unfall hatte. · Weil Herbert einen Unfall hatte, ist er arbeitslos.   **f)** Ich nehme die Stelle, wenn ich nicht nachts arbeiten muss. · Wenn ich nicht nachts arbeiten muss, (dann) nehme ich die Stelle.

10. a) Lehre   **b)** Semester   **c)** mindestens   **d)** Gymnasium   **e)** Nachteil   **f)** Zeugnis   **g)** Bewerbung   **h)** beginnen   **i)** Grundschule

11. a) B   **b)** A   **c)** A   **d)** B

12. a) Deshalb   **b)** und   **c)** dann   **d)** Sonst   **e)** Trotzdem   **f)** Aber   **g)** denn   **h)** sonst   **i)** dann   **j)** aber   **k)** Trotzdem

	Junktor	Vorfeld	Verb₁	Subj.	Erg.	Ang.	Ergänzung	Verb₂
a)		Für Akademiker	gibt	es			wenig Stellen.	
		Deshalb	haben	viele Studenten			Zukunftsangst.	
b)		Die Studenten	wissen		das	natürlich		
	und	die meisten	sind			nicht	optimistisch.	
c)		Man	muss			einfach	besser	sein,
		dann	findet	man		bestimmt	eine Stelle.	
d)		Du	musst			zuerst	das Abitur	machen.
		Sonst	kannst	du		nicht		studieren.
e)		Ihr	macht	das Studium			keinen Spaß.	
		Trotzdem	studiert	sie				weiter.
f)		Sie	hat				viele Bewerbungen	geschrieben,
	Aber	sie	hat				keine Stelle	gefunden.
g)		Sie	lebt			noch	bei ihren Eltern,	
	denn	eine Wohnung	kann	sie		nicht		bezahlen.

13. a) Die Studenten studieren weiter, obwohl sie ihre schlechten Berufschancen kennen.   **b)** Vera ist schon 27 Jahre alt. Trotzdem wohnt sie immer noch bei den Eltern.   **c)** Obwohl Manfred nicht mehr zur Schule gehen will, soll er den Realschulabschluss machen.   **d)** Jens kann schon zwei Fremdsprachen. Trotzdem will er Englisch lernen.   **e)** Obwohl Eva Lehrerin werden sollte, ist sie Krankenschwester geworden.   **f)** Obwohl ein Doktortitel bei der Stellensuche wenig hilft, schreibt Vera eine Doktorarbeit.   **g)** Es gibt zu wenig Stellen für Akademiker. Trotzdem hat Konrad Dehler keine Zukunftsangst.   **h)** Obwohl Bernhard das Abitur gemacht hat, möchte er lieber einen Beruf lernen.   **i)** Doris hat sehr schlechte Arbeitszeiten. Trotzdem möchte sie keinen anderen Beruf.

14. a) Thomas möchte nicht mehr zur Schule gehen, weil er lieber einen Beruf lernen möchte. · Thomas möchte lieber einen Beruf lernen. Deshalb möchte er nicht mehr zur Schule gehen.   **b)** Jens findet seine Stelle nicht gut, denn er hat zu wenig Freizeit. · Jens hat zu wenig Freizeit. Deshalb findet er seine Stelle nicht gut.   **c)** Herr Köster kann nicht arbeiten, weil er gestern einen Unfall hatte. · Herr Köster hatte gestern einen Unfall. Deshalb kann er nicht arbeiten.   **d)** Manfred soll noch ein Jahr zur Schule gehen, weil er keine Stelle gefunden hat. · Manfred hat keine Stelle gefunden. Deshalb soll er noch ein Jahr zur Schule gehen.   **e)** Vera wohnt noch bei ihren Eltern, denn sie verdient nur wenig Geld. · Vera verdient nur wenig Geld. Deshalb wohnt sie noch bei ihren Eltern.   **f)** Kerstin kann nicht studieren, weil sie nur die Hauptschule besucht hat. · Kerstin hat nur die Hauptschule besucht.

Deshalb kann sie nicht studieren. **g)** Conny macht das Studium wenig Spaß, denn an der Uni gibt es eine harte Konkurrenz. · An der Uni gibt es eine harte Konkurrenz. Deshalb macht das Studium Conny wenig Spaß. **h)** Simon mag seinen Beruf nicht, denn er wollte eigentlich Automechaniker werden. · Simon wollte eigentlich Automechaniker werden. Deshalb mag er seinen Beruf nicht. **i)** Herr Bender möchte weniger arbeiten, weil er zu wenig Zeit für seine Familie hat. · Herr Bender hat zu wenig Zeit für seine Familie. Deshalb möchte er weniger arbeiten.

15. a) – · er **b)** sie · – **c)** – · er **d)** sie · – **e)** – · sie **f)** – · er **g)** – · sie **h)** er · – **i)** sie · – **j)** – · sie
k) – · er

16. großes · deutschen · attraktive · junge · eigenen · neues
neue · neuen
großes · jungen · interessanten · gutes · sichere berufliche · modernen

17. a) Heute ist der zwölfte Mai. · ... der achtundzwanzigste Februar. · ... der erste April. · ... der dritte August. **b)** Am siebten April. · Am siebzehnten Oktober · Am elften Januar · Am einunddreißigsten März. **c)** Nein, wir haben heute den dritten. · Nein, wir haben heute den vierten. · Nein, wir haben heute den siebten. · Nein, wir haben heute den achten. **d)** Vom vierten April bis zum achten März. · Vom dreiundzwanzigsten Januar bis zum zehnten September. · Vom vierzehnten Februar bis zum ersten Juli. · Vom siebten April bis zum zweiten Mai.

18. ○ Maurer.
❏ Hallo Petra, hier ist Anke.
○ Hallo Anke!
❏ Na, wie geht's? Hast du schon eine neue Stelle?
○ Ja, drei Angebote. Am interessantesten finde ich eine Firma in Offenbach.
❏ Und? Erzähl mal!
○ Da kann ich Chefsekretärin werden. Die Kollegen sind nett, und das Gehalt ist auch ganz gut.
❏ Und was machst du? Nimmst du die Stelle?
○ Ich weiß noch nicht. Nach Offenbach sind es 35 Kilometer. Das ist ziemlich weit.
❏ Das ist doch nicht schlimm. Dann musst du nur ein bisschen früher aufstehen.
○ Aber du weißt doch, ich schlafe morgens gern lange.
❏ Ja, ja, ich weiß. Aber findest du das wichtiger als eine gute Stelle? ...

19. a) Student **b)** Betrieb **c)** Kantine **d)** Inland **e)** ausgezeichnet **f)** lösen **g)** arbeitslos **h)** Rente
i) Import **j)** Hauptsache **k)** auf jeden Fall **l)** dringend **m)** anfangen **n)** Monate

20. a) Gehalt **b)** Kunde **c)** Termin **d)** bewerben **e)** Religion **f)** Zeugnis

21. a) macht **b)** bestimmen **c)** gehen **d)** besuchen **e)** aussuchen **f)** geschafft **g)** versprechen

22. a) verdienen **b)** sprechen **c)** schreiben **d)** studieren **e)** korrigieren **f)** kennen **g)** hören
h) anbieten **i)** werden **j)** dauern **k)** lesen

Lektion 13

1. a) Kultur **b)** Unterhaltung **c)** Werbung **d)** Medizin **e)** Gewinn **f)** Gott **g)** Orchester
h) Information **i)** Pilot **j)** spielen

2. Unterhaltungsmusik, Unterhaltungssendung, ...
Spielfilm, Kinderfilm, ...
Nachmittagsprogramm, Kulturprogramm, ...

3. a) Uhrzeit **b)** Telefon **c)** Nachmittagsprogramm **d)** Tier **e)** Tierarzt **f)** zu spät **g)** Auto **h)** tot
i) vergleichen

4. Ein Flugzeug fliegt von Los Angeles nach Chicago. Die Stewardess serviert ein Fischgericht; aber kurze Zeit danach werden der Pilot und die meisten Passagiere krank. Zum Glück ist unter den Passagieren, die nicht gegessen haben, ein ehemaliger Vietnam-Pilot, Ted Striker. Er ist noch nie mit einem Jumbo geflogen, aber die Bodenstation gibt ihm Anweisungen und so kann er mit dem Jumbo landen.
(Andere Lösungen sind möglich.)

Schlüssel

5. **a)** Wir · uns **b)** ihr euch **c)** dich · ich · mich **d)** sie · sich **e)** Sie · sich **f)** Er · sich **g)** sich

6. **a)** Du · dich · anziehen **b)** ich · mich · duschen **c)** wir · uns · entscheiden **d)** Sie · sich · gelegt
e) Setzen Sie sich **f)** stellt euch **g)** Sie · sich · vorgestellt **h)** Ihr · euch · waschen **i)** sich · beworben

7.

ich	du	er	sie	es	man	wir	ihr	sie	Sie
mich	dich	sich	sich	sich	sich	uns	euch	sich	sich

8. **a)** über die **b)** über ihn **c)** auf die **d)** in der **e)** mit dem **f)** über den **g)** mit dem **h)** über den
i) Über das **j)** mit der **k)** für ihren **l)** mit der

9. den Film · die Musik · das Programm · die Sendungen
den Film · die Musik · das Programm · die Sendungen
den Film · die Musik · das Programm · die Sendungen
den Film · die Musik · das Programm · die Sendungen

dem Plan · der Meinung · dem Geschenk · den Antworten
dem Plan · der Meinung · dem Geschenk · den Antworten

10. **a)** Worüber · über · Darüber **b)** Worüber · Über · darüber **c)** Wofür · Für · Dafür
d) Womit · Mit · Damit **e)** Worauf · Auf · Darauf **f)** Worauf · Auf · Darauf

11. **a)** Mit wem · Mit · mit ihr **b)** Für wen · Für · für sie **c)** Mit wem · Mit · Mit der / Mit ihr **d)** Über
wen · Über · Über mich **e)** Auf wen · Auf · auf den / auf ihn

12. worüber / über wen?   darüber / über sie
worauf? / auf wen?   darauf / auf sie
wofür? / für wen?   dafür / für ihn
wonach? / nach wem?   danach / nach ihm
womit? / mit wem?   damit / mit ihm

13.

	Vorfeld	Verb₁	Subjekt	Erg.	Angabe	Ergänzung	Verb₂
a)	Wofür	interessiert	Bettina	sich	am meisten?		
b)	Bettina	interessiert		sich	am meisten	für Sport.	
c)	Für Sport	interessiert	Bettina	sich	am meisten.		
d)	Am meisten	interessiert	Bettina	sich		für Sport.	
e)	Für Sport	hat	Bettina	sich	am meisten		interessiert.

14. **a)** sie würde gern noch mehr Urlaub machen. **b)** sie hätte gern noch mehr Autos. **c)** sie wäre gern
noch schlanker. **d)** sie würde gern noch länger fernsehen. **e)** sie würde gern noch mehr verdienen.
f) sie hätte gern noch mehr Hunde. **g)** sie würde gern noch länger schlafen. **h)** sie wäre gern noch
attraktiver. **i)** sie würde gern noch besser aussehen. **j)** sie würde gern noch mehr Sprachen sprechen.
k) sie hätte gern noch mehr Kleider. **l)** sie wäre gern noch reicher. **m)** sie würde gern noch mehr
Leute kennen. **n)** sie würde gern noch öfter Ski fahren. **o)** sie würde gern noch öfter einkaufen
gehen. **p)** sie würde gern noch mehr über Musik wissen.

15. **a)** Es wäre gut, wenn er weniger arbeiten würde. **b)** Es wäre gut, wenn ich weniger essen würde.
c) Es wäre gut, wenn sie wärmere Kleidung tragen würde. **d)** Es wäre gut, wenn Sie früher aufstehen
würden. **e)** Es wäre gut, wenn ich (mir) ein neues Auto kaufen würde. **f)** Es wäre gut, wenn ich (mir)
eine andere Wohnung suchen würde. **g)** Es wäre gut, wenn ich jeden Tag 30 Minuten laufen würde.
h) Es wäre gut, wenn er eine andere Stelle suchen würde. **i)** Es wäre gut, wenn wir netter wären.

16.

gehe	gehst	geht	gehen	geht	gehen	gehen
würde	würdest	würde	würden	würdet	würden	würden
gehen	gehen	gehen	gehen	gehen	gehen	gehen
bin	bist	ist	sind	seid	sind	sind
wäre	wärest	wäre	wären	wäret	wären	wären
habe	hast	hat	haben	habt	haben	haben
hätte	hättest	hätte	hätten	hättet	hätten	hätten

17. **a)** wichtig   **b)** sauber sein   **c)** Firma   **d)** Schule   **e)** leicht

18. **a)** Literatur   **b)** Kunst   **c)** sich ärgern   **d)** Schatten   **e)** Hut   **f)** Himmel   **g)** Glückwunsch
    h) Kompromiss   **i)** Gedanke   **j)** Material   **k)** raten   **l)** Mond   **m)** singen   **n)** Radio

19. Gabriela, 20, ist Straßenpantomimin. Sie zieht von Stadt zu Stadt und spielt auf Plätzen und Straßen.
    Die Leute mögen ihr Spiel, nur wenige regen sich darüber auf. Gabriela sammelt Geld bei den Leuten.
    Sie verdient ganz gut, aber sie muss regelmäßig spielen. Früher hat sie mit Helmut zusammen gespielt.
    Er war auch Straßenkünstler. Ihr hat das freie Leben gefallen. Zuerst hat sie nur für Helmut Geld
    gesammelt, aber dann hat sie auch selbst getanzt. Nach einem Krach mit Helmut hat sie einen Schnell-
    kurs für Pantomimen gemacht. Sie findet ihr Leben unruhig, aber sie möchte keinen anderen Beruf.
    (Andere Lösungen sind möglich.)

20. **a)** ist   **b)** hat   **c)** hätte   **d)** wäre   **e)** hat   **f)** war   **g)** war   **h)** hatten   **i)** wäre   **j)** wäre   **k)** hat   **l)** ist
    m) würde   **n)** hätten   **o)** hat   **p)** hat   **q)** wären   **r)** würde   **s)** wären   **t)** hätte   **u)** wäre   **v)** würde
    w) hätte   **x)** hatte

21. **a)** Bart   **b)** Cent   **c)** auspacken   **d)** Vorstellung   **e)** Zuschauer   **f)** ausruhen   **g)** Finger   **h)** Minuten
    i) Krach   **j)** weinen   **k)** malen   **l)** Baum

22. **a)** möglich   **b)** Qualität   **c)** Kaufhaus   **d)** Spezialität   **e)** Eingang / Ausgang   **f)** Lautsprecher
    g) öffentlich   **h)** regelmäßig   **i)** feucht   **j)** nützen   **k)** kaum   **l)** Ordnung

23. **a)** laut sein   **b)** gern haben   **c)** sich beschweren   **d)** legen   **e)** leihen   **f)** verbieten   **g)** lachen
    h) sich ausruhen

24. **a)** dürfte   **b)** könnte   **c)** müsste   **d)** solltest   **e)** könnte   **f)** könnte · müsste   **g)** müsste   **h)** dürfte

25.

müsste	müsstest	müsste	müssten	müsstet	müssten	müssten
dürfte	dürftest	dürfte	dürften	dürftet	dürften	dürften
könnte	könntest	könnte	könnten	könntet	könnten	könnten
sollte	solltest	sollte	sollten	solltet	sollten	sollten

Lektion 14

1. **a)** Leistung   **b)** Kosten   **c)** Alter   **d)** Gewicht   **e)** Länge   **f)** Geschwindigkeit   **g)** Benzinverbrauch

2. **a)** schnell   **b)** klein   **c)** leise   **d)** lang   **e)** niedrig / tief   **f)** preiswert / billig   **g)** viel   **h)** stark
   i) schwer

3. neue · stärkerer · höhere · größerer · breiteren · bequemeren · stärkeren · saubereren · neuen · besseren ·
   niedrigere · niedrigere · neue · größere · modernere · bessere

4. höchste, höchste, höchste, höchsten   niedriger, niedrige, niedriges, niedrige
   höchsten, höchste, höchste, höchsten   niedrigen, niedrige, niedriges, niedrige
   höchsten, höchsten, höchsten, höchsten   niedrigen, niedrigen, niedrigen, niedrigen

5. **a)** als   **b)** wie   **c)** wie   **d)** als   **e)** wie   **f)** als   **g)** als   **h)** wie

6. **a)** Das neue Auto verbraucht mehr Benzin, als man mir gesagt hat.   **b)** Das neue Auto verbraucht
   genauso wenig Benzin, wie man mir gesagt hat.   **c)** Die Kosten für einen Renault sind genauso hoch,
   wie du gesagt hast.   **d)** Der Motor ist viel älter, als der Autoverkäufer uns gesagt hat.   **e)** Der Wagen
   fährt schneller, als im Prospekt steht.   **f)** Der Wagen fährt so schnell, wie Renault in der Anzeige
   schreibt.   **g)** Es gibt den Wagen auch mit einem schwächeren Motor, als der Autoverkäufer mir erzählt
   hat.   **h)** Kleinwagen sind nicht so unbequem, wie ich früher gemeint habe. / ... bequemer, als ich
   früher gemeint habe.

7. **a)** gehen   **b)** fließen   **c)** fahren   **d)** fahren   **e)** gehen

8. **a)** Benzin   **b)** Lampe   **c)** Werkzeug   **d)** Spiegel   **e)** Bremsen   **f)** Panne   **g)** Reifen   **h)** Batterie
   i) Werkstatt   **j)** Unfall

9. **a)** baden   **b)** schwierig   **c)** zu schwierig   **d)** blond   **e)** nimmt   **f)** gut laufen

Schlüssel

10. 1. D   2. G   3. B   4. F   5. B   6. A   7. G   8. E   9. F   10. A   11. D   12. C   13. E   14. C

11. ○ Mein Name ist Becker. Ich möchte meinen Wagen bringen.
❑ Ach ja, Frau Becker. Sie haben gestern angerufen. Was ist denn kaputt?
○ Die Bremsen ziehen immer nach rechts, und der Motor braucht zuviel Benzin.
❑ Noch etwas?
○ Nein, das ist alles. Wann kann ich das Auto abholen?
❑ Morgen Nachmittag
○ Morgen Nachmittag erst? Aber gestern am Telefon haben Sie mir doch gesagt, Sie können es heute noch reparieren.
❑ Es tut mir Leid, Frau Becker, aber wir haben so viel zu tun. Das habe ich gestern nicht gewusst.
○ Das interessiert mich nicht. Sie haben es versprochen.
❑ Ja, da haben Sie Recht, Frau Becker. Na gut, wir versuchen es, vielleicht geht es ja heute doch noch.

12. verlieren   Öl, Benzin, Brief, Brille, Führerschein, Geld, Haare, Hemd, Pullover
schneiden   Blech, Kuchen, Haare, Bart, Brot, Gemüse, Wurst, Papier, Fleisch
waschen   Wagen, Pullover, Haare, Hände, Kind, Auto, Hals, Fleisch, Gemüse, Hemd

13. a) Hier wird ein Auto abgeholt. **b)** Hier wird ein Motor repariert. **c)** Hier wird ein Rad gewechselt. **d)** Hier wird getankt. **e)** Hier werden die Bremsen geprüft. **f)** Hier wird geschweißt. **g)** Hier wird ein Auto gewaschen. **h)** Hier wird die Werkstatt sauber gemacht. **i)** Hier wird Öl geprüft. **j)** Hier wird eine Rechnung bezahlt. **k)** Hier wird ein Radio montiert. **l)** Hier wird nicht gearbeitet.

14. ich: werde abgeholt   du: wirst abgeholt   Sie: werden abgeholt   er / sie / es / man: wird abgeholt   wir: werden abgeholt   ihr: werdet abgeholt   sie / Sie: werden abgeholt

15. a) Die Kinder werden vom Vater geweckt. **b)** Die Kinder werden von der Mutter angezogen. **c)** Das Frühstück wird vom Vater gemacht. **d)** Die Kinder werden vom Vater zur Schule gebracht. **e)** Das Geschirr wird vom Geschirrspüler gespült. **f)** Die Wäsche wird von der Waschmaschine gewaschen. **g)** Das Kinderzimmer wird von den Kindern aufgeräumt. **h)** Der Hund wird von den Kindern gebadet. **i)** Die Kinder werden vom Vater und von der Mutter ins Bett gebracht. **j)** Die Wohnung wird vom Vater geputzt. **k)** Das Essen wird vom Vater gekocht. **l)** Das Geld wird von der Mutter verdient.

16.

	Vorfeld	Verb$_1$	Subjekt	Erg.	Angabe	Ergänzung	Verb$_2$
a)	Die Karosserien	werden			von Robotern		geschweißt.
b)	Roboter	schweißen				die Karosserien.	
c)	Morgens	wird	das Material		mit Zügen		gebracht
d)	Züge	bringen			morgens	das Material.	
e)	Der Vater	bringt		die Kinder		ins Bett.	
f)	Die Kinder	werden			vom Vater	ins Bett	gebracht.

17. a) C   **b)** A   **c)** C   **d)** B   **e)** C   **f)** C

18. a)   A. 1, 6, 8, 11   B. 4, 5, 9, 12   C. 2, 3, 7, 10
b)   A. Wenn ich Autoverkäufer wäre, würde ich Provisionen bekommen. Ich könnte Kredite und Versicherungen besorgen. Ich müsste auch Büroarbeit machen, und natürlich würde ich Autos verkaufen.
B. Wenn ich Tankwart wäre, hätte ich oft unregelmäßige Arbeitszeiten. Ich wäre meistens an der Kasse. Ich müsste auch technische Arbeiten machen und würde Benzin, Autozubehörteile und andere Artikel verkaufen.
C. Wenn ich Berufskraftfahrerin wäre, hätte ich keine leichte Arbeit. Ich hätte oft unregelmäßige Arbeitszeiten und wäre oft von der Familie getrennt. Ich müsste immer pünktlich ankommen.
(Andere Lösungen sind möglich.)

19. a) angerufen · angerufen **b)** repariert · repariert **c)** aufgemacht · aufgemacht **d)** versorgt · versorgt **e)** bedient · bedient **f)** verkauft · verkauft **g)** gewechselt · gewechselt **h)** beraten · beraten **i)** angemeldet · angemeldet **j)** besorgt · besorgt **k)** gepflegt · gepflegt **l)** montiert · montiert **m)** kontrolliert · kontrolliert **n)** vorbereitet · vorbereitet **o)** zurückgegeben · zurückgegeben **p)** eingeschaltet · eingeschaltet **q)** bezahlt · bezahlt **r)** gekündigt · gekündigt **s)** geschrieben · geschrieben **t)** geliefert · geliefert

20. a) Fahrlehrer(in), Taxifahrer(in), Berufskraftfahrer(in) **b)** Autoverkäufer(in), Sekretär(in), Buchhalter(in) **c)** Mechaniker(in), Tankwart(in), Meister(in) **d)** Facharbeiter(in), Schichtarbeiter(in), Roboter

21. a) mit **b)** in **c)** für **d)** für **e)** mit **f)** Für **g)** vor **h)** für **i)** über **j)** von **k)** bei **l)** auf **m)** Als

22. a) Hobby **b)** Feierabend **c)** Industrie **d)** Arbeitszeit **e)** Haushalt **f)** Kredit

23. Herr Behrens, was sind Sie von Beruf? · Sind Sie selbständig? · Wie alt sind Sie? · Von wann bis wann arbeiten Sie? · Und wann schlafen Sie? · Ist das nicht schlecht für das Familienleben? · Warum können Sie denn nicht schlafen? · Was ist Ihre Frau von Beruf? · Und Sie haben Kinder, nicht wahr? · Wann arbeitet Ihre Frau? · Was machen Sie nachmittags? · Warum machen Sie überhaupt Schichtarbeit?

24. a) ruhig **b)** zusammen **c)** sauber **d)** selten **e)** wach **f)** leer **g)** mehr **h)** allein **i)** gleich

25. a) Überstunden **b)** Krankenversicherung **c)** Schichtarbeit **d)** Lohn **e)** Gehalt **f)** Arbeitslosenversicherung **g)** Haushaltsgeld **h)** Kredit **i)** Rentenversicherung **j)** Steuern

26. a) 5 **b)** 2 **c)** 3 **d)** 6 **e)** 8 **f)** 7 **g)** 1 **h)** 4

Lektion 15

1. Morgen fange ich an mehr Obst zu essen. … früher schlafen zu gehen. … öfter Sport zu treiben. … weniger fernzusehen. … weniger Bier zu trinken. … weniger Geld auszugeben. … die Wohnung regelmäßig aufzuräumen. … meine Eltern öfter zu besuchen. … die Rechnungen schneller zu bezahlen. … mich täglich zu duschen. … immer die Schuhe zu putzen. … öfter zum Zahnarzt zu gehen. … nicht mehr zu lügen. … früher aufzustehen. … mehr spazieren zu gehen. … immer eine Krawatte anzuziehen. … besser zu arbeiten. … ein Gartenhaus zu bauen. … billiger einzukaufen. … regelmäßig Fahrrad zu fahren. … besser zu frühstücken. … regelmäßig die Blumen zu gießen. … besser zu kochen. … eine Fremdsprache zu lernen. … öfter Zeitung zu lesen. … Maria öfter Blumen mitzubringen. … mehr Briefe zu schreiben. … weniger zu telefonieren. *(Andere Lösungen sind möglich.)*

2. *trennbare Verben (rechte Seite):* anzufangen, anzurufen, aufzuhören, aufzupassen, aufzuräumen, aufzustehen, auszupacken, auszuruhen, auszusteigen, auszuziehen, einzukaufen, einzupacken, einzuschlafen, einzusteigen, fernzusehen, nachzudenken, vorbeizukommen, wegzufahren, zuzuhören, zurückzugeben.
Alle anderen sind untrennbar (linke Seite).

3. a) attraktiv · unattraktiv **b)** treu · untreu **c)** ehrlich · unehrlich **d)** sauber · schmutzig **e)** interessant · langweilig **f)** höflich · unhöflich **g)** ruhig (leise) · laut **h)** sportlich · unsportlich **i)** sympathisch · unsympathisch **j)** freundlich · unfreundlich **k)** hübsch (schön) · hässlich **l)** fröhlich · traurig **m)** pünktlich · unpünktlich **n)** intelligent · dumm **o)** ruhig · nervös **p)** normal · verrückt **q)** zufrieden · unzufrieden

4. a) dicke **b)** neue **c)** neugierigen **d)** jüngstes **e)** verrückten **f)** klugen **g)** lustigen **h)** hübschen **i)** neuen **j)** neue · alte **k)** älteste **l)** sympathischen **m)** roten **n)** langen **o)** kurzen **p)** sportlichen

Schlüssel

5. *Berufe:* Pilot, Verkäufer, Zahnärztin, Musikerin, Kaufmann, Kellnerin, Künstler, Lehrerin, Ministerin, Politiker, Polizist, Schauspielerin, Schriftsteller, Soldat, Fotografin, Friseurin, Journalistin, Bäcker
Familie / Menschen ...: Nachbar, Tante, Schwester, Bruder, Ehemann, Eltern, Kollege, Tochter, Bekannte, Sohn, Ehefrau, Kind, Freund, Vater, Mutter

6. **a)** Leider hatte ich keine Zeit Dich anzurufen.   **b)** Nie hilfst du mir die Wohnung aufzuräumen.
c) Hast du nicht gelernt pünktlich zu sein?   **d)** Hast du vergessen Gaby einzuladen?   **e)** Morgen fange ich an Französisch zu lernen.   **f)** Jochen hatte letzte Woche keine Lust (mit mir) ins Kino zu gehen.   **g)** Meine Kollegin hatte gestern keine Zeit mir zu helfen.   **h)** Mein Bruder hat versucht mein Auto zu reparieren. (Aber es hat nicht geklappt.)   **i)** Der Tankwart hat vergessen den Wagen zu waschen.

7. **a)** nie   **b)** fast nie   **c)** sehr selten   **d)** selten / nicht oft   **e)** manchmal   **f)** oft / häufig   **g)** sehr oft   **h)** meistens   **i)** fast immer   **j)** immer

8. **A. a)** Ich habe Zeit mein Buch zu lesen.   **b)** Ich versuche mein Fahrrad selbst zu reparieren.   **c)** Es macht mir Spaß mit kleinen Kindern zu spielen.   **d)** Ich helfe dir deinen Koffer zu tragen.   **e)** Ich habe vor im August nach Spanien zu fahren.   **f)** Ich habe die Erlaubnis heute eine Stunde früher Feierabend zu machen.   **g)** Ich habe Probleme abends einzuschlafen.   **h)** Ich habe Angst nachts durch den Park zu gehen.   **i)** Ich höre (ab morgen) auf Zigaretten zu rauchen.   **j)** Ich verbiete dir in die Stadt zu gehen.   **k)** Ich habe (gestern) vergessen dir den Brief zu bringen.   **l)** Ich habe nie gelernt Auto zu fahren.   **m)** Ich habe Lust spazieren zu gehen.

B. a) Es ist wichtig das Auto zu reparieren.   **b)** Es ist langweilig allein zu sein.   **c)** Es ist gefährlich im Meer zu baden.   **d)** Es ist interessant andere Leute zu treffen.   **e)** Es ist lustig mit Kindern zu spielen.   **f)** Es ist falsch zu viel Fisch zu essen.   **g)** Es ist richtig regelmäßig Sport zu treiben.   **h)** Es ist furchtbar einen Freund zu verlieren.   **i)** Es ist unmöglich alles zu wissen.   **j)** Es ist leicht neue Freunde zu finden.   **k)** Es ist schwer wirklich gute Freunde zu finden.   *... (Andere Lösungen sind möglich.)*

9. **a)** duschen   **b)** hängt   **c)** ausmachen   **d)** Mach · an   **e)** wecken   **f)** Ruf · an   **g)** entschuldigen · vergessen   **h)** telefoniert   **i)** reden   **j)** erzählt

10. **a)** anrufen   **b)** entschuldigen   **c)** telefonieren   **d)** ausmachen   **e)** kritisieren   **f)** unterhalten   **g)** reden

11. **a)** den Fernseher, das Licht, das Radio   **b)** Frau Keller, Ludwig, meinen Chef   **c)** mit meinem Kind, mit dem Ehepaar Klausen, mit seiner Schwester   **d)** die Küche, das Haus, das Büro   **e)** auf eine bessere Zukunft, auf ein besseres Leben, auf besseres Wetter

12. **a)** Meine Freundin glaubt, dass alle Männer schlecht sind.   **b)** Ich habe gehört, dass Inge einen neuen Freund hat.   **c)** Peter hofft, dass seine Freundin ihn bald heiraten will.   **d)** Wir wissen, dass Peters Eltern oft Streit haben.   **e)** Helga hat erzählt, dass sie eine neue Wohnung gefunden hat.   **f)** Ich bin überzeugt, dass es besser ist, wenn man jung heiratet.   **g)** Frank hat gesagt, dass er heute Abend eine Kollegin besuchen will.   **h)** Ich meine, dass man viel mit seinen Kindern spielen soll.   **i)** Ich habe mich (darüber) gefreut, dass du mich zu deinem Geburtstag eingeladen hast.

13. **a)** B   **b)** A   **c)** A   **d)** B   **e)** C   **f)** A

14. (Kein Schlüssel.)

15. **a)** Ich bin auch / Ich bin nicht überzeugt, dass Geld nicht glücklich macht.   **b)** Ich glaube auch / Ich glaube nicht, dass es sehr viele schlechte Ehen gibt.   **c)** Ich finde auch / Ich finde nicht, dass man ohne Kinder freier ist.   **d)** Ich bin auch / Ich bin nicht der Meinung, dass die meisten Männer nicht gern heiraten.   **e)** Es stimmt / Es stimmt nicht, dass die Liebe das Wichtigste im Leben ist.   **f)** Es ist wahr / Es ist falsch, dass reiche Männer immer interessant sind.   **g)** Ich meine auch / Ich meine nicht, dass schöne Frauen meistens dumm sind.   **h)** Ich denke auch / Ich denke nicht, dass Frauen harte Männer mögen.   **i)** Ich bin dafür / Ich bin dagegen, dass man heiraten muss, wenn man Kinder will.

Schlüssel

16. Starke und unregelmäßige Verben

anfangen	angefangen	heißen	geheißen	singen	gesungen
beginnen	begonnen	kennen	gekannt	sitzen	gesessen
bekommen	bekommen	kommen	gekommen	sprechen	gesprochen
bringen	gebracht	laufen	gelaufen	stehen	gestanden
denken	gedacht	lesen	gelesen	tragen	getragen
einladen	eingeladen	liegen	gelegen	treffen	getroffen
essen	gegessen	nehmen	genommen	tun	getan
fahren	gefahren	rufen	gerufen	vergessen	vergessen
finden	gefunden	schlafen	geschlafen	verlieren	verloren
fliegen	geflogen	schneiden	geschnitten	waschen	gewaschen
geben	gegeben	schreiben	geschrieben	wissen	gewusst
gehen	gegangen	schwimmen	geschwommen		
halten	gehalten	sehen	gesehen		

Schwache Verben

abholen	abgeholt	einkaufen	eingekauft	lieben	geliebt
abstellen	abgestellt	erzählen	erzählt	machen	gemacht
antworten	geantwortet	feiern	gefeiert	parken	geparkt
arbeiten	gearbeitet	glauben	geglaubt	putzen	geputzt
aufhören	aufgehört	heiraten	geheiratet	rechnen	gerechnet
baden	gebadet	holen	geholt	reisen	gereist
bauen	gebaut	hören	gehört	sagen	gesagt
besichtigen	besichtigt	kaufen	gekauft	schenken	geschenkt
bestellen	bestellt	kochen	gekocht	spielen	gespielt
besuchen	besucht	lachen	gelacht	suchen	gesucht
bezahlen	bezahlt	leben	gelebt	tanzen	getanzt
brauchen	gebraucht	lernen	gelernt	zeigen	gezeigt

17. a) Im **b)** Nach dem **c)** vor dem **d)** Nach der **e)** Am **f)** Im **g)** Bei den / Während der **h)** vor der **i)** Am **j)** In den **k)** Am **l)** Während der **m)** Beim **n)** Am Anfang

18.
vor dem Besuch	vor der Arbeit	vor dem Abendessen	vor den Sportsendungen
nach dem Besuch	nach der Arbeit	nach dem Abendessen	nach den Sportsendungen
bei dem Besuch	bei der Arbeit	bei dem Abendessen	bei den Sportsendungen
während dem Besuch	während der Arbeit	während dem Abendessen	während der Sportsendungen
während des Besuchs	während der Arbeit	während des Abendessens	während der Sportsendungen
am Abend		am Wochenende	an den Sonntagen
im letzten Sommer	in der letzten Woche	im letzten Jahr	in den letzten Jahren

19. a) Marias Jugendzeit war sehr hart. Eigentlich hatte sie nie richtige Eltern. Als sie zwei Jahre alt war, ist ihr Vater gestorben. Ihre Mutter hat ihren Mann nie vergessen und hat mehr an ihn als an ihre Tochter gedacht. Maria war deshalb sehr oft allein, aber das konnte sie mit zwei Jahren natürlich noch nicht verstehen. Ihre Mutter ist gestorben, als sie vierzehn Jahre alt war. Maria hat dann bei ihrem Großvater gelebt. Mit 17 Jahren hat sie geheiratet, das war damals normal. Ihr erstes Kind, Adele, hat sie bekommen, als sie 19 war. Mit 30 hatte sie schließlich sechs Kinder.
b) Adele hat als Kind in einem gutbürgerlichen Elternhaus gelebt. Wirtschaftliche Sorgen hat die Familie nicht gekannt. Nicht die Eltern, sondern ein Kindermädchen hat die Kinder erzogen. Sie hatte auch einen Privatlehrer. Mit ihren Eltern konnte sich Adele nie richtig unterhalten, sie waren ihr immer etwas fremd. Was sie gesagt haben, mussten die Kinder unbedingt tun. Wenn z. B. die Mutter nachmittags geschlafen hat, durften die Kinder nicht laut sein und spielen. Manchmal hat es auch Ohrfeigen gegeben. Als sie 15 Jahre alt war, ist Adele in eine Mädchenschule gekommen. Dort ist sie bis zur Mittleren Reife geblieben. Dann hat sie Kinderschwester gelernt. Aber eigentlich hat sie es nicht so wichtig gefunden einen Beruf zu lernen, denn sie wollte auf jeden Fall lieber heiraten und eine Familie haben. Auf Kinder hat sie sich besonders gefreut. Die wollte sie dann aber freier erziehen, als sie selbst erzogen war; denn an ihre eigene Kindheit hat sie schon damals nicht so gern zurückgedacht.
Ingeborg hatte ein wärmeres und freundlicheres Elternhaus als ihre Mutter Adele. Auch in den Kriegsjahren hat sich Ingeborg bei ihren Eltern sehr sicher gefühlt. Aber trotzdem, auch für sie war das Wort der Eltern Gesetz. Wenn z. B. Besuch im Haus war, dann mussten die Kinder gewöhnlich in ihrem Zimmer bleiben und ganz ruhig sein. Am Tisch durften sie nur dann sprechen, wenn man

Schlüssel

sie gefragt hat. Die Eltern haben Ingeborg immer den Weg gezeigt. Selbst hat sie nie Wünsche gehabt. Auch in ihrer Ehe war das so. Heute kritisiert sie das.

d) Ulrike wollte schon früh anders leben als ihre Eltern. Für sie war es nicht mehr normal, immer nur das zu tun, was die Eltern gesagt haben. Noch während der Schulzeit ist sie deshalb zu Hause ausgezogen. Ihre Eltern konnten das am Anfang nur schwer verstehen. Mit 17 Jahren hat sie ein Kind bekommen. Das haben alle viel zu früh gefunden. Den Mann wollte sie nicht heiraten. Trotzdem ist sie mit dem Kind nicht allein geblieben. Ihre Mutter, aber auch ihre Großmutter haben ihr geholfen.

20. a) hieß **b)** nannte **c)** besuchte **d)** erzählte **e)** heiratete **f)** war **g)** ging **h)** sah **i)** wohnte **j)** schlief **k)** gab **l)** wollte **m)** liebte **n)** fand **o)** half **p)** arbeitete **q)** verdiente **r)** hatte **s)** trug **t)** las

21. a) Als meine Eltern in Paris geheiratet haben, waren sie noch sehr jung. **b)** Als ich sieben Jahre alt war, hat mir mein Vater einen Hund geschenkt. **c)** Als meine Schwester vor fünf Jahren ein Kind bekam, war sie 30 Jahre alt. **d)** Als Sandra die Erwachsenen störte, durfte sie trotzdem im Zimmer bleiben. **e)** Als er noch ein Kind war, hatten seine Eltern oft Streit. **f)** Als meine Großeltern noch lebten, war es zu Hause nicht so langweilig. **g)** Als wir im Sommer in Spanien waren, war das Wetter sehr schön.

22. Als er ein Jahr alt war, hat er laufen gelernt.
Als er drei Jahre alt war, hat er immer nur Unsinn gemacht.
Als er vier Jahre alt war, hat er sich ein Fahrrad gewünscht.
Als er fünf Jahre alt war, hat er schwimmen gelernt.
Als er sieben Jahre alt war, ist er vom Fahrrad gefallen.
Als er acht Jahre alt war, hat er sich nicht gerne gewaschen.
Als er zehn Jahre alt war, hat er viel gelesen.
Als er vierzehn Jahre alt war, hat er jeden Tag drei Stunden telefoniert.
Als er fünfzehn Jahre alt war, hat er Briefmarken gesammelt.
Als er achtzehn Jahre alt war, hat er sich sehr für Politik interessiert.
Als er vierundzwanzig Jahre alt war, hat er geheiratet.

23. a) Wenn **b)** Als **c)** Wenn **d)** Als **e)** Als **f)** wenn **g)** Als **h)** Wenn **i)** Wenn **j)** Als

24. a) über die **b)** über die **c)** mit meinem **d)** mit meinen **e)** für das **f)** um die **g)** auf **h)** an ihren · an ihre

25. a) verschieden **b)** Sorgen **c)** Wunsch **d)** deutlich **e)** Damals **f)** aufpassen **g)** anziehen · ausziel **h)** Besuch · allein **i)** früh · schließlich · hart **j)** unbedingt

26. a) Das neue Auto meines ältesten Bruders ist schon kaputt. **b)** Die Mutter meines zweiten Mannes sehr nett. **c)** Die Schwester meiner neuen Freundin hat geheiratet. **d)** Der Freund meines jüngsten Kindes ist leider sehr laut. **e)** Die beiden / Die zwei Kinder meiner neuen Freunde gehen schon zu Schule. **f)** Der Verkauf des alten Wagens war sehr schwierig. **g)** Die Mutter des kleinen Kindes is vor zwei Jahren gestorben. **h)** Der Chef der neuen Autowerkstatt in der Hauptstraße ist mein Freu **i)** Die Reparatur der schwarzen Schuhe hat sehr lange gedauert.

die Mutter meines zweiten Mannes
die Schwester meiner neuen Freundin
der Freund meines jüngsten Kindes
die Kinder meiner neuen Freunde
der Verkauf des alten Wagens
der Chef der neuen Werkstatt
die Mutter des kleinen Kindes
die Reparatur der blauen Schuhe

27. a) sich langweilen **b)** Besuch **c)** schlagen **d)** Gesetz **e)** leben **f)** fühlen **g)** schwimmen

28. a) Vater **b)** Sohn **c)** Tochter **d)** Eltern **e)** Urenkelin **f)** Großmutter **g)** Nichte **h)** Neffe **i)** Enkelin **j)** Onkel **k)** Großvater **l)** Mutter **m)** Urgroßmutter **n)** Urgroßvater **o)** Enkel